唐詩百話

施蟄存著

文史哲出版社印行

國立中央圖書館出版品預行編目資料

唐詩百話 / 施蟄存著. -- 初版. -- 臺北市：
文史哲，民83
冊； 公分
ISBN 957-547-851-7(精裝). -- ISBN 957-547-852-5(一套：平裝)

831.4 83001583

唐詩百話

著者：施蟄存
出版者：文史哲出版社
登記證字號：行政院新聞局局版臺業字五三三七號
發行人：彭正雄
發行所：文史哲出版社
印刷者：文史哲出版社
台北市羅斯福路一段七十二巷四號
郵撥〇五一二八八一二彭正雄帳戶
電話：三五一一〇二八
精裝定價新臺幣一〇〇〇元
平裝定價新臺幣九〇〇元
中華民國八十三年三月初版

本書經行政院新聞局同意出版字號爲
新聞局局版臺陸字第一〇〇〇〇五號

ISBN 957-547-851-7(精裝)
ISBN 957-547-852-5(平裝)

出版說明

民國三十八年政府遷臺，與大陸隔絕四十多年，其間雙方交流得最早、且逐漸累積的，可說是出版品。大陸地區印行臺灣地區的出版品，詳情不易細講，不過由少而漸多，當是事實。而臺灣地區在四十年初，已有書局印行大陸出版的圖書，但是就內容來說，一直都很自我約束，除了在意識形態方面謹守分寸外，若文字上有稍涉違礙處，或是大陸學者的姓名，都自動加以刪改。

大陸編印的圖書，無論是經過整理的古籍或是新著，常為研究人文學科者所參考。近幾年兩岸往來頻繁，出版尺度也跟著放寬。現已各訂辦法，保障有關人士、機構的權益，合法印行。

本書得以出版，緣於李煥明先生的引介。原來的簡體字版，今改為正體字重排。為便讀者利用，書末的索引，原書只注明篇次，現一一根據其頁碼重編。由於兩岸用字頗有異同，校對工作極為繁瑣，特別是文學術語和詩學名詞方面，不易校正。本社特請作者重加校訂，使本書得以呈現更佳的品質，本社在此致上最深的謝意。

「他山之石，可以攻錯」，為促進兩岸學術交流，本社一本出版學術專著的宗旨，對於大陸地區優秀的學術著作、重要的研究資料及工具書，仍將慎選出版，以服務學界，希望讀者繼續給予支持和指正。

新雕校證大字白氏諷諫 五十首并序

右拾遺兼翰林學士白居易 撰

序曰諷諫凡九千二百五十二言斷爲五十篇篇無定句句無定字繫於意不繫於文首句標其目古十有九首之例也卒章顯其志詩三百篇之義也其辭質而徑欲見之者易諭也其言直而切欲聞之者深誡也其事覈而實使來者之傳信也其體順而律可以播於樂章歌曲也揔而言之爲君爲臣爲民爲物爲事而作不爲文而作也

七德舞第一　法曲第二　二王後第三　海漫漫第四
立部伎第五　華原磬第六　上陽人第七　胡旋女第八
折臂翁第九　太行路第十　司天臺第十一　捕蝗第十二
昆明春第十三　城鹽州第十四　道州民第十五　馴犀第十六
五絃彈第十七　蠻子朝第十八　驃國樂第十九　縛戎人第二十
驪宮高第二十一　百鍊鏡第二十二　青石第二十三　兩朱閣第二十四

圖一　北宋刻本《白氏諷諫》書影

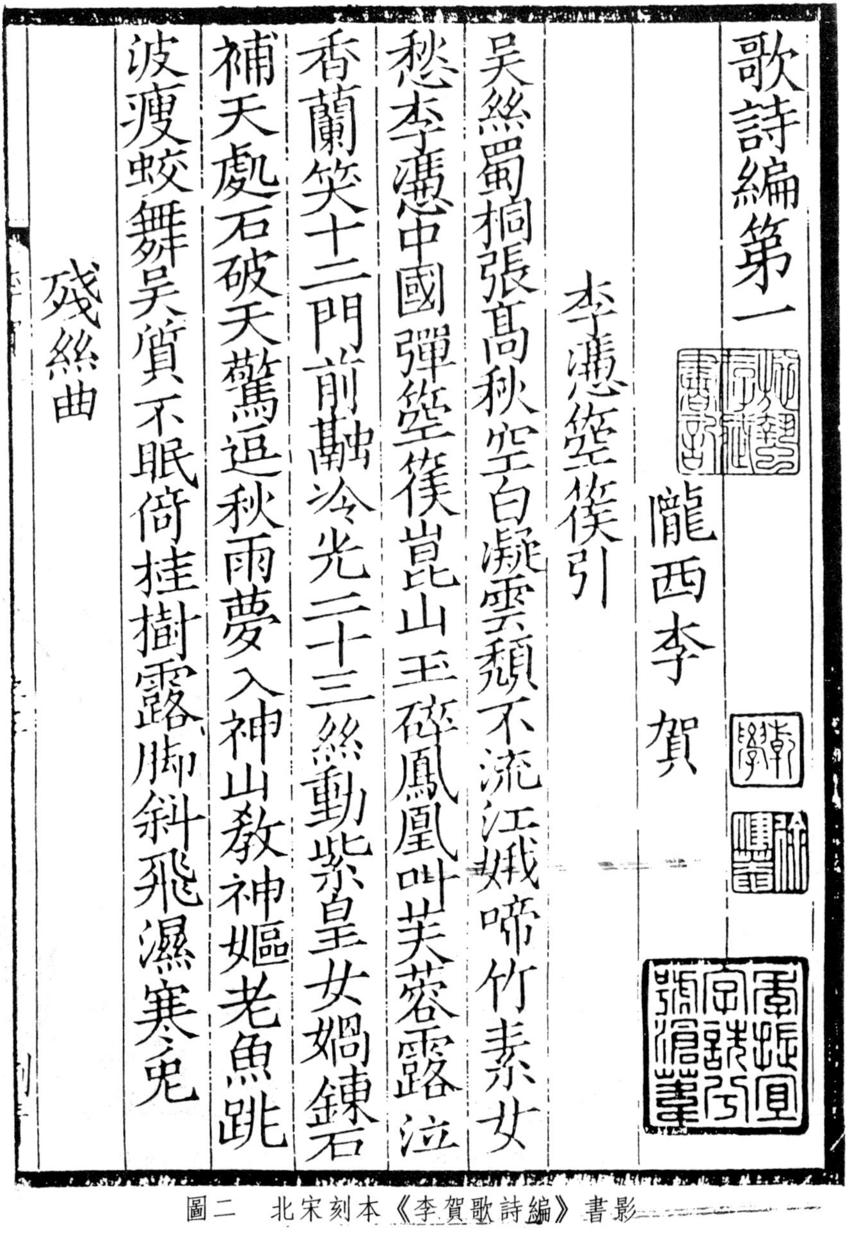

歌詩編第一

隴西李賀

李憑箜篌引

吴絲蜀桐張高秋空白凝雲頹不流江娥啼竹素女
愁李憑中國彈箜篌崑山玉碎鳳凰叫芙蓉泣露
香蘭笑十二門前融冷光二十三絲動紫皇女媧鍊石
補天處石破天驚逗秋雨夢入神山教神嫗老魚跳
波瘦蛟舞吴質不眠倚桂樹露脚斜飛濕寒兔

殘絲曲

圖二　北宋刻本《李賀歌詩編》書影

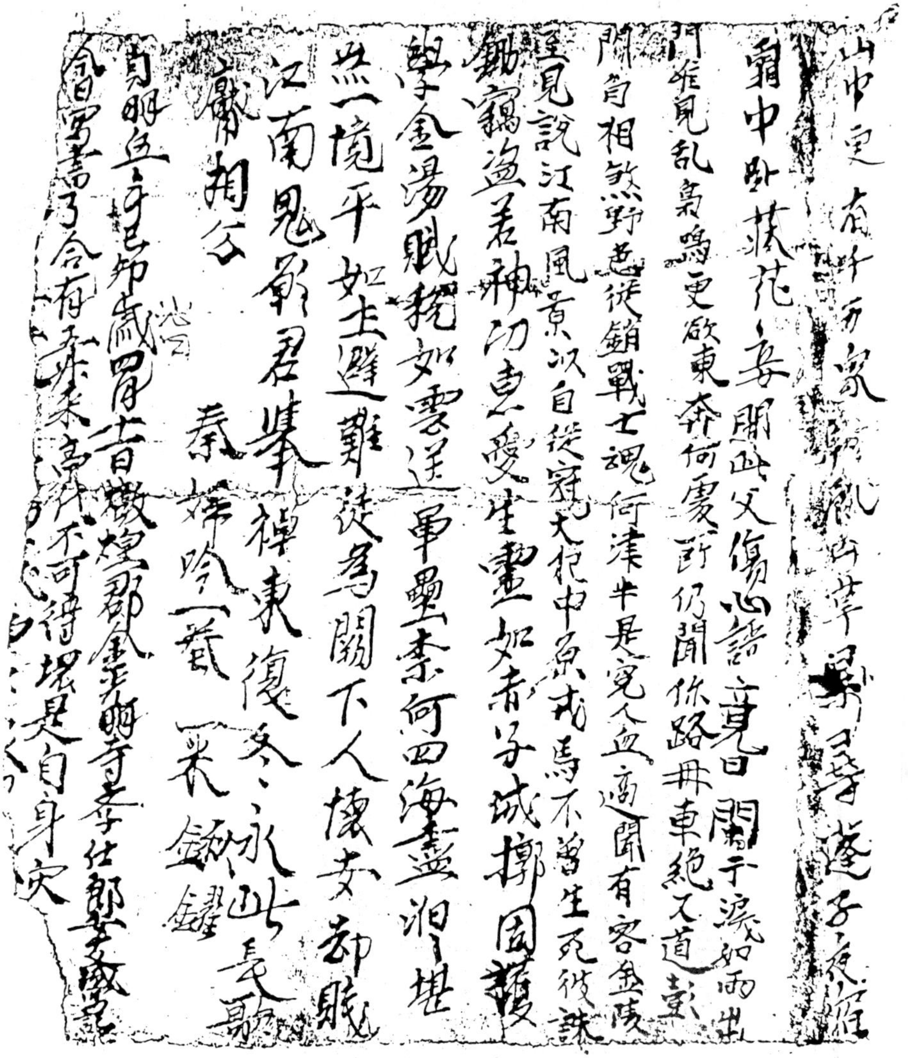

山中更有千萬家朝飢山草尋蓬子夜宿
霜中臥荻花妾聞此父傷心語竟日闌干淚如雨出
門唯見乱梟鳴更欲東奔何處所仍聞汴路舟車絕又道彭
門自相殺野色徒銷戰士魂河津半是冤人血適聞有客金陵
至見說江南風景異自從大寇犯中原戎馬不曾生四鄙誅
鋤竊盜若神功惠愛生靈如赤子城壕固護
教金湯賦稅如雲送軍壘奈何四海盡滔滔湛
然一境平如砥避難徒為闕下人懷安卻羨江
南鬼願君舉棹東復東詠此長歌獻
相公　秦婦吟一卷 [illegible]
貞明五年己卯歲四月十一日敦煌郡金光明寺學仕郎安友盛寫訖
今日寫書了合有五升米高代不可得還是自身災

圖三　敦煌寫本〈秦婦吟〉之一頁（西元九一九年）

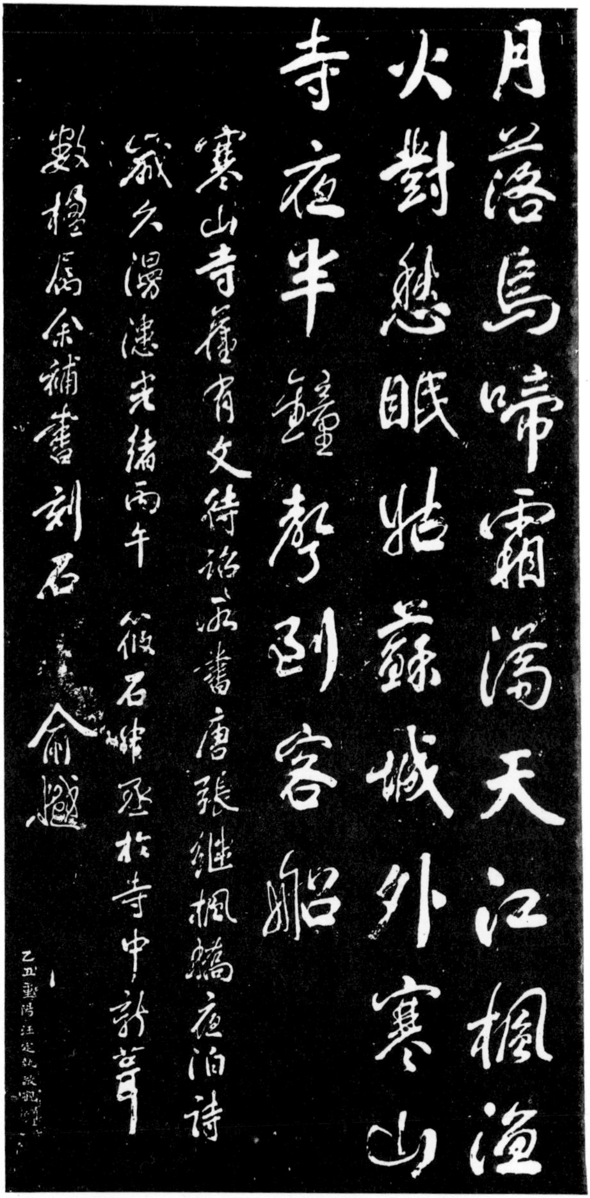

月落烏啼霜滿天江楓漁
火對愁眠姑蘇城外寒山
寺夜半鐘聲到客船

寒山寺舊有文待詔所書唐張繼楓橋夜泊詩
歲久漫漶光緒丙午 筱石中丞於寺中新葺
數椽屬余補書刻石 俞樾

圖四　俞樾書〈楓橋夜泊〉詩石刻

序引

一九七七年冬天，上海古籍出版社的陳邦炎先生來訪問，寒喧幾句之後，他就開門見山，說是來爲出版社組稿的。他希望我編一本古典文學方面的書稿給他們的出版社印行。我感到很抱歉，無法報答他的好意。從一九五七年起，二十年間，我雖然還能偸閒看了不少書，也積有不少札記，但因爲內容龐雜，要編一本稍稍像樣的書，還不可能。不過一九七七年是中國大陸知識分子龍蛇起蟄的年頭，我一方面有點不甘寂寞，另一方面，看見許多久已不知下落的老朋友都已有文章見於報刊，我也未免見獵心喜。因此決心想活動活動筆桿子，寫那麼一二本小書出來，在文化復興的大事業中充當一個小卒子。當時我就向陳邦炎先生建議，用一年時間寫一本關於唐詩欣賞的書。陳邦炎先生贊同我的建議，希望我能在一年內交稿。他回去後，就把我的計劃作爲一九七九年的出版選題。

我於一九七八年一月二日開始寫第一篇。當初的設想，僅僅是選講幾十首唐詩，使它們能代表整個唐代三百年的詩風。我想一共寫六十篇，每篇講一首或幾首詩，介紹一位或幾位詩人。用串講的方法，把我對這些詩或詩人的了解講解一番。我當了四十年的語言文學教師，課堂講解是我的老本行。

我不會寫研究文章，我能寫的文章，人家讀起來也還像是課堂教學用的講稿。因此，我把書名定爲《唐詩串講》，表示我還有點兒自知之明。我打算每個月寫五篇，到一九七八年底，準可完成任務。

但是，我一鼓作氣地寫了幾個月，信心慢慢地出現了裂紋。原來這本書並不容易寫，至少不像我最初設想的那麼容易。我把我這本書的讀者假定是文科大學生的文化水平。在講解每一首詩的時候，我碰上許多詩以外的事情，估計我的讀者恐怕未必了解，我以爲應當順便講一講。於是我離開講詩而去跑野馬。我要講一個典故的意義，講一首詩所反映的時代、政治背景和社會風俗。我要講一種詩體的源流。這樣，我在講一首詩之前，或同時，還得講關於詩的文學史、文學概論和有關的文學基礎知識。

過去我自己讀唐詩，是以我自己的語文水平爲基礎，憑我的直覺去理解的。我從來沒有發現我的理解和別人的理解，會有很大的距離。現在要憑我的理解寫成一本書，就有必要看看別人的理解。因此，我搜集了許多唐詩的注釋本，也參看了許多關於唐詩的論文和詩話。誰知不看猶可，一看卻常常會大吃一驚。原來有許多膾炙人口的唐詩，從宋、元、明、淸以來，就有許多距離極遠的理解。不但是詩意的體會，各自不同，甚至對文辭的理解，也各不相同。這樣，我對自己向來以爲沒問題的理解，也未免有些動搖。怎麼辦呢？爲了要核實情況，從語言文字中求得正確的含義，我又不得不先做些校勘、考證的工作。這樣，我的野馬又跑進史學的園林裏去了。

信心有了裂紋，膽就怯了。寫作的速度也因此而緩慢下來。到一九七九年十月，才寫成六十篇。

但是止講到劉禹錫的詩，還有許多中唐詩人沒有講到。晚唐詩更是還遠呢。看來這六十篇也還編不成書。於是把成稿擱置在架上，打算一邊續寫，一邊修改，把內容擴大爲一百篇。

一九八〇年到一九八二年，這三年是大忙的年頭。不過現在回憶起來，也不知道忙些什麼。這部稿子依然擱在架上，沒有時間也沒有勇氣繼續寫下去。它幾乎已等於廢品。止有在幾個刊物來要稿的時候，曾抄出幾篇去發表過。一九八三年初，正想擠出時間來完成這個工作，想不到從三月中旬起患了一場大病。我在醫院中住了十八個月，於一九八四年九月出院回家。回家以後，第一件事就是找出這六十篇舊稿從頭再看了一遍。看後的結果是放棄了修改的意圖，下決心繼續寫下去。這回不想用串講的方法了。我改用漫話的方法，可以比較自由活潑地和讀者漫談唐詩。因而把書名改爲《唐詩百話》。從一九八四年十月起，到一九八五年六月，總算湊滿了一百篇。今天把筆寫自叙，回顧這部書稿，經歷了八年之久，終於還能完成，自己也料想不到。

我把這部書稿的寫作經過向讀者匯報，是希望讀者原諒我前半部和後半部的寫法不同。距離雖然不太大，但後半部寫得似乎較爲活潑，而前半部卻是講義。我希望，連同本書其他方面的缺點，讀者能不吝指教。

施蟄存 一九八五年七月五日

唐詩百話 目次

盛唐詩話

中唐詩話

晚唐詩話

目次

初唐詩話

1 王績：野望

東皋薄暮望，徙倚欲何依。
樹樹皆秋色，山山惟落暉。
牧人驅犢返，獵馬帶禽歸。
相顧無相識，長歌懷采薇。

王績，字無功，絳州龍門（今山西龍門）人。隋大業末，官爲秘書正字。因不願在京朝任職，就出去做六合縣丞。天天飲酒，不理政事。不久，義兵四起，天下大亂，隋朝政權，有即將崩潰之勢。

他就托病辭官，回到家鄉。李唐政權建立後，武德年間，徵集隋朝職官，以備選任。王績還應徵到長安，任門下省待詔。貞觀初年，因病告退，仍回故鄉，隱居於北山東皋，自號東皋子。王績與其兄王通，都不熱中於仕宦。王通隱居講學，爲河汾之間儒學宗師，著有《文中子》。王績以詩賦著名，其文集名《東皋子集》。

隋文帝楊堅結束了南北朝對峙的歷史，在政治、經濟、文化上統一了中國。南北兩個文化系統，逐漸趨於融合。但是楊堅的政權，被他的荒淫無度的兒子楊廣斷送了。統一的新文化，沒有來得及發展。在初唐的幾十年間，唐代文化，特別是文學，基本上是隋代的繼續。

王績生於隋末唐初，文學史家一般把他列爲最早的唐代詩人。我們現在選講唐詩，也就從王績開始。《野望》是王績的著名詩作。這首詩一共八句，每句五字。古人稱一個字爲一『言』，故每句五字的詩，稱爲五言詩。第三句和第四句詞性一致，句法結構相同。第五句和第六句也是詞性一致，也是句法結構相同。這樣形式的結構，稱爲『對子』，或稱『對偶』、『對仗』。每二句稱爲一聯。詞性一致的對句，如『樹樹皆秋色，山山惟落暉』，稱爲『對聯』。上、下二句不對的，如『東皋薄暮望，徙倚欲何依』，和『相顧無相識，長歌懷采薇』，都稱爲『散聯』。每一聯末尾一個字，都是『韻』，或稱『韻脚』。這首詩第一聯末尾是『依』字，於是以下三聯末尾一字就必須用與『依』字同韻的字。

按照這樣的規律結構起來的詩，稱爲『五言四韻詩』。後來稱爲『五言律詩』，簡稱『五律』。我國古代詩歌，最早的是《詩經》裏的三百零五篇四言詩。其後有了以六言句爲主的《楚辭》。漢、魏、南北朝詩才以五言爲主。這些古詩，都不在聲、韻、詞性、句法上作出嚴格的規律。因此，在唐代以前，還沒有『律詩』。王績這一首詩是最早的唐代律詩，但在王績的時候，『律詩』這個名詞還沒有出現，故一般僅稱爲『五言四韻』。

這首詩是作者在故鄉北山下東皋上傍晚眺望時有感而作。東皋，即東邊的高原。第一句『東皋薄暮望』，說明了詩題。地：東皋，時：薄暮，事：望，全都交代了。這種表現方法，叫做『點題』。五、七言律詩的第一句，或第一、二句，通常都得先點題。第二句是說出作者在眺望時的思想感情。如果從字面上講，對照上一句，他是覺得轉來轉去沒有一個可以依靠的地方。但這樣講卻是死講、實講。他並不是找不到一個可以依靠的地方，而是找不到一個可以依靠的人物。一方面是沒有賞識他的人，另一方面是沒有他看得中願意去投奔的人。因此，在社會上『徙倚』多年，竟沒有歸宿之處。這是活講、虛講。詩和散文句法的不同，就在這裏。在散文裏，『徙倚』必須說出在什麼地方，『依』必須說出依的是什麼對象：是人物還是樹木或山石。像這一句詩，不增加幾個名詞是無法譯成散文句的。因此，散文句子絕大多數不會有雙關意義。

第三、四句，即第二聯，描寫眺望到的景色。每一株樹都顯出了秋色（樹葉的黃色），每一山頭都止有斜陽照著。這也還是按字面死講，而其含蓄的意義卻是：眼前所見盡是衰敗沒落的現象，不是我所願依靠的和平、繁榮的世界。

第三聯是描寫眺望到的人物。牧人趕著牛羊，騎馬的獵人帶了許多狩獲物，都回家去了。第四聯就接上去說：這些牧人和獵戶，他們看看我，我也看看他們，彼此都沒有相識的人。於是作者寫出了第八句。在一個衰敗沒落的環境中，又遇不到一個相識的人，便止好放聲高歌，想念起古代兩個隱居山中、採野菜過活的伯夷、叔齊了。

一首律詩，主題思想的表現，都在第一聯和第四聯。第二聯和第三聯，雖然必須做對句，較爲難做，但在表達全詩思想內容，並不佔重要的地位。我們如果把這首詩的第二、三聯刪去，留下第一、四聯，這首詩的思想內容並沒有重要的缺少：

東皋薄暮望，徙倚欲何依。
相顧無相識，長歌懷采薇。

你看，這樣一寫，第二句的『依』字更淸楚了。作者所要依的肯定是人，而不是樹木山石。

學習一切文學作品，必須先了解這個作品及其作者的時代背景。在我國古代文學批評的傳統上，有一個成語，也可以說是文學批評術語，叫作『知人論世』。要了解一個作家之爲人，必須先討論一下他所處的是個什麼時世。但是，了解一個作家的時代背景較爲容易，這個作家的傳記資料愈多，我們對他的『知人論世』工作便愈容易做。至於一篇作品的時代背景，就較難了解。因爲一個人的時代背景是幾十年間的事，一篇作品的時代背景，可能止是作者的一小段生活環境。對於一個詩人，我們要知道他的某一首詩是在什麼情況下寫的，除非作者本人在詩題或詩序中自己交代明白，否則就很不容易明確知道。

王績身經隋唐二代，對於他這首詩，似乎必須先知道它是在什麼時候寫的，才能了解它針對的是些什麼。著《唐詩解》的明人唐汝詢說：『此感隋之將亡也。』這樣，他是把此詩的寫作時間定在隋亡以前。這樣，第二聯就成爲比喻隋代政治的沒落了。清人吳昌祺對唐汝詢的意見，表示異議，在《刪訂唐詩解》中加上一個批語：『然王嘗仕唐，則通首只無相識之意。』唐汝詢以爲王績感隋之將亡，因而，爲了忠於隋代，有效法伯夷、叔齊，歸隱首陽山之志。吳昌祺提醒了一句，王績也做過唐代的官，不能把這首詩理解爲有隱居不仕之志。唐汝詢以『長歌懷采薇』爲這首詩的主題思想，吳昌祺則以爲詩的重點在『相顧無相識』，『徙倚欲何依』。何文煥在顧安的《唐律消夏錄》中增批了一句：『王無功，隋之遺老也。「欲何依」，「懷采薇」，可以見其志矣。』這樣講，就把詩的寫作時間定在隋亡以後，而以爲王績是隋之遺老，所以賦詩見志，表示要做一個『不食周粟』的隱士。

許多著名的唐詩，歷代以來，曾經許多人評講。同一首詩，往往有很多不同的理解。關於王績這首詩，我選取了三家的評論，以爲代表。何文煥的講法，顯然不是可取的，因爲王績在唐代做過門下省待詔、太樂署丞，雖然沒有幾年，已不能說他是隋代的遺老。至於他在貞觀初年，已經告老回鄉，這裏很可能有政治上的利害得失，史書沒有記錄，我們就無從知道。

我以爲這首詩很可能作於隋代政權將亡或已亡之時。但王績並不效忠於這個一片秋色和殘陽的政權。他的『長歌懷采薇』是爲了『徙倚欲何依』，是爲了個人的沒有出路。待到唐皇朝建立，李淵徵集隋代職官，王績就應徵到長安出仕，可見他並不以遺老自居。

我這樣講，完全是『以意逆志』，沒有文獻可以參證。但是恐怕也止有這樣講法，才比較講得通。

一九七八年一月四日

2 王勃：杜少府之任蜀州

城闕輔三秦，風煙望五津。
與君離別意，同是宦遊人。
海內存知己，天涯若比鄰。
無爲在歧路，兒女共沾巾。

現在再講一首五言律詩，一則因爲它也是初唐名作，二則借此補充講一點五言律詩的藝術技巧。

作者王勃，字子安，是文中子王通的孫子，東皋子王績的侄孫。他從小就能作詩賦，應進士舉及第，還不到二十歲。但他恃才傲物，常常因文章得罪人。旅居劍南（四川），多年沒有事做。好不容易補上了虢州參軍，不久，又因事罷官。連累到他父親福疇，也降官去做交阯縣令。他到交阯去省親，在渡海時溺水而死，止有二十八歲。他詩文集原有三十卷，大約作品不少，但現在止存詩八十餘首。被選在《古文觀止》裏的《滕王閣序》，是他最著名的作品。

這首詩的題目，在有些選本中題爲《送杜少府之任蜀州》，這就更明白了。有一位姓杜的朋友到四川去做某縣縣尉，作者就寫此詩送行。唐代的官制，一個縣的行政長官稱爲『令』，縣令以下有一名『丞』，處理文事，有一名『尉』，處理武事。文丞武尉，是協助縣令的官職。文人書簡來往，或者在公文上，常用『明府』爲縣令的尊稱或代用詞，縣丞則稱爲『贊府』，縣尉則稱爲『少府』。這些名詞，在唐詩題目中經常見到。現在詩題稱『杜少府』，可知他是去就任縣尉。

蜀州即蜀郡。成都地區，從漢至隋，均爲蜀郡。唐初改郡爲州，故王勃改稱蜀州。但當時成都地區已改名益州，不稱蜀州。故王勃雖然改郡字爲州字，仍是用的古地名。向來注家均引《舊唐書·地理志》所載『蜀州』作注。這個蜀州是武后垂拱二年（公元六八六年）從益州分出四縣設置的，其時王勃已死，他不可能知道有這個蜀州。

此詩第一聯是點明題目。上句『城闕輔三秦』是說蜀州是物產富饒的地方，那裏每一個城市都對三秦有輔佐之功。下句的『五津』是蜀州的代用詞。『風煙』即是風景。此句說自己遙望蜀州風景。上句是對杜少府說的：你並不是到一個邊荒的地方去作官，而是到一個對京都有重要貢獻的地方去作官。下句是從送行者的立場說：你走了，我止能遙望那邊的風景。

送人遠行，就要作詩，這是唐代知識分子的風俗。一部《全唐詩》，送行贈別的詩占了很大的百分比。這類詩的作法，多數是用第一聯兩句來點題，照顧到主客雙方。例如崔曙《送薛據之宋州》詩云：『無媒嗟失路，有道亦乘流。』第一句說自己，因爲無人介紹，至今失業。第二句說薛據：你是有道之士，可也得乘舟東去謀食。郎士元《送孫侍郎往容府宣慰》詩第一聯云：『春原獨立望湘川，擊隼南飛上楚天。』也是第一句說自己：在春原上獨立遙望你去的湘水流域。第二句恭維孫侍郎此行是像鷹隼那樣高飛上楚天。盧照鄰《送鄭司倉入蜀》詩起二句云：『離人丹水北，遊客錦城東。』用『離人』、『遊客』，點明題目中『送』字。用『丹水』、『錦城』，點明『蜀』字。王勃此詩，也用同樣方法，但他組織得更均衡。上句表達了杜少府、蜀州和長安的關係，下句表達了作者、送行者與蜀州的關係。

『城闕輔三秦』這句詩歷來有不同的講法。多數人以爲『城闕』指京都長安。如果依句子結構講，這一句就應當講作『長安輔助三秦』。但是，從事理上想一想，這樣講是講不通的。北京與郊縣的關係，總是郊縣輔助北京，不能說是北京輔助郊縣。於是一般人都講作『長安以三秦爲輔』，使這個『輔』字成爲被動詞。即使說這樣講對了，這句詩和題目又有什麼關係呢？

於是有人覺得『城闕』應當是指蜀州的。可是，一看到『闕』字，就想到宮闕，蜀州既非京都，怎麼會有『城闕』呢？於是吳昌祺說：『蜀稱城闕，以昭烈也。』他是從歷史上去求解釋。巴蜀是劉備建國之地，成都是蜀都，所以也可以用『城闕』。

按『城闕』二字，早已見於《詩經》。『佻兮達兮，在城闕兮』，這是《鄭風·子衿》的詩句。孔穎達注解說：『謂城上別有高闕，非宮闕也。』他早已怕讀者誤解爲京城的宮闕，所以說得很明白，城闕是有高樓的城門。止要是州郡大城市，城頭上都有高樓，都可以稱城闕。王勃和孔穎達同時。他當然把『城闕』作一般性的名詞用，並不特指京都。再看唐人詩中用『城闕』的，固然有指長安的，也有不指長安的。李頎《望秦川》詩云：『遠近山河淨，逶迤城闕重。』這『城闕』是多數。韓愈《題楚莊王廟》詩云：『丘墳滿目衣冠盡，城闕連雲草樹荒。』韋應物《灃上寄幼遐》詩云：『寂寞到城闕，惆悵返柴荆。』這幾個『城闕』，顯然不是指長安。

巴蜀爲富饒之地，自從開通了秦、蜀之間的棧道，秦中人民的生活資料，一向靠巴蜀支援。從漢武帝以來，論秦、蜀經濟關係的文獻，都是這樣說的。與王勃同時的陳子昂也說：『蜀爲西南一都會，國家之寶庫，天下珍貨聚出其中，又人富粟多，順江而下，可以兼濟中國。』（《諫討生羌書》）後來杜甫也說：『蜀之土地膏腴，物產繁富，足以供王命也。』（《論巴蜀安危表》）由此可見王勃送杜少府去蜀州，第一句就讚揚蜀中城市是三秦的支援者，這也是代表了一般的觀點。可是現在還有許多人注唐詩，堅持『城闕』是指長安，於是把這句詩講得很不合理。我感到不能不在這裏詳細辯論一番。

『風煙望五津』句歷來注釋都以爲『五津』是說蜀州地勢險惡，『風煙』是形容遠望不淸。唐汝詢釋云：『蜀州雖有五津之險，而實爲三秦之輔，故我望彼之風煙，而知今之離別，仍爲宦遊，非睽離也。』他這樣講法，可知他對於『風煙』一句，實在沒有明確理解，以致下文愈講愈錯。

我說『風煙』即『風景』，這也是新近才恍然大悟的。唐太宗李世民有一篇《感舊賦》，是懷念洛陽而作。有二句云：『地不改其城闕，時無異其風煙。』此處也是以『城闕』對『風煙』，意思就是城闕依然，風景無異。王勃此詩，完全用太宗的對法，可知這個『風煙』應解作『風景』。唐人常常爲平仄關係，改變詞彙。『景』字仄聲，『煙』字平聲，在需要用平聲的時候，『風景』不妨改爲『風煙』。李白《春夜宴桃李園序》有句云：『陽春召我以煙景，大塊假我以文章。』這個『煙景』，也就是『風景』。

現在，我們接下去講第二聯。作者說：我和你今天在這裏離別，同樣是遊宦人的情意。離開家鄉，到遠地去求學，稱爲『遊士』、或『遊學』。去做官，稱爲『遊宦』，也稱『宦遊』。強調遊，就用『宦遊』；強調宦，就用『遊宦』。

第三聯大意是：止要四海之內還有一個知己朋友，雖然遠隔天涯，也好似近在鄰居。這是對杜少府的安慰，同時也有點讚揚。對杜少府來說，你遠去蜀中，不要感到寂寞，還有知己朋友在這裏，不因距離遠而就此疏淡。對自己來說，像杜少府這樣的知己朋友，縱然現在遠去蜀中，也好像仍在長安時時見面一樣。這兩句是作者的名句，也是唐詩中數一數二的名句。但這兩句並非王勃的創造，他是從曹植的詩『丈夫志四海，萬里猶比鄰』變化而成，他利用『萬里猶比鄰』這個概念配上『海內存知己』，詩意就與曹植不同。後來王建也有兩句詩：『長安無舊識，百里是天涯。』這是把王勃的詩意，反過來用。不能不說是偷了王勃的句法。

第四聯是緊跟第三聯而寫的。既然『天涯若比鄰』，那麼現在在岔路口分別，大家就不必像小兒女那樣哭哭啼啼。詩歌的創作方法，往往用形象性的具體語詞來代替抽象概念。人哭了就要用手帕（巾）拭眼淚，於是『沾巾』就可以用來代替哭泣。這種字眼叫做『代詞』或『代語』。運用代語對尋找韻腳有很大的方便。

這首詩和王績的《野望》雖然都是五言律詩，但句法的藝術結構卻完全不同。㈠《野望》的第一聯是散聯，不是對聯。《杜少府》的第一聯是很工致的對聯。這裏，我們首先見到律詩的兩種句式，即第一聯可以是對句，也可以不是對句。㈡《野望》的第二聯和第三聯是同一類型的對句。『樹樹』對『山山』，『秋色』對『落暉』，『皆』對『惟』，四聲、詞性都是對穩的，每一句都是一個完整的句子，表現一個完整的概念。這種對句，每一聯上、下兩句的思想內容是各自獨立，沒有聯繫的。如果看一看《杜少府》的第二、三聯，可以發現，每句都不是完整的句子。『與君離別意』，不成爲一個完整概念，必須讀了『同是宦遊人』才獲得一個概念。因此，從語法的角度講，《野望》的第二、三聯是四句，《杜少府》的第二、三聯止有二句。這裏，我們看到了律詩的兩種對句法。《野望》式的對句，稱爲『正對』。這是劉勰在《文心雕龍》裏定下的名詞。他舉出四種對法，正對是最常用最低級的對法。《杜少府》的對法，宋朝人稱爲『流水對』，又稱『十字格』。因爲從字面結構看，它們是一式二句；但從表現的思想內容看，止是不可分開的一個十字句。就像流水一般，剪不斷。這種對句，藝術性就較高。

王勃這首詩，兩聯都用流水對，使讀者不覺得它們是對句，止覺得像散文一樣流利地抒寫贈別的友誼，因而成爲千秋名句。

一九七八年一月七日

3 楊炯：從軍行

烽火照西京，心中自不平。
牙璋辭鳳闕，鐵騎繞龍城。
雪暗凋旗畫，風多雜鼓聲。
寧為百夫長，勝作一書生。

五言律詩是唐詩的主體，其形式與格律在初唐時已經完成。五律的一切規律和創作方法，可以通用到其他詩體，為此，這裏我們再講一首五律，順便補充講一點關於律詩的基礎知識。

楊炯是華陰縣（今陝西華陰）人。高宗顯慶六年（公元六六一年），被舉為神童，送入朝廷，授校書郎，才止十一歲。永隆二年（公元六八一年），為崇文館學士，遷詹事、司直。他也和王勃一樣，自以為有才，對人態度傲慢，武則天當政時，降官為梓州司法參軍。三年任滿，改任盈川縣令（今四川筠連縣），卒於任所。後人稱他為楊盈川，他的詩文存於今者，稱《楊盈川集》。

這首詩，先要講題目。『從軍行』本來不是詩題，而是一個樂府曲調的名詞。遠在西漢時代，漢武帝喜愛音樂歌曲，建置了一個中央音樂院，名爲『樂府』。他聚集了著名的音樂家和詩人，收集全國各地民歌，制定許多新的歌曲，頒布天下，供公私演奏。這種歌曲，稱爲『樂府歌曲』。配合這種歌曲的唱詞，稱爲『樂府歌辭』①，或稱『樂府詩』。在中、晚唐的時候，又稱『歌詩』。從形式來講，它們有五言的，有七言的，也有三、五、七言混合的，一般都是歌行體詩，採用律詩體的很少。從作用來講，它們是給伶人歌伎唱的。詩與樂府詩的區別，不在於形式，而在於能唱不能唱、或譜曲不譜曲。

這裏，必須補充一下，在漢代以前，所謂『詩』，就是指能唱的曲詞。一部《詩經》，三百零五首詩，都是可以唱的。到了秦漢時期，古詩已失去了曲譜，這個『詩』字漸漸成爲文學形式的名詞。在東漢時期，譜曲歌唱的稱爲『樂府歌辭』，《詩經》式的四言詩，稱爲『詩』。當時新流行的五、七言詩，稱爲『五言』或『七言』。可以想見，『詩』是四言詩的傳統名詞，五、七言詩還不算是詩。剛才我說，能唱的稱爲『樂府歌辭』或『樂府詩』，不能唱的稱爲『詩』，這是魏晉以後的文學概念。

《從軍行》是漢魏流傳下來的樂府歌曲。漢魏詩人作『從軍行』，是樂府曲辭。但是到了唐代《從軍行》古曲已經不存在了，楊炯作這篇《從軍行》，止是用古樂府曲調名爲題目，而這首五言律

---

①這個『辭』字，魏晉以後，省作『詞』。但唐宋以後，『詞』字又多了些意義。在寫作文學論文時，最好保留古寫法，以示區別。本書在必要的時候，仍用『辭』字。

詩，事實上是不能配合樂曲歌唱的。在這種情況下，這個詩題稱爲『樂府古題』。它並不表示這首詩的曲調，而是表明這首詩的內容。因爲每一個古代樂府曲調，都有一個規定的內容。例如《孤兒行》是描寫孤兒生活的，《從軍行》是反映從軍的辛苦的。楊炯做了這首五言律詩，用了這個樂府古題，但詩的內容已不同於漢魏時代的《從軍行》，可知初唐詩人用樂府古題作爲詩題，大多已失去了古義。這一種體式的詩，很難分類，可以列入『樂府詩』一類，也可以列入『五言律詩』一類。

這首詩的寫作方法也是一般的，止要先讀第一聯和第四聯，整首詩的內容都清楚了。第一聯『烽火照西京，心中自不平。』意思是說，邊境上有敵人來犯，警報已傳遞到長安，使我心中起伏不平。爲什麼心中起伏不平呢？因爲自己止是一個書生，沒有能力爲國家禦敵。於是第四聯接下去說：『我寧可做一個小軍官，也比做一個書生有用些。』周武王的兵制，以百人爲一隊，隊長稱『百夫長』。後世就用以表示下級軍官。

第二聯說：領了兵符，辭別京城，率領驍勇的騎兵去圍攻蕃人的京城。牙璋即牙牌，是皇帝調發軍隊用的符牌。鳳闕，指京城，不是一般的城市，與城闕不同，漢朝時，大將軍衛青遠征匈奴，直搗龍城。這龍城是匈奴首領所在的地方，也是主力軍所在的地方。匈奴是遊牧民族，龍城並不固定在一個地方，唐人詩中常用龍城，意思止是說敵人的巢穴。

第三聯是形容在西域與敵人戰鬥的情景。圍困了敵人之後，便發動殲滅戰，其時大雪紛飛，使軍旗上的彩畫都凋殘了，大風在四面八方雜著鼓聲呼嘯著。這時，正是百夫長爲國效命的時候，一個書生能比得上他嗎？

此詩第二、三聯止是修飾部分，對詩意並無增加。這正是律詩初形成時的風格，藝術手法還沒有發展到高度。

關於此詩的主題思想，有兩種看法：唐汝詢在《唐詩解》中以爲是作者看到朝廷重武輕文，止有武官得寵，心中有所不平，故作詩以發洩牢騷。吳昌祺在《刪訂唐詩解》中以爲作者看到敵人逼近西京，奮其不平之氣，拜命赴邊，觸雪犯風，以消滅敵人，建功立業，不像書生那樣無用。前者以爲這是一首諷刺詩，後者以爲這是一首愛國主義的述志詩。這樣，從第二聯以下，二人的體會都不同了。我以爲吳昌祺的理解比較可取，因爲第一聯已說明作者心中的不平是爲了『峰火照西京』，如果說他是爲了武人顯赫而心有不平，這一句就不應該緊接在『峰火』句下了。

五、七言八句律詩，一共四個韻腳，在第二、四、六、八句尾。例如《野望》這首詩，『依』、『暉』、『歸』、『薇』，是韻。『依』字是第一個韻，稱爲『起韻』。起韻一定，以後就得跟著用同韻的字。但《杜少府》的第一句『城闕輔三秦』，這個『秦』字已經是韻腳了。這首詩有五個韻：『秦』、『津』、『人』、『鄰』、『巾』。現在，《從軍行》第一句『京』字也是韻，這首詩也有五個韻。在這裏，我們注意到律詩的兩種協韻法。

律詩一般都用平聲韻。這就意味著每首律詩第二、四、六、八句的末尾必須是平聲字。於是，第一、三、五、七句的末尾相應地必須用仄聲字。《野望》第一句『東臯薄暮望』，這個『望』字是仄聲字，不必協韻，故這首詩的起韻是第二句的『依』字。但律詩第一句末尾也可以用平聲字，例如《杜少府》和《從軍行》。這第一個平聲句尾必須與第二句的起韻協韻。因此，這樣的詩，就有了五個韻腳。但律詩的正格是用四個韻。第一句尾的韻稱爲『引韻』，不算入正韻。

關於律詩第一句的格律，有兩句歌訣：『平起仄收』和『仄起平收』。起是指第一句第二字，收是指第一句第五字（七言律詩則指第七字）。『東皋薄暮望』，『皋』是平聲，『望』是仄聲，這是平起仄收。『峰火照西京』，『火』是仄聲，『京』是平聲，這是仄起平收。這兩種句法的聲調不一樣，影響到以下七句的聲調全不一樣。平起仄收的律詩聲調高亢雄壯，仄起平收的律詩聲調較爲低沈柔婉。唐人律詩以平起仄收爲正格，仄起平收爲變格。

學習或欣賞唐詩，要在具有四聲平仄的基礎知識上注意其對偶、和聲和協韻。這是唐詩語言的三種藝術手法。對偶表現詩的文字美，和聲、協韻表現詩的音樂美。關於對偶與協韻，我們已經談到過一些。現在要講一講和聲，唐人也稱爲調聲。

劉勰在《文心雕龍·聲律篇》中說：『異音相從謂之和，同聲相應謂之韻。』上句是和聲的定義，下句是協韻的定義。異音相從就是說平仄相從。平聲字要和仄聲字配搭。無論在一句或一聯中，平仄聲字必須有適當的配搭。從陳隋到初唐，詩人們已摸索到平仄配搭的規律。現在把《從軍行》全詩的平仄標出來，就易於體會平仄聲對詩句音調美的關係。

烽火照西京　平仄仄平平

心中自不平　平平仄仄平
牙璋辭鳳闕　平平平仄仄
鐵騎繞龍城　仄仄仄平平
雪暗凋旗畫　仄仄平平仄
風多雜鼓聲　平平仄仄平
寧爲百夫長　平平仄平仄
勝作一書生　仄仄仄平平

我國漢族人民的語言或文字，通常用兩字組成一個語詞，成爲一個語文音節。在每一句五言詩中，第二字、第四字，最要注意和聲結構（七言詩還要注意第六字的和聲）。這首詩除第七句外，每句的語法結構都是兩個語詞（名詞）加一個動詞或副詞。例如：

烽火——照——西京
鐵騎——繞——龍城

而第七句則是：

寧爲——百夫長

但是在吟誦的時候，這三句都會讀成：

烽火——照西——京

鐵騎——繞龍——城

寧爲——百夫——長

這裏就可以看到第二字和第四字的重要，語法結構和音節結構出現了矛盾。許多人朗誦古詩，止會按照語法結構讀。所以讀不出詩的音節美來。看了《從軍行》的平仄表，你可以發現，在第一句之中，第二字如果是仄聲，第四字一定要用平聲。在一聯之中，上句第二字如果用仄聲，下句第二字必須用平聲。第四字也同樣。這就叫『異音相從』。第二聯上句，即全詩第三句，應當仍和第一句異音，而與第二句音調相同。接下去，第三聯上句應當和第二聯下句音調相同，而和第二聯上句異音。第四聯也是同樣，上句和第三聯下句音調相同，而和上句異音。異音相從的方法，唐代人稱爲『黏綴』。該用平聲字的地方，你用了仄聲字，該用仄聲字的地方，你用了平聲字，這就犯了『失黏』的聲病。

如果你有多讀五言詩的經驗，你會發現五言詩的句法總是二字帶三字，即所謂『上二下三』。上二字是一個音節，下三字是一個半音節。可以是一二組合，例如『照西京』，也可以是二一組合，例如『白日晚』，也可以是一個三字名詞，例如『維摩詰』。這種三字組合的名詞絕對不能用在句子前面，造成上三下二的句式，就不可吟誦了①

以上講的是五言律詩的和聲原則。這個原則也適用於七言律詩，不過七言律詩還要講究每句第六

①盛唐以後，出現了拗句，便突破了這個規律，有上三下二的五言句式。這是變格，下文將講到。

字的和聲。相傳有兩句歌訣，可以幫助記憶：

『一三五不拘，二四六分明。』

這是說：律詩的每句，第一、三、五字，可以不拘平仄，自由運用，但第二、四、六字必須按照和聲規律用平聲或仄聲字。這是指七律而言，對於五律，則應當說：『一、三不拘，二、四分明。』一、三、五雖然不拘，但平仄二字，聲調畢竟有區別，熟悉律詩聲調的人，在這些地方，還應當選用一個聲音較美的字。

一九七八年一月十二日

4 五七言絕句四首

在軍登城樓

城上風威冷，江中水氣寒。
戎衣何日定，歌舞入長安。

——駱賓王

渡漢江

嶺外音書斷，經冬復歷春。
近鄉情更怯，不敢問來人。

——宋之問

渡湘江

遲日園林悲昔遊，今春花鳥作邊愁。

獨憐京國人南竄，不似湘江水北流。

——杜審言

邙山

北邙山上列墳塋，萬古千秋對洛城。
城中日夕歌鐘起，山上唯聞松柏聲。

——沈佺期

這裏選了四首另一種形式的詩。每句五言的二首，每句七言的二首。每首都是四句，用兩個韻或三個韻。這種形式的詩稱爲絕句。五言的簡稱五絕，七言的簡稱七絕。絕句是唐代最廣泛流行的抒情詩形式，有許多是譜入樂曲中供應歌唱的。

這四首絕句的文字很淺顯，一讀就懂得，不勞多講。我選這四首詩，一則是給初唐的絕句詩舉幾個樣品，二則是借機會講一講絕句詩的源流和演變。

第一首是駱賓王的五言絕句。駱賓王是義烏（今浙江義烏）人。徐敬業起兵討伐武則天，他做徐敬業的秘書，代徐起草了討伐武后的檄文（即宣言）。這篇檄文羅列了武后的罪狀，極能感動人，武則天讀了，極爲震動，責問宰相，爲什麼不早重用此人，卻爲徐敬業所用。這篇著名的檄文，爲歷代文人所傳誦。

《在軍登城樓》是他率領起義軍登上某一個城樓時所作。第一、二句寫景，城上風威，江中水冷，組成一聯對句。在這樣寒冷的時令，想到革命鬥爭的艱難，希望早日取得勝利。於是接下去說：『戎衣何日定。』這句話是用了一個典故，否則這個『定』字很難講。古書上有一句『一戎衣而天下定』，是說周武王一穿軍服，起來號召諸侯革命，於是商紂暴君政權崩潰，天下大定。『戎衣何日定』就是用這一句古書，應當講作革命何時勝利，戎衣是武裝革命的形象語言。第四句表示他革命勝利以後的期望，那時可以歌舞入長安了。駱賓王爲徐敬業的革命行動留下了一文一詩，但他們的事業卻是失敗的。駱賓王在兵敗後逃亡，不知所終。後來有傳說，他在杭州靈隱寺做和尚。

宋之問，虢州弘農（今河南靈寶）人。武則天時，曾降官瀧州參軍。不久，由於武三思的提拔，召回，起用爲鴻臚丞，以後官至考工員外郎，修文館學士。武氏政權粉碎以後，他被流放到欽州（今廣東欽縣），隨即就『賜死』。《渡漢江》這首五絕，大約是從嶺南奉召回鄉時所作。四句，不作對偶，是絕句的一般形式。第一聯說：降官到嶺外，去家鄉很遠，音信都斷絕了。『經冬復歷春』，這樣的詩句，一般應解釋爲經過好幾年。但根據宋之問的傳記資料，他在瀧州的時間不久，那麼，這一句恐怕應理解爲經過一個冬季和春季。就是說，他大約是上一年秋季降官到瀧州，下一年春晚召回的。大半年不得家鄉消息，現在回鄉的路已走了一大半，渡過漢水，已近家鄉，可是，第二聯敘述這時的心情，越是已近家鄉，遇到從家鄉來的人，越是不敢打聽家鄉消息。在交通不便，書信難通的古代行旅情況下，這首詩刻劃出了回鄉旅人的心情。

杜審言是襄陽（今湖北襄樊）人，是杜甫的祖父，詩文爲武則天所賞，官至膳部員外郎。因爲勾結張易之、張昌宗兄弟，被流放到峰州（在今越南境內）。不久，又召回爲國子監主簿、修文館直學士。《渡湘江》這首詩大約是流放到峰州去的時候所作。宋之問渡漢水是從嶺南復官回家，杜審言渡湘江是降官去嶺南，二人的心情不同。杜詩第一聯用今昔對照的寫法。過去整天在園林裏宴樂，現在懷念起來不勝悲哀。而今年春天的花鳥，卻爲我提供引起邊愁的資料。遲日，即長日；邊愁，旅居邊遠地方的愁緒。『悲昔遊』是一個成語，楚辭有一篇《悲昔遊》。第二聯也用對照手法。湘水北流，而旅客南下。獨憐，即自憐。自憐京朝的人，今天被竄逐到南荒，不像湘水那樣還能向北去。這首詩兩聯都是對句，也是絕句的一種格式。

沈佺期，字雲卿，相州內黃（今河南內黃）人。上元二年（公元六七五年）進士。武后時官協律郎，考功郎。因勾結張昌宗兄弟，受賄，長期流放到驩州（今亦屬越南），但他沒有加入武三思一伙。武則天死後，中宗復位，召見起用，官至中書舍人、太子少詹事。沈佺期工於五言律詩，與宋之問齊名，文學史上稱爲『沈宋』，他們是唐代五言律詩的奠基人。

洛陽城北的邙山，是東漢以來洛陽人的墓地，又稱『北邙』。沈佺期因邙山而興感，寫了這首小詩。第一聯是叙述，很容易懂，不必講。『萬古千秋』是誇張語，從東漢到唐初，不過六七百年。第二聯也用對比手法，也用對句。城中日日夜夜的歌舞，山上止有松柏聲。作者把洛陽城裏的繁華與邙山上的淒寂景象做對比，慨嘆富貴榮華的空虛。這一類主題思想，在古典文學作品中出現得很多，雖然對封建貴族、大官僚、大地主的奢侈糜爛生活有些諷刺，但從作者的人生觀來說，終是太消極的。

絕句這個名詞，在齊梁時代已經出現。陳代徐陵編的一部詩選集《玉臺新詠》，收有四首五言四句詩，不知作者名字，就題爲『古絕句』。既然把前代的詩稱爲古絕句，可知當時人寫的五言四句，就是絕句了。北周庾信的詩集裏，也有題爲『絕句』的詩。這種絕句，僅僅指五言四句二韻的小詩，還沒有像唐人絕句那樣要求平仄和諧。

遠在晉宋時代，詩人論詩，常常說：『二句一聯，四句一絕。』意思是說：每二句爲一聯，不管對不對，止要每二句末協一個韻，就是一聯。每四句，即二聯二韻，就是一絕。絕句這個名稱，即起源於此。

聯與絕是作詩的基本功，因此，『聯絕』就成爲詩的代詞。劉宋時，吳邁遠愛作詩，宋武帝說他『聯絕之外無所解』，就是說他除了做詩之外，什麼都不懂。

『絕』的意義是斷絕。『四句一絕』是用四句詩來完成一個思想概念。古人稱爲『立一意』。簡單的主題思想，四句就可以表達淸楚，這就稱爲一首絕句。繁複的主題思想，可以用八句、十二句、十六句來表達，我們就可以說這首詩裏有二絕、三絕或四絕。但不能說這是二首、三首或四首絕句。絕與絕句不同。絕是與思想段落契合的詩的段落。絕句是四句詩的形式名詞。

一個完整的概念，用四句詩來表達，是我國詩的老傳統。《詩經》、《楚辭》、漢魏樂府，差不多全是四句一個概念，或說思想段落。《詩經》以四句爲一章，樂府歌辭以四句爲一解。現代民間山歌小調也以四句爲一首或一段。蘇州人就乾脆稱爲『四句頭山歌』。長篇的詩，主題思想或叙述内容繁複的，也總是在第五句、第九句或第十三句上開始轉折。在讀詩的時候注意這一個現象，就可以了解四句一絕的意義。

現在我們看幾首唐以前的絕句：

漢樂府雜曲

枯魚過河泣，何時悔復及。
作書與魴鱮，相教慎出入。

晉大道曲

青陽二三月，柳青桃復紅。
車馬不相識，音落塵埃中。

——（晉）謝尙

玉階怨

夕殿下珠簾，流螢飛復息。
長夜織羅衣，思君此何極。

——（宋）謝朓

答詔問

山中何所有，嶺上多白雲。
只可自怡悅，不堪持贈君。

——（齊）陶弘景

人日思歸

入春才七日，離家已二年。
人歸落雁後，思發在花前。

——（隋）薛道衡

這五首詩，論形式，與唐人五言絕句沒有什麼不同。論音調，卻全不一樣。前三首的一句之中，一聯之內，都不合平仄黏綴的規律。第四首和第五首止有第二句失黏，已經很接近唐人絕句。從第一首到第五首，可以看清五言二韻詩在音調方面的發展過程。漢詩質直，像散文一樣。晉宋以後，在考究聲調了。到了陳隋，詩家已注意異音相從，但還不嚴格。這五首詩，還是古詩（五言古體詩），不是唐人所謂絕句。所以我們說：絕句這個名詞，雖然起於齊梁，還不是唐代的絕句。

宋代以後的詩家，對絕句作了一種古怪的解釋。他們以爲絕就是截。五言絕句是從五言律詩中割截了一半；七言絕句是從七言律詩中割截了一半。凡是第一聯是散句，第二聯是對句的絕句，就是割截了律詩的前半首。凡是第一聯對句，第二聯散句的絕句，就是割截了律詩的下半首。凡是第一、二聯都是對句的絕句，就是割截了律詩的中間二聯。凡是第一、二聯都用散句的絕句，就是割截了律詩的首尾二聯。由於這樣的理解，清代詩人常把絕句稱爲『截句』。他們以爲先有八句的律詩，後有四句的絕句，所以說絕句是割截了律詩的一半。這個觀點是錯誤的。現在我們知道，事實並非如此。絕句的形成，早於律詩。

在唐代人的觀念裏，凡是必須遵守對偶、和聲、協韻三條規律的詩，不管是五、七言二韻、四韻、六韻、八韻……都是律詩，因此，絕句也是律詩。白居易自己編定的《白氏長慶集》，就有『大律詩』、『小律詩』兩項分類。大律詩卷內都是五、七言四韻八句的律詩；小律詩卷內都是二韻四句的律詩，也就是絕句詩。宋人編的王安石詩集《王臨川集》，把七言絕句編在七言律詩一起，五言絕句編在五言律詩一起，可知唐宋時代的詩家，都以爲絕句也是律詩。後世人把五、七言四句二韻的詩稱爲絕句，把五、七言八句四韻的稱爲律詩，另外把五、七言六韻以上的詩稱爲排律，於是絕句和律詩分了家。明代高棅編《唐詩品彙》，把絕句和律詩分卷選錄，此後幾乎沒有人知道絕句也是律詩了。

關於絕句的情況，我們已大致弄清楚了。現在再概括一下：

㈠絕句的『絕』字起源於晉宋詩人『四句一絕』的概念。用四句詩來表達一個完整的概念。故絕句的特徵是每首詩限於四句。

㈡絕句這個名詞，齊梁時期已有，但當時的絕句止是四句二韻，並不講究和聲。這種絕句，還是古體詩，可以稱爲古絕句，不屬於唐代的律詩。

㈢唐代詩人作絕句，特別是五言絕句，還常用齊梁體，大多用仄聲韻，不很講究黏綴。例如王維詩集中有《輞川集》四十首，詩序中說明是絕句，實在仍是古詩。

㈣絕句本來也是律詩的一種形式，在唐人的語文習慣中，從來不把『律』和『絕』對立起來。宋元以後，才出現了『律絕』這個名詞，成爲『詩』的代詞。

一九七八年一月十七日

5 劉希夷：代悲白頭翁

洛陽城東桃李花△，飛來飛去落誰家△。（韻一）

洛陽兒女惜顏色×，行逢落花長嘆息×。（韻二）

今年花落顏色改○，明年花開復誰在○。（韻三）

已見松柏摧爲薪，更聞桑田變成海○。

古人無復洛城東△，今人還對落花風△。

年年歲歲花相似，歲歲年年人不同△。

寄言全盛紅顏子，應憐半死白頭翁△。（韻四）

此翁白頭眞可憐×，伊昔紅顏美少年×。

公子王孫芳樹下，清歌妙舞落花前×。

光祿池臺開錦繡，將軍樓閣畫神仙×。

一朝卧病無相識，三春行樂在誰邊。（韻五）

婉轉蛾眉能幾時，須臾鶴髮亂如絲。

但看古來歌舞地，惟有黃昏鳥雀悲。（韻六）

這首詩的體裁，名爲『七言歌行』。魏晉以來，這種詩體，多用於樂府歌辭，到了唐代，漸漸脫離樂府，成爲一種七言古詩的形式，名曰『歌行』。歌行是詩，不是樂府曲辭了。盧照鄰、駱賓王等初唐詩人都有篇幅較長的歌行，不過他們的句法，還繼承齊梁詩的濃麗風氣，又多做對句。劉希夷的歌行，極少用對句，也不多用典故。文字明白流利，詩意也不隱晦。這些特徵，都是繼承了古詩的傳統，和當時流行的文風不合。因此，他這一類詩在同時代是被認爲膚淺俚俗，有乖風雅。直到六七十年以後，在玄宗天寶年間，麗正殿學士孫翌，字季良，編選了一部《正聲集》，把劉希夷這首詩選進去，以爲全集中最好的詩，從此才被人注意。

《唐才子傳》稱：劉希夷，字延芝，潁川人。《全唐詩·小傳》說：劉希夷，一名庭芝，潁川人。歷代選本，或稱劉庭芝，或稱劉希夷，大概他的名與字已無法辨正了。《唐才子傳》又記錄他是上元二年（公元六七五年）的進士，是宋之問的外甥。但宋之問也是上元二年進士及第的，可知甥舅年齡差不多。劉希夷作《代悲白頭翁》，宋之問看到『年年歲歲花相似，歲歲年年人不同』一聯，極其喜愛，知道這首詩還沒有流傳出去，就向劉要這一聯，用入他自己的詩中。劉希夷當時答應了，但後來又反悔，因而泄漏了這件秘密，使宋之問出醜。宋之問大怒，叫人用土袋壓死劉希夷，當時劉還不到三十歲。這是唐人小說中所記的一段文藝軼事，未必可信，但由此可知這首詩是很著名的。當時及後世，都有人摹仿，甚至剽竊。《才調集》選錄賈曾的一首《有所思》云：

洛陽城東桃李花，飛來飛去落誰家。
幽閨女兒愛顏色，坐見落花長嘆息。
今歲花開君不待，明年花開復誰在。
故人不共洛陽東，今來空對落花風。
年年歲歲花相似，歲歲年年人不同。

這完全是剽竊了劉希夷的主題和詩句，甚至連宋之問讚賞的兩句也據爲已有。直到清朝，曹雪芹作《紅樓夢》，代林黛玉作《葬花詞》，還偸了好幾句。

這首詩的題目，各個選本都有不同。《唐音》、《唐詩歸》、《唐詩品彙》、《全唐詩》，均作《代悲白頭翁》。《文苑英華》、《樂府詩集》、《韻語陽秋》作《白頭吟》。尤袤《全唐詩話》作《白頭翁詠》。此詩又見於宋之問詩集，題作《有所思》。唐人編《搜玉小集》題作《代白頭吟》。聞一多以爲應當以《代白頭吟》爲是，因爲《白頭吟》是樂府舊題，晉宋人擬作古樂府，都加一個『代』字，例如鮑照所作樂府，就有《代白頭吟》、《代東門行》等。

按，《樂府古題要解》說：《白頭吟》是漢代卓文君所作。因爲司馬相如要娶一個茂陵姑娘爲妾，卓文君乃作《白頭吟》表示要與司馬相如離婚，相如才放棄了娶妾之意。後世詩人擬作此曲，都以女人被丈夫遺棄之事爲主題。如果用比興的方法，也大多是寫忠臣失寵於帝王的苦悶。劉希夷這首詩的主題，顯然並無此意。《韻語陽秋》作者葛立方又誤解『紅顏子』爲婦女，因而說此詩是寫男爲女所棄，離作者的本意更遠了。劉希夷另外有兩首詩，題爲《代閨人春日》、《代秦女贈行人》，這兩個『代』字之後，並不是樂府舊題，可見《代悲白頭翁》決不是《代白頭吟》之誤。又同時詩人崔顥有《江畔老人愁》，張謂有《代北州老人答》，都是代老人訴苦的作品，可知當時曾流行過這樣的主題。因此，我以爲這首詩的題目仍當以《代悲白頭翁》爲是。題意表示，不是作者自己悲嘆白頭翁，而是代別人悲嘆。代什麼人呢？代那些『紅顏美少年』。全詩的主題是警告青年人，不要耽於行樂，須知青春不能長駐，公子王孫的歌臺舞閣，最後都成爲黃昏時鳥雀悲鳴的地方。今天看見一個白頭翁，應當憐憫他，也就是憐憫自己的將來。作品的思想傾向是消極的，它止有指出華年易逝，而沒有鼓勵青年如何抓住華年的積極因素。

全詩二十六句，第一句至第十二句爲前半篇，以落花爲中心。大意說：花有謝落之時，但明年仍然開花，人則紅顏一改，便成老翁。從此轉到下半篇，勸告青春旺盛時代的青年人，應該憐憫『半死白頭翁』，自己警惕。今天你看到的白頭翁，當年也是『紅顏美少年』，他也曾和公子王孫一起在花前清歌妙舞，在光祿勛、大將軍的園林、樓閣裏飲酒作樂。可是，一轉眼就病了，老了，不再有人邀請他去參加『三春行樂』。從前在筵席上歌舞的姑娘，也不經久，不到幾年，便已滿頭白髮。著名一時的豪家的園林、樓閣，曾經是多少青年宴飲作樂的地方，到後來都成爲一片荒地，止有鳥雀在黃昏時候喧噪，好像是有所悲悼。後半篇是全詩的主體，前半篇止是一個引子。這樣的藝術手法，用古典文學批評的術語來說，叫做『以落花起興』。

什麼叫『起興』，說來話長。但既然講到了這個語詞，就不能不全面地講解一下。在漢朝的時候，有一位姓毛的學者，不知其名。有人說是毛亨，有人說是毛萇，弄不淸楚，相傳稱爲毛公。毛公硏究《詩經》，給每一篇詩標明了主題思想，稱爲『詩序』。卷首有一篇總序，稱爲大序，於是每首詩的序，就稱爲『小序』。在《大序》中，他提出了詩的『六義』。他說：『詩有六義焉：一曰風，二曰賦，三曰比，四曰興，五曰雅，六曰頌。』他所謂詩的六種意義，其實是詩的體裁和創作方法。『風、雅、頌』是詩的三種作用。因作用不同而體也不同。《詩經》這部古代詩選集是按照『風、雅、頌』三種作用來編定的，『賦、比、興』是創作方法。但是這位毛公解釋了『風、雅、頌』，而沒有解釋『賦、比、興』，好像這是人人都知道的。後來鄭玄箋注《詩經》，常常在詩的第一章下注曰：『興也。』但是他絕不注出『比也』或『賦也』。他以爲比和賦是人人都知道的，不用注明。止有興，他還特別作了解釋：『興是譬喩之意，意有不盡，故題曰興。』意思是說：興也是譬喩（比），不過不是單純的對比，而是超越了對比的範圍的。因此，他專把用『興』的手法做的詩注明，使讀者了解比和興的區別。從此以後，我國古典詩歌的創作方法，就一直用『賦、比、興』三字來說明。劉勰的《文心雕龍》裏有一篇《銓賦》，又有一篇《比興》，對這三個字作了細緻的解釋。現在我把他對賦、比、興所下的定義節錄在這裏：

賦——賦者，鋪也。鋪采摛文，體物寫志也。

比——何謂爲比？蓋寫物以附意，揚言以切事也。

興——比者，附也。興者，起也。附理者切類以指事，起情者依微以擬議。起情，故興體以立；附理，故比例以生。比則蓄憤以斥言，興則環譬以托諷。蓋隨時之義不一，故詩人之志有二也。

這些銓釋，爲六朝人的文體所局限，今天看來，不夠明確。到南宋時，朱熹作《詩經集傳》，他在每一首詩下都注明了『賦也』、『比也』或『興也』。他還給每一個字下了簡明的定義：

賦——賦者，敷陳其事而直言之也。

比——比者，以彼物比此物也。

興——興者，先言他物，以引起所詠之詞也。

用我們今天的話來講，賦就是正面描寫某一事物，修辭上可以用渲染、誇張的手法。比是引用一個事物來比擬另外一個事物。興是先講一個事物，引起主題思想中要用到的事物。這三種創作方法，賦最單純，比和興則似同實異，在某些作品中，不易區別。劉勰也說：『比顯而興隱』。（《文心雕龍·比興》）朱熹對某些詩注釋，曾用『賦而興也』，或『比而興也』，可知他也感到不容易劃定。由此，我們應當注意，這三個字並不代表絕然不同的三種創作方法，特別是比和興。我們可以說，比是直接的比喻，興是間接的比喻。從比喻這一作用來看，它們原是相同的。所以在文學批評的術語中，『比興』總是結合成爲一個名詞，和『賦』對立。而做詩爲什麼要用比興手法，爲什麼不能像散文一樣的直說，而偏要用一個事物來比喻或興起另一個事物？這是爲了要用具體的事物形象來說明一個抽象的思想概念，即所謂形象思維。

現在，我們回頭來再看劉希夷這首詩。前半篇裏的落花與人的關係是比，但前半篇對後半篇的關係卻是興。按照朱熹的方法來講，這就是『比而興也』。先以落花爲比，以引起白頭翁之可悲。

這首詩的比興方法運用得簡單，所以一讀就可悟到。前半篇和後半篇，區分得很明顯。初學作詩的人，可以從這一類詩的習作入門。歌行體詩發展到盛唐，李白、杜甫等大詩人都寫了不少著名的歌行。他們的藝術手法更高超，比興的運用也更複雜、更深刻、更隱晦。

歌行與律詩不同之處，第一是句數可隨作者自由，不像律詩那樣有規格。第二是不需要用對句。有些作者偶爾用幾聯對句，例如此詩止有第四、六、十聯是對句。也有作者通篇都用對句，例如盧照鄰的《長安古意》，駱賓王的《帝京篇》。第三是平仄黏綴沒有律詩那樣嚴格。第四是它不限韻數，可以一韻到底，也可以隨便轉韻。這些特徵，都與古體詩同，而與律體詩不同。所以歌行屬於古詩，而不屬於律詩。

這首詩用了六個韻腳，即轉韻五次。第一聯和第二聯都是二句一韻。第三、四聯四句一韻，第三句（即第四聯上句）不協韻，這和一首絕句同。第五、六、七聯六句一韻，第三、五句不協韻，這和一首律詩同。第八、九、十、十一聯八句一韻，也和一首律詩同。第十二、十三兩聯四句一韻，第三句不協韻，亦和絕句同。由此可見，一首歌行的句法、章法組織，包含了各種詩體在內。學作歌行體詩，同時就是學作各體詩。

歌行都是長篇。如果一韻到底，一則音樂性太單調，二則作者不易選擇韻腳。因此就需要轉韻。盛唐以後，歌行轉韻，漸漸地有了規律，一般都是四句或八句一轉。轉韻處總是在一個思想段落處，隱隱還保存四句一絕的傳統。劉希夷這首詩的轉韻方式，特別是第一聯一韻之後，第二聯立刻轉韻，第三聯又轉韻，這種不規則的轉韻方式，在以後的歌行中，是極少見到的。

一九七八年一月二十日

6 宋之問：奉和晦日幸昆明池應制

春豫靈池會，滄波帳殿開。
舟凌石鯨度，槎拂鬥牛回。
節晦蓂全落，春遲柳暗催。
象溟看浴景，燒劫辨沉灰。
鎬飲周文樂，汾歌漢武才。
不愁明月盡，自有夜珠來。

這是一首五言律詩，不過比一般的『五律』多二聯四句，也就是比四十字的五言律詩多二十字，全詩共六十字。這一類型的五言詩，唐代人就稱之爲『五言六韻律詩』。元人楊士弘，選了一部唐詩，名曰《唐音》。在這部唐詩選集中，他把這一類型的律詩稱爲『排律』。從六韻開始，一直可以多到百韻，甚至一百二十韻，一對一對的聯句，一排一排地延長下去。明代高棅編的《唐詩品彙》，也跟著楊士弘使用這個名詞，於是，排律作爲律詩的一種體式，這個名詞便普遍被承認了。到了淸代初期，有不少人反對這個名詞，例如馮班以爲這個『排』字容易使詩成爲呆板的對句堆砌，所以他曾說：『此一字大有害於詩。』

在唐代人的觀念裏，從二韻到一百二十韻的五言或七言詩，止要平仄黏綴，詞性、句法都成對仗，就都是律詩，一槪稱爲五律或七律。二韻四句的稱爲絕句。絕句也是律詩，故又稱『小律詩』。六韻以上的稱爲大律詩。宋元以後，絕句不屬於律詩。『五律』、『七律』這兩個名詞僅指四韻八句的詩。於是，有必要給六韻以上的律詩另外定一個名目，『排律』這個名詞是在這樣的需要下產生的。它有方便處，也未必『有害於詩』。

唐中宗李顯，在一個正月三十日到昆明池去遊玩，高興地做了一首詩，命令隨從的官員們大家和他一首。當時有一百多人做了詩。宋之問這首詩是被評爲最好的作品。題目『奉和』，這個『奉』字，如果按照它的本義來講，就是『捧』字。意思是雙手捧了皇帝的原作，照樣也做一首，但現在，它已成恭敬的禮貌詞，如『奉答』、『奉命』、『奉詢』等等。

許多人用同一題目做詩，第一個人做的第一首詩，稱爲『首唱』；大家跟著做，稱爲『和』。這整個賽詩的行動，稱爲『唱和』。和詩也有幾種不同情況。用同樣的題目，同樣的詩體，但不用同樣的韻腳，這是『和詩』。題目、詩體、韻腳，全都與原唱一樣，這是『和韻』。在唐代，『和』與『和韻』，意義不同。宋元以後，凡是和詩都必須用原韻，於是『和』與『和韻』就沒有區別了。

晦日是每月最後一日。大月是三十日，小月是二十九日。前面不標明月份，就是正月晦日。唐代的禮俗，以正月晦日、上巳和重陽定爲三大節日。在這三天，公私休假，官吏和人民都郊遊宴樂。到了宋代，這種風俗已不行了，所以宋代以後的詩中，見不到晦日遊宴的題目。

『幸』是一個封建政治動詞。皇帝到了什麼地方，就說是『幸某處』，因爲這是某處的榮幸。皇帝在某一位妃子的屋裏歇宿，就說是『幸某妃』，因爲這是某妃的榮幸。

昆明池在長安東南，原是漢武帝所開，以訓練水軍的。在唐代，成爲一個名勝的遊覽區。

『應制』也是一個封建政治語詞。皇帝的命令，稱爲『制』或『詔』。其書面文件稱爲『制書』或『詔書』。唐初幾位皇帝都能作詩，他常常在令節宴會的時候作詩首唱，命諸大臣和作，因此，初唐詩人集中有不少『應制』或『應詔』的詩。題目用『奉和』或『奉和聖制』的，表示皇帝自己先作了一首，有『和』當然必須先有『唱』。題目有『應制』而沒有『奉和』的，表示是奉皇帝之命而作，但皇帝自己並沒有作。例如宋之問有一首《幸少林寺應制》，是他隨從武后遊幸少林寺，奉命而作。因爲武后沒有作詩，故止有『應制』而不是『和』。應制詩也有限制定韻腳的，例如宋之問有《九月晦上陽宮侍宴應制得林字》一詩，是九月晦日武后在上陽宮設宴，命大臣各作一詩，每人分配到一個韻腳，宋之問得到『林』字，他的詩就必須用『林』字韻。

『應詔』和『應制』本來沒有區別，但武則天規定用『制』字、不用『詔』字，故武后以後都用『應制』而不用『應詔』。奉皇后、太子的命令，稱爲『應令』，例如李百藥有一首《奉和初春出遊應令》，這是隨從皇太子初春出遊，太子作了一首詩，命大家和作。還有用『應敎』的，那是奉諸王之命而作。例如虞世南有一首《奉和詠風應魏王敎》。太宗的第四子李泰，封爲魏王，他作了一首詠風的詩，請陪同的大臣也作一首，所以題作『應魏王敎』。還有一首詩題爲《初晴應敎》，就不知道是應那一位王子的敎了。

『應制』、『應令』、『應敎』詩，總稱爲『應制詩』。這種詩大多是五言四韻的五律，或六韻至十二韻的長律，偶爾也有絕句。由於這是君臣之間的文字酬答，措辭立意，必須顧到許多方面。要選擇美麗吉祥的詞藻，要有頌揚、祝賀、箴規的意義，要聲調響亮，要對仗精工，要有富貴氣象，切忌寒酸相。這樣，它就成爲一種典型的宮廷文學。唐代詩人官位高的，差不多人人有這種詩。後世皇帝愛好文學者少，自己能作詩的更少，這種君臣唱和的風氣就衰歇了。

宋之問這首詩就爲皇帝晦日遊昆明池而作詩，題材中主要部分當然是皇帝、晦日、昆明池三項。第一聯是先叙述這件事：春天參與了靈池上的宴會，池邊設置了帳殿。使用了與此三者有關的典故。第二聯描寫乘船在昆明池中遊覽：船划過了石鯨，好像從北斗星和牽牛星之間回來。昆明池有石刻鯨魚，又有牽牛織女的石像立於池之東西，使池水仿佛像銀河。槎，就是船。第三聯就得照顧晦日：這個節日是正月三十日，春氣還沒有到來，止是暗暗地催楊柳發芽。據說，唐堯的時候，階下生了一株草，每月一日開始長出一片莢來，到月半共長了十五莢。以後每日落去一莢，月大則莢都落盡，月小則留一莢，焦而不落。這一莢稱爲蓂。後世詩文家就用『蓂』字代替莢。此詩說『蓂全落』，可知是三十日。於是，這一聯詩，就扣住了正月晦日。第四聯要扣住昆明池。他說像北海那樣茫茫無涯的水中，正好看落日的景色；看到池底的黑泥，便想到這是劫火燒餘的殘灰。這兩句用的都是昆明池的典故。當年漢武帝開鑿此池，取象北海（溟，即北海）。在池底掘得黑灰，以問東方朔。東方朔說：天地大劫將盡，就會發生大火，把一切東西都燒光，叫做劫火。這是劫火後遺留下來的殘灰。第五聯就轉到皇帝。周武王建設了鎬京（今陝西長安），與群臣宴飲。這是歷史上第一次君臣宴會的故事。漢武帝曾和他的大臣們乘船泛遊於汾水之上，自己作了《秋風辭》這首著名的歌。這是歷史上第一次君臣遊樂唱和的故事。宋之問就很適當地用這兩個典故組織了兩句詩，順便歌頌了李顯爲漢武、周王。鎬飲是周武王的事，但這一聯詩中不能以『周武』對『漢武』，於是止好硬派作周文王的事了。最後一聯是結束，應當使皇帝、晦日、昆明池三者都有交代。宋之問又用了一個漢武帝的故事。據說漢武帝曾救過一條大魚，後來在昆明池旁得到一雙夜光珠，是大魚報恩獻給他的。於是這一聯詩就說：不怕三十夜沒有月亮，自然會有報恩的夜光珠送來的。

像這樣的詩，全靠運用適當的典故，工緻地組織起來。內容是非常空虛的，你不能說它有什麼中心思想。這就是宮廷文學的特徵。

唐人小說記載了有關這首詩的故事。據說當時有一百多人作了和詩，皇帝命他的昭容（女官名）上官婉兒評選出一篇最好的，以供譜曲。昭容在帳殿旁一座搭起的綵樓上評選，臣僚們都在樓下。一張一張落選的詩箋被扔下來，各人自己取回。最後止剩沈佺期和宋之問二人的詩箋沒有下來。過了好久，才飛下一紙，乃是沈佺期的詩。沈、宋二人當時是齊名的，他們的作品不容易區別高下。這一次，卻是宋之問奪得了冠軍。上官婉兒是一位女詩人，女學士，對沈、宋二人的詩，好久不能評定甲乙，最後才取宋而棄沈。她的評語說：『二詩工力悉敵，沈詩落句詞氣已竭，宋猶健筆。』她是從結尾一聯決定的。沈詩結尾已經沒有意義了，而宋詩的結尾卻還很矯健。現在我們參看沈佺期的詩：

法駕乘春轉，神池象漢回。
雙星移舊石，孤月隱殘灰。
戰鷁逢時去，恩魚望幸來。
山花緹騎繞，堤柳幔城開。
思逸橫汾唱，歡留宴鎬杯。
微臣雕朽質，羞睹豫章材。

用的也是這幾個典故，但全詩止是寫昆明池，沒有照顧到晦日。這裏其實已經可以區別高下。尾聯用《論語》『朽木不可雕也』句意，表示自謙：我現在應制作詩，好比雕刻朽木，看到別人的佳作，自愧不如。這兩句詩已經離開了題目，硬湊來做結束，不如宋之問的結句，既扣住晦日和昆明池，又有頌揚的意義。上官婉兒的評語，歷代以來，詩家都是同意的。明代詩人王世貞說，沈佺期的結句是『累句中累句』，宋之問的結句是『佳句中佳句』。可見後世評論，亦認爲這兩聯結句，差距很大。

一首詩的開端和結束，都很重要。沈、宋二詩的結尾，給我們以形象的認識。宋詩的結尾已做到了『言盡意不盡』，而沈詩的結尾卻是『言浮於意』。盡管二詩都是宮廷文學，但宋之問作了六韻十二句，才氣未盡，沈佺期作了十句，便無法扣緊題目發展詩思了。

一九七八年一月二十三日

7 沈佺期：遥同杜員外審言過嶺

天長地闊嶺頭分，去國離家見白雲。
洛浦風光何所似，崇山瘴癘不堪聞。
南浮漲海人何處，北望衡陽雁幾群。
兩地山河萬餘里，何時重謁聖明君。

這裏講一首沈佺期的七言詩。這種詩體，初唐時還未定名，就按照韻數計算，稱爲七言四韻詩。後來才稱爲七言律詩，簡稱七律。《舊唐書·沈佺期傳》說他『尤長於七言之作』，指的就是這一形式的詩。唐代七言律詩的格式，是沈佺期和宋之問二人奠定下來的。在初唐詩史中，他倆以『沈宋』齊名。

杜審言於神龍元年（公元七〇五年）流放峰州（今越南北境），同時，沈佺期亦因貪污罪流放驩州。杜審言在過嶺的時候，做了一首詩，有人傳給沈佺期看。因爲有共同的思想感情，就用同一題目做了這首詩。題目上用『遙同』二字，表示二人距離很遠，不是一路同行。過嶺是指過五嶺。唐代法律，官吏罪行嚴重者，要流放到嶺南，當時認爲是蠻荒之地。杜審言降官的時候，官職是膳部員外郎，故稱杜員外。

我國古詩，秦以前以四言一句爲主要形式，這是《詩經》的傳統。漢、魏、南北朝詩以五言一句爲主，這是《古詩十九首》的傳統。漢武帝曾和他的大臣在新造的柏梁臺上飲酒，君臣聯句賦詩。皇帝帶頭作了一個七言句，群臣就跟著用七言句聯接下去，這是七言詩的開始。以後雖然有人作七言詩，但當時還不算是詩。《後漢書·文苑傳》說杜篤的著作有『賦、誄、弔、書、贊、七言、女誡及雜文，凡十八篇』。又說崔琦的著作有『賦、頌、銘、誄、箴、弔、論、九咨、七言，凡十五篇』這裏都不說是詩，而說『七言』，可知東漢時還不把七言列入詩，而且似乎把它作爲一種文學形式的名詞，與辭賦爲一類。

魏文帝曹丕有一首《燕歌行》，七言十五句，每句都協韻。一韻到底，不換韻。這是最早的一篇七言樂府歌辭。以後追隨他的還不多，要到齊梁以後，我們才見到有張率的《白紵歌》九首，吳均的《行路難》五首。徐陵有《烏棲曲》，江總有《芳樹》，庾信有《烏夜啼》、《楊柳枝》。但這些都是樂府歌辭，不是詩。因此可知，從漢武帝柏梁臺聯句以下，一直到陳、隋，七言句一向屬於樂府歌曲。沈宋創造的七言律詩，應當看作是從樂府歌辭演變而來，不是五言律詩的增字發展。

現在我們舉兩首南北朝晚期的七言八句樂府歌辭來看它們與唐代七言律詩的關係。

芳樹

朝霞映日殊未妍，珊瑚照水定非鮮。
千葉芙蓉詎相似，百枝燈花復羞然。
暫欲寄根對滄海，大願移華側綺錢。
井上桃蟲誰可雜，庭中桂蠹當見憐。

——（陳）江總

烏夜啼

促柱繁絃非子夜，歌聲舞態異前溪。
御史府中何處宿，洛陽城頭那得棲。
彈琴蜀郡卓家女，織錦秦川竇氏妻。
詎不自驚長淚落，到頭啼烏恆夜啼。

——（北周）庾信

這兩篇樂府都用平聲韻。江總一首四聯都是對句，庾信一首第一、二、三聯都是對句。它們都已具備了七言律詩的規格。但是，它們的上下句之間，上下聯之間，平仄還沒有黏綴。所以它們仍是齊梁體的七言樂府，而不是唐代的七言律詩。現在我把這兩篇中平仄失黏的字用×標出，改換這些字，就都是律詩了。

沈佺期這首詩的古本，還有一個題目：《獨不見》。這也是一個樂府古題。大約沈佺期原來是寫了一首七言八句的樂府歌辭，用『獨不見』爲正題，是這首歌辭的曲調名。再用『遙同杜員外審言過嶺』爲副題，是這首歌辭的內容。但是他在和聲方面加了工，使這首七言八句的樂府歌辭和江總、庾信等的作品不同，於是它奠定了唐代七言律詩的格式，脫離了樂府歌辭而歸入詩的隊伍，正如楊炯的《從軍行》一樣。

我們把這首詩作爲初唐七言律詩的樣板。全詩不用典故，句法都是平常的結構，詩意也明顯，在唐律中，這是樸素的新產品形式。第一聯說：這個山嶺分隔了天地，去國離家的人，在此所見唯有白雲。『天長地闊』、『去國離家』，這種成語都是用兩組形象語詞表達一個概念。『天長地闊』就是『天地悠遠』。『去國離家』就是遠行的旅人。『長』、『闊』二字並不一定要分別屬於天地，萬不可死講天如何長，地如何闊。去國就是離家，不必一定要區別家國的不同。欣賞詩歌，要從全篇著眼，不要從一字一語中去求作者的用意。固然有些字是作者寓有深意的，所謂『詩眼』，這是應當特別注意的，但有許多字是作者隨意湊用，讀者不必求之過深。

第二聯說：這時不知家鄉的風光如何美好，在這裏，每天止是聽到人家講高山瘴氣使人病死的消息。洛浦，洛水之濱，用來指他的家鄉，今河南。第三聯說：被流放的人還要向南去，渡大海，不知身在何處。回頭看望衡陽有多少大雁已經因爲飛不過衡山而折回去了。民間傳說：大雁南遷，飛不過衡山。這是形容衡山之高，並非眞有這回事。這句詩的意思是：我現在所到的地方，連大雁都不會來。第四聯說：南北兩地，相隔萬里江山，不知那一天才能重見聖明的皇帝。這是一切流放到邊遠地區的官吏經常在詩裏表現的始終忠於皇帝的思想。這是極有必要的，因爲常常有人會誣告他心懷怨恨，有不忠不臣的思想言行。沒有這樣一首詩，就拿不出爲自己辯護的證據。『兩地江山』是照應上文『洛浦風光』和『崇山瘴霧』。『南浮漲海』和『北望衡陽』也照應了第一句的『分』字。

近來有人講『兩地江山』這一句，以爲指沈佺期和杜審言二人分在兩地。這樣講恐怕不是。如果此詩的題目是『和杜員外過嶺』，那麼這是一首和詩，結尾應當照顧到杜審言。現在沈佺期這首詩是『遙同』，杜審言沒有請他和作，也根本不知道沈佺期有這首詩。所以沈佺期在前三聯中既沒有照應杜審言，第四聯當然不會關涉到杜審言了。

此詩第一、二聯寫過嶺以後的見聞。所見者白雲，所聞者瘴癘，都是蠻荒景象。第三、四聯寫旅途心境。結構很簡單，是順著思維邏輯寫的。用字重複的很多。『何』字用了三次，『地』字用二次，『山』字也用二次。在初唐的律詩中，這些都還不算毛病。盛唐以後，這情況稱爲『犯重』，詩家都要避免。

七言律詩的句法是上四下三。上四又應當是二二組合。下三則或爲一二、或爲二一組合。例如：

天長地闊——嶺頭——分，
去國離家——見——白雲。

這是第一聯，本來不必用對句，但作者用『天長地闊』對了『去國離家』。形式很像是對句，詞性結構卻不成對偶。這種似對非對的句式，也爲以後的詩人所忌用。

『見——白雲』是按詞性區分的，在吟誦的時候，還應該讀作『見白——雲』。『頭』字，『白』字，都是全句中第六字，都要符合黏綴規律。

一九七八年一月二十五日

8 雜言歌行三首

新曲

迴雪凌波游洛浦，遇陳王；
婉約娉婷工語笑，侍蘭房。
芙蓉綺帳還開掩，翡翠珠被爛齊光。
長願今宵奉顏色，不愛吹簫逐鳳皇。

——長孫無忌

擬古神女宛轉歌

日已暮，長檐鳥不度。
此時望君君不來，
此時思君君不顧。
歌宛轉，宛轉那能異棲宿。

願爲形與影，出入恆相逐。

——崔液

採蓮女

採蓮女，採蓮舟。
春日春江碧水流。
蓮衣承玉釧，
蓮刺罥銀鉤。
薄暮斂容歌一曲，
氛氳香氣滿汀洲。

——閻朝隱

以上三首詩是另一種形式。它們是三言句、五言句和七言句的混合體，稱爲『雜言』。從漢代的樂府歌辭開始，就有了這種雜言體的詩。不過漢代的雜言，是三言、四言和五言句的混合，魏晉以後，四言句漸漸不用，被七言句代替了。

第一首是長孫無忌的《新曲》，原有二首爲一組，現在選了一首。長孫無忌是唐太宗李世民的內兄，文德皇后的弟弟。他輔佐李世民起義，建立唐朝政權，成爲唐代的開國功臣，新興大貴族。這首詩題名《新曲》，其實既非詩題，也不是曲調名，止表示是他新做的曲詞，因此，這也是一首樂府詩。

全詩以七言六句、三言二句組成，用一個韻（王、房、光、皇）。第一句，即全詩主題，用了一個典故，魏陳思王曹植做過一篇《洛神賦》，描寫他在洛水邊夢見的一個神女。後世人就用洛神來代表妓女。這句詩是說：有一個神女在洛水邊上漫步，遇到了陳王。迴雪是形容她的白色衣裳被風飄動，凌波是形容她從水面上走過來。第二句寫神女的姿態又婉約，又娉婷，又會說會笑；在蘭麝芬芳的房間裡侍候陳王。以下二句是描寫神女與陳王歡會的情景：繡花的羅帳時開時掩（『還開掩』即『開還掩』）；翠色的珠被燦爛著一色的光輝。第五、六句說神女願意永遠像今夜一樣侍候貴人，不愛跟隨吹簫的仙人一起騎鳳凰上天去。這裏用了一個神話典故：傳說古代秦穆公的女兒弄玉，愛上了一個能吹簫的仙人，和他一同騎了鳳凰上天。

此詩的思想內容非常庸俗，不過描寫一個封建貴族玩弄一個女人。把這女人比之爲洛神，把自己比爲陳王，還說那女人愛他，不願意離開他去嫁給別人。這種近乎色情的詩，文學上稱爲『豔詩』。齊梁以來，從皇帝太子、王公貴人一直到無聊文人，都喜歡做。帝王貴族統治階級在宮廷裡做的，又稱爲『宮體』。徐陵編的一部《玉臺新詠》，就是宮體詩的選集。

第二首詩的作者崔液，與其兄崔湜，都是武則天時期詩人。『宛轉歌』是晉宋時代的東吳民歌，崔液此詩是摹仿古代的『神女宛轉歌』。『擬』就是摹仿。歷代詩人，常常喜歡摹仿一首古代詩歌，以爲習作，這一類詩歌，亦自成一體，稱爲『擬古』。我國詩歌，本來有悠久的民歌傳統，《詩經·國風》裡有許多詩都是民歌。從漢魏以下，民歌一向被文人所注意。如果出現了風行一時的民歌，很快就被文人接過去，或者摹仿，或者改造，成爲一種新詩的形式。南北朝的民歌，對唐代詩人的影響也很大，像崔液此詩和第三首閻朝隱的《采蓮女》，都是例子。

崔液這首詩不用一個典故，字句也很淺顯，可能是有意用接近民間口語的文字來寫作的，詩的內容是描寫一個女子，在屋檐上已沒有歸鳥飛過的傍晚，等待她的丈夫。但她的丈夫卻把她拋棄不顧。她唱起宛轉歌，想到既要『宛轉相隨』，那能又分居兩地呢？因此，希望自己成爲丈夫的影子，可以永遠跟隨他出入。

這一類主題思想，在我國詩歌中很多，一般稱爲『閨情』或『閨怨』。光從字面上看，這些詩大多是描寫女人懷念丈夫或情人的思想情緒，或者寫一個未婚少女希望配合一位稱心如意的丈夫。但是這種思想情緒，可以被用來作爲一種比喻。例如此詩的『君』字，可以理解作『你』，即丈夫或情人；也可以理解作『君王』。如果這樣講，這首詩的主題思想就成爲一個沒有被君王所重用的官員的感觸了。由此可見，如果以爲這個『君』字指的是丈夫或情人，那麼這首詩的創作方法是『賦』；如果以爲這個『君』字是指皇帝或任何一位政治人物，如宰相、節度使之類，那麼這首詩的創作方法就是『比興』。唐代詩人常寫閨情詩獻給帝王將相，目的是求他們提拔薦舉。我們讀唐詩，必須了解以閨情詩爲比興的習慣。崔液這首詩，可能也另外有針對性，而不是單純的描寫閨情。但是從文字外表看，還無法判斷它是賦，還是比興。

第三首詩的作者閻朝隱也是爲武則天賞識的詩人，可惜現在他的詩止留存十三首，故後世的名聲不大。他還是著名書法家，現在還有他寫的碑流傳著。這首《採蓮女》是描寫採蓮女子的詩，純用正面描寫的賦體，沒有什麼比喻作用。漢魏以來，一向就有歌詠採蓮女子的歌曲，題作《採蓮曲》。但閻朝隱此詩題作《採蓮女》，顯然表示不用樂府古題，因而它不是樂府歌辭，而是雜言的詩，也就是後來所謂『歌行』。

這首詩正面寫一個採蓮姑娘划著小船在春江綠水中採蓮。蓮衣即荷葉，托住了腕上的玉鐲，蓮莖上的刺鈎住了採蓮鈎子。天色晚了，採蓮姑娘唱起歌，使整個水域都飄浮著香氣。這樣一首詩，作者既無抒情，又無比興，可以說是沒有詩意的詩，也是宮體詩的特徵。

『採蓮』的本意是採蓮子，南北朝的民歌裡，常有歌詠採蓮子的小曲，大多是湘鄂一帶，那裡的蓮子是農民的經濟作物，姑娘們去採蓮是她們的生產勞動。這種民歌的形式和題材，被文人，尤其是宮廷詩人所採用後，往往會歪曲了本義，成爲歌詠美女採蓮花的艷詩。閻朝隱這首詩雖然不能肯定他也誤爲採蓮花，但他強調的是『氛氳香氣』，似乎也詠的是採蓮花了。玉釧、銀鈎，都不是一個採蓮的農民姑娘所能有的飾物，他卻把一個農民姑娘裝飾成貴族小姐。這些都是齊梁宮體詩的影響，止顧追求辭藻的美麗，而無視作品的現實性。

我把這三首詩標題爲『雜言歌行』，已表明了它們是唐代作品。因爲『雜言』雖是六朝時代的名詞，『歌行』卻是唐代的名詞。六朝時代的雜言詩都是樂府歌辭，這二首詩如果在六朝時代，應標題爲『樂府雜言』。但唐代的雜言詩，不一定是樂府歌辭，它們是詩，但不是律詩，更不是古體詩，於是出現了一個新名詞，把這一類詩稱爲『歌行』。漢魏以來，樂府歌曲常用『歌』、『行』這些字來做曲調名。例如：『團扇歌』、『子夜歌』，『怨歌行』、『東門行』、『飲馬長城窟行』等等，唐人用這兩個字來概括這一類詩，並表示這類詩已脫離了音樂的關係，成爲一種不入樂而可吟唱的詩。

『歌行』這個名詞，在初唐時還沒有成立，當時人還用『樂府詩』，例如李頎有一首詩，題云：《送康洽入京進樂府詩》，又稱『雜歌』，殷璠評李頎的作品云：『頎詩發調既清，修辭亦綉，雜歌咸善，玄理最長。』（《河嶽英靈集》）到中唐時，白居易編定他自己的詩集，有一卷是《歌行雜體》。元稹在《樂府古題序》一文中說：『近代唯詩人杜甫《悲陳陶》、《哀江頭》、《兵車》、《麗人》等，凡所歌行，率皆即事名篇，無復依傍。』又同時詩人張碧的詩集，也名爲《歌行集》，可知『歌行』是中唐時代出現的新名詞。元稹更說明了唐代的歌行體詩，都是『即事名篇，無復依傍』。這就是說，這一類詩都是作者從內容來定題目，並不依傍樂府古題。如杜甫的《麗人行》、『三吏』、『三別』等，都不是古代樂府調名，也不是唐代的樂府歌辭，它們是唐詩的一種獨立形式。

一九七八年一月三十日

9 陳子昂：感遇詩（上）

現在要講到初唐時期一位復古詩人陳子昂，他的主要作品是三十八首《感遇詩》。這些詩的形式都是五言古體（簡稱『五古』）。自從齊梁以來，詩體日趨浮誇、靡麗，止有文字之美，不見作者的思想懷抱。有漢魏風骨的五言古詩，幾乎已沒有人做。陳子昂作這三十八首詩，直接繼承了漢魏古風，從它們的淵源來講，可以說是復古。但是，他的詩掃除了齊梁舊格，爲唐代五言古詩建立了典範，成爲先驅者。從他的影響來講，也可以說是創新。正如後來韓愈的古文運動一樣，口號是復古——『文起八代之衰』，而效果卻是開創了一種新的散文。文學史上有過好幾次復古運動，我們應當分別看待。有些復古運動是開倒車，例如明代李攀龍等人的復古運動。他們主張詩復於唐，文復於秦漢——『非三代秦漢之書不讀』。又如清代同光朝的一部分桐城派文家。有些復古運動是向前有所發展的，例如陳子昂的詩和韓愈的散文。順便提一提，十五世紀中起源於意大利的文藝復興運動，也是以復古爲口號，實質上是對當時奄奄無生氣的教會文化的革命，從而產生了人文主義文化。

陳子昂，字伯玉，梓州射洪（今四川射洪）人，是個富家子弟，但能刻苦讀書。高宗開耀二年

（公元六八二年）進士及第。高宗崩於洛陽，他上書請在洛陽建高宗陵墓。武則天召見，有所咨詢，很欣賞他的對答，拜麟臺正字。武則天將發兵討伐西羌，他又上書諫止，歷官至右拾遺。武攸宜統軍北伐契丹，以陳子昂爲記室，主撰軍中一切文件。屢有建議，武攸宜不能用。聖曆初，以父老辭官歸。父歿後，縣令段簡以其家豪富，羅織入罪，逮捕獄中，憂忿而死。這是根據當時官方文件，其實他是被縣令段簡殺害的。段簡也不是爲了垂涎他的財產，而是由於一個政治陰謀。這件事，大約當時人人知道，但是沒有文獻記錄。過了一百多年，才由詩人沈亞之透露出來。沈亞之在《上鄭使君書》中說：『武三思疑子昂排擯，陰令桑梓之宰拉辱之，死於不命。』這是他眞正的死因。大約陳子昂在政治上、言論上觸犯了武三思，使武三思恨得非殺他不可。

《感遇詩》三十八首，全是五言古詩體，有四韻的，有六韻的，有八韻的，字數不等。它們的內容，可以分爲三類：㈠引述古代歷史事實，借古諷今。這一類詩可以說是繼承了左思的八首《詠史》。㈡主題並不涉及歷史事實，止是抒寫自己的感慨。這一類詩可以說是繼承了阮籍的八十二首《詠懷》和庾信的二十七首《詠懷》。㈢既不涉及歷史事實，又不明顯地表達自己的感慨，而字裡行間，好像反映著某一些時事。這一類詩可以說是繼承著陶淵明的《飲酒》和《擬古》，我們把它們稱爲『感事』。但這三類也不是涇渭分明的，詠史和感事，有時混同；詠懷詩也有時引用一些歷史事實來作比喻。

關於詩題『感遇』的解釋，最早見於元代楊士弘編的《唐音》。他注釋道：『感遇云者，謂有感而寓於言，以攄其意也。』又有一節說：『感之於心，遇之於目，情發於中，而寄於言也。』前一個注往往使人誤會，以爲『寓於言』是注釋『遇』字的，因此，清初錢良擇編《唐音審體》，就在題目下注云：『遇一作寓。』這就錯了。

清初吳昌祺在《刪訂唐詩解》中注釋云：『感遇者，感於所遇也。』沈德潛在《唐詩別裁》中注釋云：『感於心，困於遇，猶莊子之寓言也。與感知遇意自別。』此外或者還有不同的解釋，手頭書不多，未能盡檢。我以爲吳昌祺的注釋最簡單明白。『遇』字的涵義很廣，凡是見到的、聽到的、想到的，從書中讀到的，都是『所遇』，因爲有所遇，而有所感，就拉雜作了三十八首詩，總題曰《感遇》。它們和阮籍的《詠懷》並沒有區別，所以詩僧皎然指出陳子昂的《感遇》原出於阮籍《詠懷》。《舊唐書·陳子昂傳》說，子昂『善屬文，初爲《感遇》詩三十首，京兆司功王適見而驚曰，此子必爲天下文宗矣。由是知名，舉進士。』《新唐書》所記也差不多。這樣說，《感遇》詩是陳子昂舉進士以前的作品了。但三十八首詩中，所暗指的有許多是武則天執政時的事，第二十九首起句云：『丁亥歲云暮』，全詩是爲『荷戟爭光城』而作，這分明是武后垂拱三年（公元六八七年）的事，可知史傳所述有誤。作《詩比興箋》的陳沆以爲陳子昂屢次觸犯武氏，深恐得罪，告退歸隱。其中有幾首詩是歸隱後所作。我們可以假定，《感遇》詩非一時一地所作，隨遇興感，陸續寫成，大多數在武則天酷政猖狂的幾年間。至於成進士以前，或歸隱以後，可能也有幾首，則爲少數。

現在我們選講兩首屬於詠史類型的《感遇》詩。

第四

樂羊爲魏將，食子殉軍功。
骨肉且相薄，他人安得忠。
吾聞中山相，乃屬放麑翁。
孤獸猶不忍，況以奉君終。

這首詩關係到兩個歷史人物：樂羊和秦西巴。樂羊是魏國的將軍。魏文侯命他率兵攻中山，中山君逮捕了樂羊的兒子，把他殺死後，煮成肉羹，派人送給樂羊。樂羊爲了表示忠於魏文侯，就吃下了這碗肉羹。魏文侯雖然重賞他的軍功，但是懷疑他心地殘忍，毫無父子骨肉之情。秦西巴是中山君的侍從，中山君孟孫出郊狩獵，得到一隻小鹿（麑），吩咐秦西巴牽回去。小鹿的母親一路跟著悲鳴不已，秦西巴心中不忍，就把小鹿放走。孟孫以爲秦西巴是個忠厚慈善的人，任命他爲太子太傅，教導太子。

陳子昂用這兩個故事，每一事概括爲四句，作了對比。樂羊爲貪立軍功，骨肉之情薄到如此，這樣的人，對別人豈有忠心呢？而中山國的傅相，卻是一個不奉君命，自作主張，釋放一隻孤獸的秦西巴。

陳子昂爲什麼忽然想到這兩個歷史故事，做一首詩來批判樂羊，讚美秦西巴呢？陳沆箋釋說：這首詩是諷刺武則天的。武則天爲了篡政奪權，殺了許多唐朝的宗室，甚至殺了太子宏，太子賢、皇孫重潤。影響到滿朝文武大臣，爲了表示忠君，自以爲大義滅親。例如大臣崔宣禮犯了罪，武則天想赦免他，而崔宣禮的外甥霍獻可卻堅決要求判處崔宣禮以死刑。這種殘忍奸僞的政治風氣，使陳子昂十分憤慨，寫了這首詩，表面上是詠史，實質是諷諭時事。

第二十六

荒哉穆天子，好與白雲期。
宮女多怨曠，層城閉蛾眉。
日耽瑤池樂，豈傷桃李時。
青苔空萎絕，白髮生羅帷。

這首詩用的是穆天子與西王母的故事。穆天子即周穆王，生活荒淫，愛好狩獵，曾騎八匹駿馬，遠遊至西域，訪求神仙。見到西王母，王母在瑤池上設宴奏樂款待他。他流連忘返，不理國事。其神話化的事跡見於《穆天子傳》。此詩大意說周穆王荒於酒色，愛好遊仙。第二聯說：他後宮的許多年輕宮女都虛度青春，不得配偶，一輩子被關閉在宮城裡。第三聯說：穆王天天耽溺於瑤池宴樂，那裏會關心到宮女的桃李年華。第四聯說：宮門長閉，滿院青苔，這許多終年居於羅帷中的宮女已滿頭白髮了。

這首詩也是詠史。爲什麼詠起穆天子的事來呢？陳沆以爲是暗指唐高宗李治的。武則天本來是高宗宮中的昭儀（女官名），高宗即位後，永徽元年（公元六五〇年），立妃王氏爲皇后，不久就被武昭儀所媚惑。永徽六年，廢皇后爲庶人，立武昭儀爲皇后。從此以後，高宗所曾寵愛的妃嬪，陸續都被武則天淸掉。多少宮女，長年禁閉在宮中。院子裏靑苔一年一度的萎謝，羅帷中的宮人白髮滿頭。在此詩中，穆天子的故事起了比興作用，在詠史的外表下，成爲對當時政治的諷諭詩。

自從左思以來，歷代都有詩人作詠史詩，絕大部份是借古諷今的比興體。另有一些詠史詩，是用詩的形式來評論歷史人物或事實，並不影射當時現實的，關於這一類詠史詩，我將在講到晚唐時期胡曾《詠史》詩的時候再講。

一九七八年二月十七日

10 陳子昂：感遇詩（中）

第二

蘭若生春夏，芊蔚何青青。
幽獨空林色，朱蕤冒紫莖。
遲遲白日晚，嫋嫋秋風生。
歲華盡搖落，芳意竟何成。

第二十三

翡翠巢南海，雄雌珠樹林。
何知美人意，驕愛比黃金。
殺身炎洲里，委羽玉堂陰。
旖旎光首飾，葳蕤爛錦衾。

豈不在遐遠，虞羅忽見尋。
多材信爲累，嘆息此珍禽。

以上感遇詩二首，旣沒有引用歷史事實，也並不針對時事，有所感慨。止是借芳草珍禽作比喻，抒寫自己的遭遇。我把它們作爲詠懷式的例子。

上一首用芳草來作比喻。『蘭若生春陽』，原是一句古詩，陳子昂改了一字借用了。蘭是蘭花，春天生於幽谷。若是杜若，草本藥用植物，花很香，夏初生於水濱。這兩種芳草香花，生長在空寂無人的樹林中，上面是紅花，下面是紫莖，表現出幽獨的麗色。可是，慢慢地白晝盡了，秋風漸漸吹起，這些花草也隨著年華而零落。她們的芬芳的意圖畢竟有何成就呢？第三句『幽獨空林色』，唐汝詢解作：『雖居幽獨，而其花莖之美，足使群葩失色。』這樣就把『空』字作動詞用，意思是『使林中群花麗色爲之一空』。吳昌祺解作『言幽獨自高而顯空林之色』。這個注解卻很含糊。我現在解作『空林中幽獨的麗色』。與吳解相近，而較爲明白。『空林』是人跡不到之處，所以空林中的芳草香花是幽獨的。『朱蕤』即『紅花』，蘭和杜若都不是紅花，這個『朱』字止表示鮮艷的意思。

下一首用翡翠作比喻。翡翠是生長於南方的珍貴禽鳥。毛羽翠綠色，有光澤，古代婦女用來做裝飾品，價錢很貴。全詩說翡翠雌雄雙栖於南方的樹林中，本來生活很安全，豈知有許多貴家婦女，卻愛上它們的羽毛，與黃金同價。於是這些珍禽便被獵人所殺死，拔取羽毛，賣到貴家後堂，或者作首

陳子昂

飾，或者用來裝飾錦被。這些翠鳥生長在南海，豈不很遙遠，可是避免不了獵人羅網追尋，可見它們是由於多『材』，以致逢到殺身之禍。對於這種珍禽的遭遇，使作者不勝慨嘆。美麗的羽毛是翠鳥之材，因有此材，而累及生命。以翡翠的『多材爲累』比喻多才的人，亦不免於人世間的羅網。

『芳意竟何成』，是前一首詩的主題。空山幽林中的芳草香花，無人賞識，虛度了春夏，就被秋風所搖落。『多材爲累』是後一首詩的主題。儘管生長在蠻荒遐遠的地方，還是逃不過獵人的搜索。我們講這兩首詩，止能講到這裏爲止。作者當時在什麼具體的情況下發生這樣的感慨，我們就無從知道。讀者對這兩首詩有何反應，也要由讀者各人的生活經驗，個人體會來決定，我們也無從知道。

朱熹說：『比，以彼物比此物也。』（《詩集傳》）我在前文曾解釋道：『比是利用一個事物來比擬另一個事物。』朱熹的所謂物，是包括事在內的，爲了明確起見，我加了一個『事』字。蘭若和翡翠，都是物，這是以物來作比喻；『樂羊食子』、『西巴放麑』、『穆天子見西王母』，這些都是事，這是以事來作比喻。早期的詩，都以物作比喻，例如《詩經》裡的詩。楚辭才開始用事作比喻，但多數還是用物喻。漢魏詩也是用物作比，晉代左思作《詠史》，阮籍作《詠懷》，才用歷史事實作比興手法。到了唐代，陳子昂恢復了這條舊路，用歷史故事作比興，逐漸盛行起來。馮班《鈍吟雜錄》云：『古人比興都用物，至漢猶然。後人比興都用事，至唐而盛。』這是有深知灼見的經驗之談。用物作比興，明白易曉，用事作比興，較爲難懂。因爲讀者必須先了解詩人所用的史事，然後才能懂得所比的意唐宋以後的詩人，以用物作爲膚淺，用事爲高深淵博，於是用事的手法愈來愈複雜，有明用的，有暗用的；有正用的，有反用的，一般稱爲『使事』，亦曰『用典』。詩本來是抒情言志的文學作品，用了典故，就等於給讀者設置了語文障礙，不能一讀即懂。今天我們讀漢魏詩，反而比讀某些唐宋詩容易了解，大多是由於漢魏詩不用典故，而唐宋人愛用典故。

作詩用典，忽然盛於唐代，自有其客觀原因。律詩產生以後，詩的語言離散文愈遠。詩句既要調聲，又要協韻，還要對偶，接近散文的五言古詩句法不適用了。有些思想感情，如果用散文來表達，需要一二十字，現在要納入五、七言律詩的一聯一句，便很困難。因此不得不借用典故作比喻，以少數字表達多數字，同時容易協韻，容易找對子。從此以後，使用典故，成爲一種作詩的藝術手法。初唐、盛唐詩人，用典故者還不多；到中、晚唐時，韓愈、李商隱、溫庭筠這些詩人，幾乎每首詩都用典故了。

一九七八年二月二十八日

11 陳子昂：感遇詩（下）

第三

蒼蒼丁零塞，今古緬荒途，
亭堠何摧兀，暴骨無全軀。
黃沙漠南起，白日隱西隅。
漢甲三十萬，曾以事匈奴。
但見沙場死，誰憐塞上孤。

第十九

聖人不利己，憂濟在黎元。
黃屋非堯意，瑤臺安可論。
吾聞西方化，清淨道彌敦。

奈何窮金玉，雕刻以爲尊。
雲構山林盡，瑤圖珠翠煩。
鬼工尚未可，人力安能存。
夸愚適增累，矜智道愈昏。

以上二詩，可以代表《感遇》詩的第三類：感事。這兩首詩中，雖然有『丁零』、『漢甲』、『匈奴』、『黃屋』、『瑤臺』等歷史名詞，但全詩並不牽涉到歷史事實，因而不是詠史。字句之間，好像在指一些時事，而不是爲個人身世遭遇發感慨，因而也不是詠懷。

前一詩的大意是：烏沉沉的邊塞，無論在今人或古人的思想裡，都以爲是荒遠的地方。在那裡，可見者止有高聳的亭堠（碉堡），陣亡戰士的枯骨。黃沙從大漠南方吹來，太陽向西方沉落。中國曾以三十萬戰士對付匈奴，至今止見到沙場上累累屍骸①，而沒有人憐惜這些塞上孤軍。『丁零』是漢代西北的羌族人，丁零塞是漢人防止丁零人入侵的國防工事。這裏用以代表唐朝與契丹的邊境。漢甲即漢軍，這裏用以代表唐軍。以古代的語言事物，代替現代的語言事物，這是詩詞的一種修辭手法，我們稱之爲用『代詞』，不算是用典故。

①沙場死，即沙場屍。這個『死』字是名詞。死、屍、尸，三字通用。

後一詩的大意是：古代聖人並不自私自利，所關心的都在人民的生活①。堯帝的車上開始裝飾了黃綢的車篷，原來不是堯帝自己的意志，可是後人已有批評，至於紂王爲了荒淫酒色而起造瑤臺，更不用說了。我聽說西方佛敎的宗旨，最重視清淨，爲什麼要用大量的金玉珍寶雕刻佛像，以爲尊奉供養的對象。高聳入雲的建築物，用盡了山林中的木材；富麗莊嚴的寶塔，用去了無數珠寶。這些宏偉的雕塑、建築，叫鬼工來做，也還做不起來，要用人民的勞動力來做，那裡能夠幹得了。這種愚蠢的行爲，止能使自己更多受累，自以爲聰明，而治道卻愈加黑暗。

『化』是敎的代詞，『西方化』就是佛敎。『敎化』本來是一個同義連綿詞，可以互用。詩詞裡的單字代詞，往往用同義相代。如悲慘、憐愛、疑惑、意志，都可以互相代用。『雕刻以爲尊』，原句並沒有說明是雕刻佛像，這是爲講解方便而加進去的。

這兩首詩，從語言文字所表現的來看，我們似乎感到它言之有物，總是針對某一件時事，前者大約與邊塞戰爭有關，後者大約與佛敎有關。但這還是從『丁零塞』、『西方化』等詞語中推測出來，終是霧裡看花，不夠清楚。因此，必須從詩篇以外去求幫助我們了解的資料。

孟軻有過一段話：『誦其詩，讀其書，不知其人可乎？是以論其世也。』（《孟子·萬章》）後世學者把這段話節約爲一個成語：『知人論世』，我們在講王績詩的時候已提到過。讀古代文學作品，必須

①在古典文學作品中，有許多『聖人』是指帝王的，所以常常和人民（黎元）對稱。

了解作者的生活及思想，這是『知人』。要了解一個作家的生活與思想，又必須了解這個作家所處的時代，有些什麼重大的政治事件、社會事件，這是『論世』。現在我們來查一查陳子昂所處的時代，有過一些什麼事情，足以引起他這樣的感慨。

《舊唐書》和《資治通鑑》都記載道：『萬歲通天元年（公元六九六年），武后遣曹仁師、張元遇等二十八將擊契丹，全軍覆沒。大將皆被擄。武后詔募囚犯及奴隸以擊契丹。』這件事，陳子昂曾上書諫阻，可知是陳子昂最爲感慨的。詩中所謂『暴骨無全軀』，就是指此次征伐契丹的三十萬大軍。武則天好大喜功，屢次因用人不當而引起邊禍。等到契丹、回紇、吐蕃等大舉入侵，她又不能用名將壯士去捍衛國防，止是派遣自己親信的佞臣或姓武的公子哥兒，讓他們去掛帥立功，升官發財。結果是這些將軍都打了敗仗，使數十萬人民死於戰場。『漢甲三十萬，曾以事匈奴。但見沙場死，誰憐塞上孤』，可知這四句就是詠嘆武則天這種軍事行動的。

武則天又迷信佛教。她本來是太宗的宮女，太宗死後，曾走出宮廷在感應寺落髮做尼姑。後來被高宗所寵幸，才又選進宮去，封爲昭儀。不久就奪取了皇后的大位，逐步篡奪了李唐政權。當時有一群以法明爲首的和尚，僞造了一部佛經，名爲《大雲經》，其中頌揚武則天是西方彌勒佛化身，應當代替唐朝，爲中國之主。這些僞造的預言，迎合了武則天的私心，於是下詔各州都要建立大雲寺。還要造極大的佛像。佛像的小指裡可以容幾十個人。爲了建寺造像，動用幾十萬人民的勞動力，耗費了全國的財富。當時宰相狄仁傑曾爲此上疏進諫，可是武則天沒有聽從。陳子昂第十九首詩顯然是反映了這件事，並表示了他的憤慨情緒。『夸愚適增累，矜智道愈昏』，這兩句尖銳地申斥了武則天的昏愚政治。

陳子昂的《感遇》詩爲唐詩開闢了一條諷諭現實的道路，對封建統治階級各種不得民心的措施，進行口誅筆伐。在陳子昂以後，張九齡、李白、杜甫、白居易、元稹、韓愈、張籍等詩人，都有這一類詩作。不過各人的風格不同，有的寫得直率，有的寫得委婉；有的明寫，有的暗寫，這一類詩，以後都要講到。

一九七八年三月十二日

12 王梵志詩

王維詩集中有兩首五言排律，題目是《與胡居士皆病，寄此詩，兼示學人》。題下有一個注：『二首，梵志體。』這兩首詩的內容是宣揚佛教無生無有思想的。既說它們是梵志體，可知梵志也是一個禪理詩人。

與王維同時而稍後的和尚皎然，寫了一本論作詩法的書，名爲《詩式》，其中也提到梵志，稱爲王梵志，並且引了他一首詩：

我昔未生時，冥冥無所知。
天公強生我，生我復何爲。
無衣使我寒，無食使我飢。
還你天公我，還我未生時。

這首詩雖然似乎否定人生，但實質上是飢寒交迫的人民的怨毒語。皎然用它來作『駭俗』詩的例子，說此詩『外似驚俗之貌，內藏達人之度』。這是說，表面看是怪論，意義卻是通達世故的話。但皎然說這是一首道情詩，可見他以爲王梵志是個道士。

唐末人范攄寫了一部《雲溪友議》，記錄了十八首王梵志的詩：五言絕句十五首、七言絕句三首，並且有關於王梵志其人的介紹：

或有愚士昧學之流，欲其開悟，則吟以王梵志詩。梵志者，西域人，生於西域林木之上，因以梵志爲名。其言雖鄙，其理歸眞。所謂歸眞悟道，徇俗乖眞也。

在范攄以後不久，有一個署名『馮翊子子休』的人，寫了一部《桂苑叢談》，其中較詳細地記載了王梵志的小傳。今全錄於此：

王梵志，衛州黎陽人也。黎陽城東十五里，有王德祖者，當隋之時，家有林檎樹，生癭，大如斗。經三年，其癭朽爛。德祖見之，乃撤其皮。遂見一孩，抱胎而出，因收養之。及七歲，能語。問曰：『誰人育我，復何姓名？』德祖具以實告：『因林木而生，曰梵天。後改曰梵志。我家長育，可姓王也。』作詩諷人，甚有意旨，蓋菩薩示化也。

《太平廣記》卷八十二也收有此文，注曰：『出《史遺》。』所謂《史遺》，就是《桂苑叢談》裡的一卷，並非另外一部書。這個故事，除去他的神話部分，可知王梵志是生於隋代，因爲失去生身父母，收養在王家，故以王爲姓。他作了許多感化世人的詩，其中有道家思想，故皎然以爲他的詩是道情詩。較多的是佛敎思想，故有人傳說他是菩薩化身。

五代時，何光遠作《鑒誡錄》，其中有一篇記劉自然變爲驢子的現世報故事，也引到一首王梵志的詩：

欺謊得錢君莫羨，究竟還是輸他便。
不信但看槽上驢，只是改頭不識面。

但這首詩已見於《雲溪友議》，而文句不同：

欺謊得錢君莫羨，得了卻是輸他便。
來生報答甚分明，只是換頭不換面。

二詩對勘，可知何光遠是從《雲溪友議》中轉引而加以改動，以適合於他所記故事的。

北宋時，詩人黃庭堅曾引用了兩首王梵志詩：

梵志翻著韈，人皆道是錯。

乍可刺你眼，不可隱我腳。

城外土饅頭，餡草在城裏。
一人吃一個，莫嫌沒滋味。

第一首詩，黃庭堅引用來比喻他的做詩，但求自己適意，不顧別人的愛憎。他說這是梵志翻著襪的辦法。古人的襪是用粗布做的，外表光潔，裡面粗糙。梵志反穿襪子，人家說他穿錯了。他說：寧可叫你看不順眼，不可使我的腳不舒服。

南宋時，費袞作《梁溪漫志》，他記錄了九首王梵志詩，其中八首已見於《雲溪友議》，止有一首未見前人著錄：

他人騎大馬，我獨跨驢子。
回顧擔柴漢，心下較些子。

這是一首教人安分知足的詩。騎驢子雖然不如騎大馬，但回頭見到挑柴步行的人，心裡就會好些了。『較』是唐人俗語，有『勝過』的意思。

稍後一些，作《庚溪詩話》的陳巖肖也記載了一首王梵志詩：

倖門如鼠穴，也須留一個。
若還都塞了，好處卻穿破。

此詩勸人凡事留餘地。像堵塞老鼠洞一樣，要留一個洞讓老鼠出入。如果全部堵塞住，老鼠勢必在別的地方再咬一個洞，而這地方可能倒是較好的地方。『倖門』是僥倖之門，即讓人家鑽空子的地方。

以上是見於唐宋人著作中的王梵志的傳記和詩。《舊唐書·經籍志》和《新唐書·藝文志》都不收王梵志的詩集。大約當時還把它看作釋道偈頌之類的俗書，故不得廁於文人詩集之列。到了宋代，佛家的語錄、偈頌和道家的道情、步虛，為文人所注意，很多摹擬之作，故王梵志詩往往為文人所齒及。《宋史·藝文志》有《王梵志詩集一卷》，可知它在宋代流行過。

以後，元、明、清三朝，沒有人提起過王梵志。止有在康熙年間，馮班的《鈍吟雜錄》中，又引了一首王梵志詩：

辛苦因他受，肥甘為我須。
莫教閻老判，自取道何如？

馮班引這首詩是爲了討論殺生有無報應的問題。他說：天主教徒不信報應之說，故以爲殺生無妨。儒家也不信報應。但儒家非但不忍殺生，甚至連正在萌芽的草木都不忍折取，這是由仁心出發，而不是怕報應。下面就引了王梵志這首詩。但這首詩的意義不很明白。它似乎說：爲了飼養牲畜，使我很辛苦，所以宰殺生物，是我養生的需要，不必教閻王來判案，這些生物之被殺、被吃，應該說是自取其禍。你說對不對？從文字上看，這首詩止能這樣講，但顯然不是王梵志的思想。王梵志是以輪迴報應之說勸戒世人不要殺生的，怎麼會這樣說呢？我一查，原來《雲溪友議》中已經引過這首詩，但文字大不相同：

苦痛教他死，將來自己須。
莫教閻老判，自想意何如。

詩意卻是：爲自己的需要而使生物死得很痛苦，不必等閻王審判，自己想想也應該知罪。《雲溪友議》還引了另外一首：

勸君休殺命，背面被生嗔。
吃他他吃汝，輪迴作主人。

這兩首都是以因果報應勸戒殺生的，與馮班所引的文本完全相反。我懷疑馮班是取《雲溪友議》所載妄自改竄，並不是他見過《王梵志詩集》。

清光緒二十六年（公元一九〇〇年），甘肅省敦煌縣莫高石窟寺中忽然發現一個封閉了將近一千年的秘密石室，其中堆藏著數千卷古代寫本佛經及其他儒道古籍、公私文件。這些古代文物的發現，先後爲英國考古學家斯坦因、法國考古學家伯希和所知，他們盜買了一大部分，綑載而去，收藏在倫敦博物館和巴黎國家圖書館。等到清政府的學部（教育部）知道此事，趕忙派人去收拾，所得者已是被揀剩的少數次貨了。這一批文物，稱爲敦煌卷子。或稱敦煌寫本。

收藏在巴黎的敦煌卷子中，有五個卷子都是《王梵志詩集》。今抄錄它們的內容及編號如下：

㈠王梵志詩一卷（第一卷）

漢乾佑二年（公元九四九年）己酉樊文昇寫本（編號四〇九四）

㈡王梵志詩殘卷（存十餘行，亦第一卷中詩）

己酉年高文□寫本（編號二八四二）

（此乃兒童習字本）

㈢王梵志詩一卷（第一卷，最完整）

宋開寶三年壬申閻海眞寫本（編號二七一八）

（按壬申爲開寶五年（公元九七二年），所寫有誤）

㈣王梵志詩一卷（亦第一卷，首尾殘缺）

無書寫人名，當在缺紙中（編號三二六六）

㈤王梵志詩卷第三

漢天福三年庚戌金光明寺僧寫本（編號二九一四）

（按天福三年爲戊戌〔公元九三八年〕，庚戌乃乾佑三年〔公元九五〇年〕。）

這五個卷子，保存了王梵志詩的第一卷和第三卷。第一卷是完全的。第三卷情況不明，可惜不見有第二卷。第三卷以後有沒有第四卷，亦無從知道。一九二四年，劉半農到巴黎去抄錄敦煌文獻，回國後整理出一部分，刊爲《敦煌掇瑣》。其中有《王梵志詩一卷》，就是編號二七一八的那一個卷子。第三卷沒有刊出。胡適選了五首，發表在他的《白話文學史》中。一九三六年，鄭振鐸編《世界文庫》，集合《敦煌掇瑣》中的一卷、胡適選錄的五首、以及范攄、黃庭堅、費袞等人所引的幾首，刊印在第五集中，但還遺漏了陳巖肖、馮班所錄二首。

第一卷詩共九十二首，都是五言四句的古詩，有幾首也近似絕句。這些詩所宣揚的是：㈠儒家的倫理道德。㈡佛家的因果報應思想。㈢待人接物的處世方法，基本上亦是儒家的論調。現在分別舉一些例子：

立身行孝道，有事莫爲愆。

行使長無過，耶娘高枕眠。

耶娘年七十，不得遠東西。
出後傾危起，元知兒故違。

養兒從少打，莫道憐不笞。
長大欺父母，後悔定無疑。

以上前二首是宣揚孝道的。第一首教子女不要做壞事，使父母耽憂，不能安眠。第二首說父母年老時，不要出遠門。萬一父母有生命危險，就是兒子故意不關心父母。這就是儒家『父母在，不遠遊』的思想。第三首主張教育子女，必須從小就笞打，不要因憐愛孩子而縱容姑息。待到孩子長大來欺侮父母，那就要後悔自己對孩子教育不嚴了。這亦是儒家『扑作教刑』的觀念。

殺生最罪重，吃肉亦非輕。
欲得身長命，無過點續朋。

師僧來乞食，必莫惜家常。
布施無邊福，來生不少糧。

六時長禮懺，日暮廣燒香。
十齋莫使缺，有力煞三場。

前二首是佛教的果報教育。不殺生，不食肉，就可以長壽。不惜家常所有之物，多多布施僧尼，來生就不愁沒有糧食。第三首勸戒世人修道，要勤於燒香禮懺，多設齋供。『點續朋』，『煞三場』，不可解，恐怕是佛家語，也可能有錯字。

好事須相讓，惡事莫相推。
但能辨此意，禍去福招來。

逢人須斂手，避道莫前蕩。
忽若相衝著，他強必自傷。

有兒欲娶婦，須擇大家兒。
縱使無姿首，終成有禮儀。

以上三首都是道德格言。第一首教世人把好事讓給別人，不要把惡事推給別人，才可以免禍招福。第二首教人不要和別人衝突，免得萬一打起架來，遇到比你強的人，自己就受傷了。第三首說：娶媳婦該選大家閨女，即使面貌不美，到底是個有禮儀的婦女。這首詩充分反映了士大夫的門第觀念，以爲小家女是不懂禮儀的。

費袞說王梵志詩『詞樸而理到』，文詞樸素，說理精到。我們今天讀這些詩，覺得文詞樸素到沒有詩味，旣無興感，亦無形象思維，所以唐人選詩從來不選王梵志的詩，大概是把它們列入民間通俗文學的。至於詩中所宣揚的道理，有許多已和我們的思想認識距離很遠，我們不會承認它們精到了。

在一個偏僻邊遠的敦煌石室中，就有許多王梵志詩寫本，而且其中有小學生習字本，這就反映著王梵志詩在唐宋時代曾廣泛流行過。雖然士大夫不承認它們是詩，但人民大衆卻承認它們是詩。人民對於詩的要求，和士大夫不一樣。人民要求整齊的句法，要求韻文，是爲了便於記憶。散文句法的格言，不如韻文格言的容易記誦。所以勞動人民往往把自己的生活經驗編爲整齊的韻語，以傳誦給子孫輩。我國古代有許多謠諺，都是整齊的四言或五言排句。四句的都用韻。例如：

觸露不掐葵，日中不剪韭。（古農諺）

百里不販樵，千里不販糴。（古諺）
射人當射馬，擒賊先擒王。（古諺）
瓜田不納履，李下不整冠。（古諺）
善御不忘馬，善射不忘弓。（《韓詩外傳》）

梵志詩中的『好事須相讓，惡事莫相推』。『逢人須斂手，避道莫前蕩。』都繼承了這種形式。印度佛教經典，在一段散文之後，總有一段韻文的結束語。漢文譯本都把它們譯爲五言四句，稱爲『偈』，這是梵文『Gita』的音譯名。Gita，意爲詩頌。梵志的詩正像這種偈語，故費袞直接稱它們爲偈頌。

以上所說，是王梵志詩體的來源。王梵志可能是一個以儒家思想爲主，而接受佛家教義的知識分子。他寫了許多格言詩，在民間廣泛地流傳著，被王維所欣賞，摹仿了他的詩體。傳到晚唐，這個人被神話化了，在民間傳說中出現了關於他出生的故事。因爲他的家世無可考，就說他是從樹癭中生出來的。因爲他的名字古怪，就附會出關於他的姓名的故事。其實梵志也是一個梵文名詞的意譯。信仰佛教而不出家做比丘的，叫作梵志，就是今天所謂『居士』。這個名詞在佛經中常見，一般世俗人不知道，就編造出『因林木而生，故曰梵天，改曰梵志』的解釋，顯然是很牽強的。諸家記載都說王梵志隋代人，似乎也沒有根據。初唐時期沒有人提到過王梵志，王維是首先提到他的人，我估計他的詩開始流傳也正在王維的時候。所以我把王梵志作爲初唐詩人的最後一個。

王梵志的詩對後世也有相當的影響。中唐時期出了一個寒山子，給我們留下了一卷混合儒、釋、道思想的格言詩。唐、宋、元三代高僧大德的禪偈，也是梵志詩的變體。或者可以說，梵志詩先受佛經中偈頌的影響而產生，宋元和尚又受梵志詩的影響而爲偈頌。此外，還有宋代道學家的詩，特別是邵堯夫的詩，也可以說是梵志詩的苗裔。

用詩的形式來宣傳道德觀念或宗教思想，在東西方各國古典文學中都有。在古希臘的一部詩選《花束集》中，特別有一個門類，稱爲『說教詩銘』（Didactic epigram），又稱『格言詩銘』（Gnomic Epigram），所收錄的也是這樣的詩。由此，我們可以理解，王梵志詩在唐詩中雖然顯得突出，但在古詩的傳統中，它們也代表著一個若隱若顯的流派。

一九七八年十月十二日

【補記】

以上王梵志詩話一篇，作於一九七八年。當時但據我所知見的資料編述，明知必有遺誤，但亦無能求其完備正確。一九八三年十月，中華書局印行了張錫厚編的《王梵志詩校輯》，此書我到最近才見到。檢閱一過，深愧三十年來，見聞閉塞，關於王梵志詩的許多文獻，全未寓目。我這篇詩話，雖然寫於一九七八年，其時代性實在止能代表一九四九年。現在已無興趣重寫此文，僅就張氏書提供的一些信息，條列於此，略爲補記，以正拙文之缺誤。順便對張氏此書，糾評一二，以貢愚見。

㈠張氏此書的《附編》極有參考價值，其中《敦煌寫本王梵志詩著錄簡況及解說》尤爲重要。張氏從下列諸書中彙錄各方面所藏敦煌寫本王梵志詩目錄及編號，這些資料，我均未見到。因此，拙文中所列巴黎藏本目錄，應予增補。不過巴黎所藏十四個卷子，並非都題明爲王梵志詩。故所寫是否梵志詩，還待考核。

敦煌遺書總目索引

商務印書館出版，一九六二年。

敦煌漢文寫本書解題目錄

翟理斯編，倫敦版，一九五七年。

亞洲民族研究所敦煌特藏漢文寫本解說目錄（第一、二卷）

莫斯科東方文獻出版社版，一九六三年、一九六七年。

敦煌出土文學文獻分類目錄附解說

日本金岡照光編，東洋文庫敦煌文獻研究委員會出版，一九七一年。

㈡本書所著錄的王梵志詩寫本，最早的是大曆六年（公元七七一年）五月沙門法忍寫本。最遲的是宋開寶三年（公元九七〇年）正月閻海眞的寫本。可知二百年間，王梵志詩一直流傳在民間，僅有一二文人偶然記錄了幾首。

㈢巴黎所藏第四〇九四卷樊文昇寫本說明『王梵志詩上中下三卷爲一部』，可確定王梵志詩原本爲三卷。但第二九一四及第三八三三二卷均題作『王梵志詩卷第三』。可知王梵志詩有以一、二、三分卷的，也有上中下分卷的。

㈣巴黎所藏第二七一八卷題云：『王梵志詩一卷。』其後有『鄉貢士王敷撰《茶酒論》一卷，乃變文。尾有題記云：「開寶三年壬申歲正月十四日，知術院弟子閻海眞自手書記。」』

㈤張氏此書編輯體例頗爲蕪亂。王梵志詩既然止有三卷，張氏應先寫定三卷的內容，而將不知屬於何卷者依各個寫本的編號移錄，不宜分卷帙。今張氏此書，將王梵志詩編爲六卷，其第一、二、三卷亦非原寫本的內容。如此則王梵志詩集原本的面目完全喪失了。

㈥唐宋人筆記、詩話中所錄存的數十首王梵志詩，均不見於敦煌諸寫本中，這一情況亦極可研索。難道王梵志詩有許多不同的傳抄本，各人所見都不同嗎？

㈦敦煌寫本多用民間俗體字，移錄寫定正楷，頗非易事。張氏此書校注中的釋文，有不少尚待商榷。有許多注釋，亦不免謬誤。如第二三一詩：

飲酒是癡報，如人落糞坑。
情知有不淨，豈不岸頭行。

此詩『豈不』二字原寫本作『豈合』，本來不錯。張氏據別本改作『豈不』，卻是用訛本改是本了。『岸頭』即『昂頭』，張氏注釋云：『岸邊，佛家指苦海之岸。』這樣一注，可知編者並未了解梵志詩意。梵志把飲酒比爲落糞坑。人走過糞坑，明知這是不淨之處，豈可不小心避開，反而昂頭走去，視而不見，就免不掉要落入糞坑裡去了。『豈合』是唐宋人俗語。意思是『怎麼可以』。改成『豈不』，這句詩就講不通了。

又，《庚溪詩話》所載『倖門如鼠穴』一首，張氏注『倖門』云：『權貴親幸之門。』並引用白居易詩『奸邪得藉手，從此倖門開』。按：『倖門』是僥倖之門。這個『門』是『走門路』的『門』，不能實講。張氏此注，可知連白居易這兩句詩也未了解。

注釋中諸如此類的謬誤不少，不敢多舉。

一九八五年六月十日記

13 初唐詩餘話

李淵、李世民父子在公元六一八年建立了唐朝政權，傳了二十代。中間經過武曌的篡奪，安祿山、史思明的叛亂，王仙芝、黃巢的造反，李氏政權都幾乎傾覆，但最後還是轉危爲安。到公元九〇七年，朱全忠篡奪政權成功，建立了他的後梁王朝，唐朝才徹底滅亡。

在李唐王朝二百九十一年的統治期間，中國基本上是統一的。其前半期，從太宗李世民到玄宗李隆基，這一百三十年，國家形勢不斷地有所發展，政治相當淸明，中央的權力、命令，亦能貫徹到全國，經濟文化都在日益繁榮。人民雖然處於新興封建貴族、官僚和大地主的重重剝削之下，生活還比較安定、小康。經過安史之亂，雖然李氏政權幸而保持下來，但社會組織和農業生產，在大動亂中起了極大變化。府庫空虛，田地荒蕪，公私經濟，都已耗竭。藩鎭擁兵割據，中央政令幾乎不出兩京。皇帝深居宮禁，被幾個當權的宦官蒙蔽、欺侮、指揮，甚至謀殺。中間雖然有一段貞元、元和之間二三十年的中興時期，但總的說來，這下半個時期的大唐帝國，早已是分崩離析，李家政權止存一個名義，奄奄一息地拖延著而已。

隨著國家形勢、政治經濟的興衰升降，文學藝術也相應地起著變化。二百九十一年唐詩，也經過好幾個階段。宋人嚴羽作《滄浪詩話》，把唐詩分爲五個時期：初唐，盛唐，大曆，元和，晚唐。元人楊士弘作《唐音》，把唐詩分爲三段時期：從高祖武德元年至玄宗大寶十五載，共一百三十八年，劃爲初盛唐，他選了王績至張志和六十五人的詩，以代表這一時期。從玄宗天寶末年至宣宗元和末年，共六十三年，劃爲中唐，他選了從皇甫冉至白居易四十八人的詩，以代表這一時期。從穆宗長慶元年至唐代結束共八十六年，劃爲晚唐，他選了從賈島至韋莊四十九人的詩，以代表這一時期。楊士弘又把唐詩分爲『始音』和『正音』兩種。初盛唐、中唐、晚唐的詩都是正音，王、楊、盧、駱四傑的詩則列入始音，不劃在初盛唐詩之內。他以爲四傑的詩還沒有脫盡梁陳遺風，對唐詩來說，還在胚胎時期，還不是業已成熟的『唐音』。

楊士弘這一唐詩分期方法，後人頗有意見。既然按歷史年代分爲初、盛、中、晚，卻又不把四傑列入初唐。那麼，始音的詩人，豈非超時代了？既然有初、盛之分，爲什麼又合併爲一個時期？這都是不合理的。明朝高棅編《唐詩品彙》，把楊士弘的分法稍稍改正。他把初、盛、中、晚分爲四個時期。從高祖武德元年至武后長安四年，共八十六年，是爲初唐，四傑當然應屬於初唐詩人，不能另外提開。從中宗神龍元年至代宗大曆五年，共六十五年，是爲盛唐，杜甫卒於大曆五年，故以這一年來結束盛唐。從大曆初至文宗大和末，共六十四年，是爲中唐。以後七十一年，才是晚唐。按照楊士弘的分法，稱爲『三唐』；按照高棅的分法，稱爲『四唐』。現在一般都用四唐分法。

關於唐詩的分期，有一個問題，似乎從來沒有人注意。爲什麼嚴羽的分期法中沒有中唐，而改用大曆、元和？爲什麼楊士弘知道四傑是初唐時人，而不把他列入初盛唐詩人的隊伍？爲什麼他不把初、盛分開？這幾個問題，從來沒有人思考過。現在我們要明確的是：初、盛、中、晚這四個字，到底是指唐代的政治歷史階段呢，還是指詩的各種風格流派？嚴羽的觀點，以爲初唐、盛唐、晚唐、這三個時期的唐詩，各有自己一致的風格。但是從大曆到元和，這一段時期的唐詩，風格卻前後不同，不能用『中唐』這個詞語來概括，因此，他的分期法中沒有中唐。楊士弘的觀點，和嚴羽近似。如果說是歷史年代，他也知道四傑是初唐人。他把四傑屏除在初唐之外，可知他的所謂初唐，是指詩的風格。他把初、盛唐合併爲一個時期，這說明他認爲初、盛唐的詩，在風格上沒有什麼不同。但是他也劃出了一段中唐時期，這就無視於大曆、元和詩風之不同。高棅的四唐分法，止是按照唐代國家形勢之興衰而劃分的年期，所謂初、盛、中、晚，不能理解爲唐詩風格的分期。

明清以來的詩人及文學史家，總是把盛唐視爲唐詩的全盛時期。他們指導後學，也總是教人做詩宜以盛唐爲法。李、杜、王、孟，是盛唐詩人，不錯。我們可以說，作詩應當向李、杜、王、孟學習，但不能認爲這個時期是唐詩全盛時期。更不能認爲盛唐以後的唐詩就差得很了。我以爲，我們應當糾正這個錯誤觀點，要知道，盛唐是唐代國家形勢的全盛時期，而唐詩的全盛時期卻應當排在中唐。

我們已選講了十二位詩人的詩，共十九首，可以代表初唐了。初唐雖說佔了八十六年，但在最初的三四十年中，文人還都是陳隋遺老，文藝風格，還沒有突出時代的新氣象。這十二位詩人中，除王績之外，都是高宗和武后時期的著名詩人，他們是在太宗所締造的新政體、新制度、新社會、新文化中培養出來的。他們在繼承前代文學遺產的基礎上，運用新的題材，創造新的形式與風格，於是在文學史上出現了『唐詩』。

唐詩這個名詞，不但表明這些詩所產生的時代，它還有別的意義。對前代來說，它表明的是詩的一種新形式。對後代來說，它表明的是詩的一種獨特的風格。

初唐詩人，在齊梁以來五、七言詩的基礎上，重視並採用沈約的聲病理論，使五、七言詩的調聲、協韻、對偶，逐漸規律化，從而創造了前代所沒有的『律詩』。律詩是唐代的新詩，唐人稱爲『今體詩』。另一方面，繼承漢魏以來五、七言詩的形式，並不需要守一定的規律，而在題材、內容、風格上有新的發展，在舊形式中表現了時代的新精神，這種詩，唐人稱爲『古詩』。意義是『古體詩』①。古詩和律詩，是唐詩的兩大類別，正如我們今天的新詩和舊詩。後世人就把『古律』作爲一個文學名詞，用以概括唐代以後的詩體。例如韓愈的詩集，就用『古詩』和『律詩』來作爲分卷的標題。宋代的蘇舜卿，給石曼卿的詩集作序文，稱石曼卿有『古、律四百餘篇』，這就是說，有各體詩四百

①蕭統編的《文選》、徐陵編的《玉臺新詠》，都有『古詩』這個名詞，例如『古詩十九首』。這個『古詩』，意義是古代不知名作者所寫的詩。兩個時代，『古詩』這個名詞的意義不同。

多首。

詩發展到宋代，形式上已沒有什麼創新，而在風格上，特別是在修辭、造句、對偶的技巧上，卻出現了新的道路。從兩代詩的總體看，它們的面目大不相同。於是，文學批評中出現了『唐詩』和『宋詩』兩個有特殊意義的名詞。它們表示兩種不同風格的詩。

唐詩所特有的形式和風格，萌芽於隋代，形成於初唐，而成熟於盛唐。王勃、楊炯、盧照鄰、駱賓王，文學史上稱爲『初唐四傑』，是從齊梁詩演進到唐詩的樞紐人物。明代詩人王世貞評論他們說：『盧、駱、王、楊，號稱四傑。詞旨華麗，沿陳隋之遺，氣骨翩翩，意象老境，故超然勝之。五言遂爲律家正始。』（《藝苑巵言》）意思是說：四傑的辭藻還不脫陳隋的華麗，但題材意境，卻變得蒼老，不像陳隋的浮淺。五言詩已講究聲韻黏綴，開始了唐代的律體。這個評論，可以概括四傑的風格。但在五言律上，還有不同的看法。明人胡應麟說：『五言律詩，兆自梁陳。唐初四子，靡縟相矜，時或拗澀，未堪正始。』（《詩藪》）這段話顯然是針對王世貞而說的。胡氏以爲五言律詩，在梁陳時已見萌芽，而初唐四傑的五言詩，在辭藻上還有靡麗的傾向；在聲韻上還有拗澀的缺點，不能算是唐代律詩的正始（正式的開始）。

王世貞以爲初唐四傑的五言詩是唐律正始，這就是楊士弘以四傑爲始音的觀點。胡元瑞不承認四傑爲正始，也就是楊士弘在始音之外，另分正音。王世貞說四傑是始音，胡元瑞說四傑不是正音，其實並不矛盾。

從來文學史家，都是以沈佺期、宋之問作爲唐代律詩的創造者。他們的詩，聲律謹嚴，對仗精工，尤其是創造了排律，使詩人多一塊用武之地。《新唐書》論曰：『魏建安後訖江左，詩律屢變。至沈約、鮑照、庾信、徐陵，以音韻相婉附，屬對精緻。及沈佺期、宋之問，又加靡麗。回忌聲病，約句準篇，著定格律，遂成近體，如錦繡成文，學者宗之。語曰：「蘇、李居前，沈、宋比肩」，謂唐詩變體，始自二公，猶古詩始自蘇武、李陵也。』這就肯定了沈、宋爲唐律正始的文學史地位。

當許多詩人都在作新形式的律詩的時候，一個四川射洪縣的青年陳子昂卻獨自走復興漢魏古體詩的道路。這是一條不合時宜的、寂寞的道路。他的《感遇》詩在當時並不爲群衆所注意。止有他的朋友盧藏用竭力讚美說：『子昂卓立千古，横制頹波，天下翕然，質文一變。《感遇》之篇，感激頓挫，顯微闡幽，庶幾見變化之朕，以接乎天人之際。』（《右拾遺陳子昂文集序》）但是儘管有這樣高的評價，在一般文人間，還沒有反應。因爲這樣的古詩，不是求名求官的文體，應試、應制、交際、酬答，都用不到。止有不爲名利的詩人，才用它來抒發自己的思想感慨。

杜甫對陳子昂極爲推崇。他曾到射洪縣去瞻仰陳子昂的故居，寫了一首《陳拾遺故宅》：

拾遺平昔居，大屋尚修椽。
悠揚荒山日，慘淡故園煙。
位下曷足傷，所貴者聖賢。
有才繼騷雅，哲匠不比肩。

公生楊馬後，名與日月懸。

……………

盛事會一時，此堂豈千年。

終古立忠義，《感遇》有遺篇。

又有《觀陳子昂遺跡》詩，其最後四句曰：

陳公讀書堂，石柱仄青苔。

悲風爲我起，激烈傷雄才。

有一位姓李的朋友到梓州去作刺史，杜甫在《送梓州李使君之任》詩中又囑托他，如果到他的屬縣射洪去視察，請他代表自己去祭奠陳子昂。詩的最後四句曰：

遇害陳公殞，於今蜀道憐。

君行射洪縣，爲我一潸然。

韓愈也對陳子昂詩的高古，一再讚揚。他在舉薦詩人孟東野給河南尹鄭餘慶的《薦士》詩中，叙述了五言詩的源流：

五言出漢時，蘇李首更號，

東都漸彌漫，派別百川導。

建安能者七，卓犖變風操。

逶迤抵晉宋，氣象日凋耗。
中間數鮑謝，比興最清奧。
齊梁及陳隋，衆作等蟬噪。
搜春摘花卉，沿襲傷剽盜。
國朝盛文章，子昂始高蹈。
勃興得李杜，萬類困陵暴。
後來相繼生，亦各臻閫奧。（下略）

在以盧藏用、杜甫、韓愈爲代表的評論中，陳子昂爲唐代古詩的正始，這個文學史地位亦已經確定了。

初唐詩人是唐詩的奠基人，在他們創業的基礎上，唐詩迅即獲得發展，王維、孟浩然的五言，李白、杜甫的七言，高適、岑參的歌行，接踵而起，唐詩進入了新的階段。這時，初唐詩人的作品已經過時，少年氣盛的詩人便有些瞧不起他們，在文章中肆意譏笑。杜甫在《戲爲六絕句》之二中憤慨地申斥道：

王楊盧駱當時體，輕薄爲文哂未休。
爾曹身與名俱滅，不廢江河萬古流。

杜甫認爲評價前代文學要聯繫到初唐詩人的時代條件。他指出四傑的作品是當時的文體。他們止能在當時的時代條件下，達到最高的造詣。現在你們這些輕薄少年，無休無止地寫文章譏笑他們。要知道你們現在雖然小有名望，如果不能在現代條件下達到最高造詣，那麼你們也止有身名同盡，不會像四傑那樣留名於後世，如萬古長流的江河一樣。

可是，儘管杜甫這樣聲色俱厲地斥責了當時那些否定初唐詩人的輕薄之徒，在六七十年以後，還有一個詩人李商隱寫了一首《漫成五章》之一，譏笑初唐詩人：

沈宋裁辭矜變律，王楊落筆得良朋。
當時自謂宗師妙，今日惟觀屬對能。

他以爲沈、宋、王、楊的成就，在今天看來，可以肯定的，止是對仗精工而已。這一句詩，把初唐詩人的其他一切長處，一筆抹殺了。

一九七八年三月二十五日

盛唐詩話

14 王維：五言律詩三首

漢江臨泛

楚塞三湘接，荊門九派通。
江流天地外，山色有無中。
郡邑浮前浦，波瀾動遠空。
襄陽好風日，留醉與山翁。

山居秋暝

空山新雨後，天氣晚來秋。
明月松間照，清泉石上流。

竹喧歸浣女，蓮動下漁舟。
隨意春芳歇，王孫自可留。

終南別業

中歲頗好道，晚家南山陲。
興來每獨往，勝事空自知。
行到水窮處，坐看雲起時。
偶然值林叟，談笑無還期。

唐玄宗李隆基統治的四十三年（公元七一三—七五六年，開元共二十九年，天寶共十四年），是唐代國家形勢的全盛時期。在這時期中，湧現了許多優秀詩人，在詩的內容和形式方面，顯示了百花齊放的新興氣象，留下了大量傳誦千古的詩篇。最著名的有李白、杜甫（簡稱李杜），其次是王維、孟浩然（簡稱王孟），還有高適和岑參（簡稱高岑）。杜甫得名最遲，他的著名詩篇都是在天寶末年安史叛亂時期寫的。李白是在天寶年間應召入宮，供奉翰林，暴得大名的。在較早一些的開元年間，最著名的詩人卻是王維。

王維，字摩詰，太原人。他深於佛學，熟悉佛敎經典。有一部《維摩詰經》，是佛敎中智者維摩詰和弟子們講學的書，王維欽佩維摩詰的辯才，故拆開了他的名字，給自己命名爲維，而字曰摩詰。

開元九年，王維以狀元及第，官右拾遺，後遷給事中。天寶末，安祿山攻佔長安，王維不及逃出，爲安祿山所得，將他拘禁於洛陽菩提寺，被迫做了僞官。當他聽説安祿山在凝碧池上召集梨園子弟奏樂開宴的消息，寫了一首詩：

萬户傷心生野煙，百官何日再朝天。
秋槐葉落空宮裏，凝碧池頭奏管絃。

（《菩提寺禁，裴迪來相看，説逆賊等凝碧池上作音樂。供奉人等擧聲，便一時淚下。私成口號，誦示裴迪。》）

這首詩總算表明了不附逆的心跡。當肅宗李亨重建政權之後，把附逆的官吏分三等定罪，對王維特予赦免。但是，如果他的胞弟王縉不是宰相，恐怕也不能得到如此寬大的處分。此後，王維繼續任職，他的最後一任是尙書右丞，故後世稱王右丞。

王維在文學藝術上有多方面的才能，詩文、書、畫都著名，又深於音樂，善彈琴，彈琵琶。唐人小説記一個故事：他的狀元及第，是因爲九公主欣賞他的詩和琵琶，關照主試官錄取的。他的第一任官職是太樂丞，大概就因爲他懂得音樂。他的詩與畫，同樣以淸淡見長，描繪山水、田野風景，充分表現出大自然的靜穆閒適。蘇東坡曾説：『味摩詰之詩，詩中有畫；觀摩詰之畫，畫中有詩。』這兩句話，至今成爲王維的定評。

王維的詩，有兩種風格。一種還比較綺靡穠麗，是沈、宋餘波，大約其中多早年作品；另一種淳樸淸淡，其中寫田園生活的，繼承了陶淵明的詩境；描寫山水風景的，便有鮑照和謝靈運的餘韻。這種風格的詩，已有百多年不流行了。王維重新走這條晉宋詩人的道路，對初唐詩人的宮體遺風來說，既是復古，也是創新。不過陶、謝的田園山水詩中，常常反映當時文人的道家思想，而王維的思想基礎，卻是佛家。淳樸清淡，是王維五言詩的本色，而五言詩又是初、盛唐詩的主體，因此，我講王維詩，止選他的五言律詩。

律詩的結構，主要是中間二聯，應當是對偶工穩的警句。前面有一聯好的開端，後面有一聯好的結尾。這三部分的互相照應和配搭，大有變化，大有高低，被決定於詩人的才情和技巧。

中間二聯是律詩的主體，但這是藝術創作上的主體，而不是思想內容的主要部分。一首律詩的第一聯和第四聯連接起來，就可以表達出全詩的思想內容，加上中間二聯，也不會給思想內容增加什麼。因此，我們可以說，律詩的中間二聯，止是思想內容的修飾部分，而不是敘述部分。

正因爲這二聯是藝術創作上的主體，就要求對得精工。首先是要避免死對，這是初學作詩的人最容易犯的。所謂死對，也很難說死。例如，『青山』對『綠水』，有時可以說是對得好的，有時卻反而成爲死對。這要看作者如何運用，必須聯繫全篇來看。詞性對偶之外，還要講究句法，動詞、名詞、狀詞之間的安排，往往與散文不同，有倒裝句，有節略句，有問答句，也是千變萬化的。總之，盛唐詩人，在律詩的章法、句法，乃至字法，各方面都有新穎的創造，我們先在這裏略略一提，以後遇到具體例子，隨時講解。

這裏所選的第一首詩《漢江臨泛》，是作者在漢水上泛舟的印象。『臨』字是登臨的意思。登山望遠，稱爲『臨眺』，水上泛舟，稱爲『臨泛』，衝鋒上陣，稱爲『臨陣』，都是同樣的用法。

第一聯就用對句概括了漢水的形勢。『接』與『通』兩個動詞用倒裝法。本該是『楚塞接三湘，荆門通九派』。『楚塞』和『荆門』，是同義詞，因爲楚國古時稱荆國。楚國的邊塞，荆國的門戶，所指的是同一地區。湘潭、湘鄉、湘源，合稱『三湘』，代表漢代長沙王國的領域。『九派』二字初見於劉向《說苑》：『禹鑿江，通於九派。』郭璞《江賦》也說：『流九派乎潯陽。』本意是說長江東流到潯陽，一路吸收了許多川流。『九』字表示多數。這兩句詩止是說：漢水流出楚境，注入長江，可以通到許多地方。『荆門』也不是指湖北的荆門縣。這些都是用古代地理名詞而已。明清以來，有人死講這兩句。唐汝詢注曰：『漢與湘合而分爲九道。』簡直是不明地理。漢水何曾與湘水合流，更何從分爲九道？近來有人注解說『漢水流過荆門縣，分爲九派』，也是沿襲了前人的錯誤。其實，『九派』兩個字在詩詞中往往泛指長江，是長江的代用詞，無須研究長江有哪九個支派。

接下去二聯，就是描寫在漢水上泛舟時所見的風景了。江水好像流到天涯地角之外。這是說江水浩渺，一望無盡。唐汝詢把『天地外』講作『殆非人世』，未免想得太遠了。山色在若有若無之間，這是形容晴朗日子裡的遠山。再看前面江邊的城市，好像浮在水面上，而江上的波瀾，又似乎使遙遠的天空也在浮動。

律詩的第二聯，稱爲頷聯，因爲第一聯既然稱爲首聯，就用人體來作比，第二聯的地位恰似人的下頷。於是第三聯便是頭頸，故稱爲頸聯。第四聯是全詩結束處，稱爲尾聯。如果是排律，則頸聯以下，尾聯以上，也有稱爲腹聯的，但這些名詞都是宋元以後人定出來的。

晚唐詩人作律詩，最忌頷聯與頸聯平列。他們主張要一聯寫景，一聯抒情。或者先寫景，後抒情，或者先抒情，後寫景。這個竅門，也很有道理，但在盛唐詩人中，還沒有意識到，所以王維這兩聯，同樣都是寫景。

尾聯二句，用了一個典故。晉朝的山簡，做襄陽太守，常常到山水園林中去遊玩，醉倒才回家。王維用這個故事，說襄陽這麼好的天氣，應當留給山老先生飲酒遊玩。山翁是比喻自己。這一句的語法是『留與山翁醉』的倒裝。

《山居秋暝》這首詩的組織和《漢江臨泛》一樣。第一聯就點明題目。這種手法，在詩家就稱爲『點題』。宋代以後，在八股文，試帖詩的規格上，也要求第一聯或第一、二句必須貼到題目，稱爲『破題』。這個『破』字，含有分析的意味，把題目分析開來用一二句詩或文概括一下。破題顯然是起源於詩家的點題。

這首詩的中間二聯，也是平列的寫景句。文字淺顯，不用解釋。『歸』與『下』兩個動詞，就是倒裝的。聽見竹林中笑語喧嘩，知道是洗衣的姑娘回家了。看到荷葉搖動，知道有漁船下來了。尾聯二句，暗用《楚辭》的修辭。淮南小山《招隱士》有句云：『王孫遊兮不歸，春草生兮萋萋。』意思是說：在春草叢生的時候，外出遠遊的王孫爲什麼還不歸來。王孫就是士，也就是知識分子。古代的知識分子，都是王侯的子孫，故稱王孫。王維在此處反用原句，他說：儘管現在已是秋天，春草已經凋零，王孫還是可以居留的。這個『王孫』，是指他自己。魏晉以來的詩人，經常用『春草王孫』這二句來作種種不同的比喻。這不是用古事，所以不是用典故，一般稱爲『出處』。

『隨意春芳歇』，這『隨意』二字向來無人注釋，大家都忽略了。其實這個語詞的意義和現代用法不同。它是唐宋人的口語，相等於現代口語的『儘管』。王昌齡有一首《重別李評事》詩云：

莫道秋江離別難，舟船明日是長安。
吳姬緩舞留君醉，隨意青楓白露寒。

這首詩的結句也用『隨意』。二句的意思是：儘管在青楓白露的秋天，吳姬還在歌舞留客。明代的顧璘在《唐音》裡批道：『隨意二字難解。』可見明代人已不懂得這個語詞了。譚友夏在《唐詩歸》裡批道：『隨意字只可如此用，入律詩用不得。』這個批語可以說是莫名其妙。爲什麼這兩個字止能用在絕句，而不能用在律詩呢？他如果看到王維已經在律詩裡用過，止好啞口無言了。其實譚友夏也像顧璘一樣的不懂，卻故意賣弄玄虛，批了這樣一句，使讀者以爲他懂得而沒有說出來。唐汝詢在《唐詩解》裡講王維此句云：『春芳雖歇。』這是很含糊的講法，大概他也不知道『隨意』的正確意義。

第三首《終南別業》，八句全是敘述，沒有一個描寫句。別業，即別墅。終南別業就是輞川別業，王維的莊園。全詩說：過了中年，很喜歡修道養性，因此在晚年時就遷居到終南山腳下。興致來時，常常獨自出遊。這種樂趣，也止有自己知道。勝事，即樂事。是什麼樂趣呢？例如：沿著溪流散步，一直到泉水盡處，坐在石上看山中雲起。或者偶然在樹林中遇到一二老年人，在一起談談笑笑，忘記了回家。

『談笑無還期』，這個『無』字是平聲字，在這裏是失黏的。《國秀集》中選錄此詩，作『談笑滯歸期』，平仄就黏綴了。但恐怕這已不是王維的原作。因爲這首詩與前二首不同，前二首的聲韻都符合律詩規格，是五律正體，而這首詩的第一、二聯，已經不合律詩規格，試看：

中歲頗好道　平仄仄仄仄
晚家南山陲　仄平平平平
興來每獨往　仄平仄仄仄
勝事空自知　仄仄平仄平

這四句根本不是律詩，即使把末句的『無』字改爲『滯』字，仍然無濟於事。我以爲王維作此詩，並不要它成爲律詩。這是一種古詩與律詩雜糅的詩體，也是從古詩發展到律詩時期所特有的現象。在孟浩然的詩集裡，這種五言詩有好幾首。高棅編的《唐詩品彙》裡，把這一類詩都編在古詩卷中，這是對的。

《唐律消夏錄》的著者顧小謝對此詩有一段評釋：『行坐談笑，句句不說在別業，卻句句是別業。「好道」二字，先生既云「空自知」矣，予又安能強下注解。』這兩個觀點，都使人不解。『句句是別業』，這句解釋，似深實淺。既然詩題是『別業』，全詩所寫當然是別業中生活。但是，和王維同時的殷璠所編的《河嶽英靈集》裡，這首詩的題目卻是《入山寄城中故人》。我以爲這是王維的原題，不知從什麼時候起，被人妄改了。因此，也可知顧小謝的解釋是胡說。『空自知』明明是指『勝事』，就是指下面二句所敘的山居生活，與『好道』毫無關係。

『行到水窮處，坐看雲起時』是王維的名句。對偶工穩，兩句一貫而下，是高超的流水對。作這一聯，好像極其自然，並不費力，但當時恐怕也曾苦思冥想了好久，才能得此佳句。

王維這三首詩，都是正面描寫，並無比興，沒有什麼寓意，也並不歌頌什麼。在詩的創作方法中，這種作法純然是賦，因此，我們可以一讀就了解，無須從字裡行間去尋求隱藏的詩意。王維詩的風格大多如此，正和他的畫一樣，用的是白描手法。

一九七八年四月十日

15 王維：五言律詩二首

使至塞上

單車欲問邊，屬國過居延。
征蓬出漢塞，歸雁入胡天。
大漠孤煙直，長河落日圓。
蕭關逢候騎，都護在燕然。

觀獵

風勁角弓鳴，將軍獵渭城。
草枯鷹眼疾，雪盡馬蹄輕。
忽過新豐市，還歸細柳營。
回看射雕處，千里暮雲平。

這裏再選兩首王維的五律。這兩首詩的風格和前三首不同，比較雄健。唐代自開國以來，各方面的蕃夷部落不時入侵，唐政府不能不加強邊塞防守，以應付戰事。有時也乘勝逐北，有擴張領土的意圖。開元、天寶年間，有很多詩人參加了守邊高級將帥的幕府，做他們的參軍、記室。這些詩人把他們在邊塞上的所見所聞，寫成詩歌，於是邊塞風光和軍中生活，成爲盛唐詩人的新題材。這一類詩，文學史上稱爲『邊塞詩』。在王維的詩集中，這一類詩篇並不多，而同時代的詩人高適、岑參和王昌齡，卻專以邊塞詩著名。

王維這兩首詩是許多唐詩選本都選入的名作。第一首《使至塞上》描寫一個負有朝廷使命的人到達邊塞時所見景色。有人以爲這個『使』是王維自己。因爲王維曾於開元二十五年（公元七三七年）出使塞上，在涼州節度使崔希逸幕府中任判官。如果這樣，題目就應當爲《奉使至塞上》。現在沒有『奉』字，可見這個『使』字是指一般的使者。再看此詩內容，完全是客觀的寫法，沒有表現作者自己的語氣，也可知此詩不能理解爲王維的自述。

第一聯中的『單車』、『屬國』，都是『使者』的代詞。李陵答蘇武書云：『足下昔以單車之使，適萬乘之虜。』原意是說使者沒有帶許多人馬，止用一輛車就夠了。後世詩文家就把『單車之使』簡化爲『單車』，作爲使者的代詞。『屬國』是秦漢官名『典屬國』的省略。這個官掌管投降歸順的蠻夷部族。因此，『屬國』就成爲外交官的代詞。居延是古地名，在今甘肅省張掖、酒泉一帶，在漢代，此地與匈奴接境。講明白這三個名詞，這一聯詩就容易懂了。兩句十個字，意思止是說使者要到邊塞

王維

上去，已經行過居延，進入胡地。上下二句，實在是重複的。既用『單車』，又用『屬國』，『過居延』就是『問邊』。二句止有一個概念。在詩學上，這算是犯了『合掌』之病，好比兩個手掌合在一起。這種詩病，唐代詩人都不講究，宋以後卻非常注意，不做這種聯語。杜甫詩曰：『今欲東入海，即將西去秦。』（《奉贈韋左丞丈二十二韻》）『今欲』就是『即將』，『東入海』就是『西去秦』，兩句詩說了一件事。白居易詩曰：『遠芳侵古道，晴翠接荒城。』（《賦得古原草送別》）這是詠草的詩，下句就是上句。郎士元詩：『暮蟬不可聽，落葉豈堪聞。』（《送別錢起》）『不可聽』就是『豈堪聞』。這些都是被宋代評論家舉出過的合掌的例子。

頷聯是說使者過了居延，就像滾滾塵沙一樣出了漢家的邊塞，又像北歸的大雁一樣飛入胡天的上空。『征蓬』是在地上飛卷的塵沙，現在江南人還把隨風卷地而來的塵土叫作『蓬塵』。『出漢塞』和『入胡天』，也犯了合掌之病，所以這種對法也是死對。

頸聯二句，氣象極好。在一片大沙漠上看到遠處烽煙直衝霄漢，大河上一輪落日，沒有雲翳，顯得格外圓而且大。大漠、長河、孤煙、落日，抓到了西北高原的特色。『孤煙直』，『落日圓』，表示天氣平靜，無風無雲，也是沙漠上的氣候特徵。

結尾一聯說使者到了蕭關，遇到巡邏偵察的騎兵，一問，才知道都護的軍部還在離這兒很遠的燕然山呢。蕭關在今甘肅省固原縣，唐時是防禦吐蕃的軍事重地。燕然山，即杭愛山，在今蒙古人民共和國境內。漢時大將軍竇憲征伐單于，曾進駐燕然山，在山上刻了紀功的銘文。都護是漢代官名，西域都護是守衛天山南北兩路的最高軍官。

王維這首詩的主題是描寫當時西域領土的廣大。過了居延，已經出了漢代的邊塞，可是現在卻還是大唐的領土。再向前走，到了蕭關，才知都護（當時是節度使）的駐紮地還很遠呢。這樣看來，唐代的邊塞比漢代向西擴張了幾千里。但是，王維的地理概念，似乎有錯誤。蕭關在東，居延在西。如果過了居延，應該早已出了蕭關。王維另外有一首《出塞作》，自注云：『時為監察，塞上作。』此詩第一句就說：『居延城外獵天驕。』可知他曾到過居延，不知為什麼這裏卻說過了居延，才出蕭關。至於燕然山，更不是西域節度使的開府之地，王維用這個地名，恐怕止是對當時的節度使恭維一下，比之為竇憲。這最後一聯，非但用燕然山，使人不解，而且這兩句詩，根本不是王維的創作，他是抄襲虞世南的。虞世南《擬飲馬長城窟》詩云：『前逢錦衣使，都護在樓蘭。』在樓蘭倒是符合地理形勢的。王維此詩本來可以完全借用虞世南這一句，但為了韻腳，止好改樓蘭為燕然，這一改卻改壞了。

第二首《觀獵》是完美無疵的好詩。開頭一聯照例是點題。將軍在渭城外狩獵，觀衆止感到寒風峭緊，弓弦亂響。用『將軍』二字，可知是觀衆口氣。頷聯接上去就描寫狩獵場面。作者抓了兩個典型景象：牧草已經乾枯，野獸失去蔭蔽，放出去追蹤的獵鷹一眼就看到奔逃的野獸。積雪已消，驅馬逐獸，便覺得馬蹄輕快。頸聯寫的是狩獵歸來，很快就經過新豐市，就在市上飲酒休息。新豐市在臨潼縣東，在唐朝是著名產酒的地方，多酒店。長安人出郊春遊，多在新豐買醉。唐詩中講到新豐，都含有在此飲酒之意。飲酒休息之後，就整隊回營。細柳是地名，在渭水北。漢朝的名將周亞夫，駐軍在細柳營。後世詩人要提到軍營，就用細柳營或亞夫營，不管它是不是在細柳。尾聯結束全詩，在回歸軍營的路上，回頭看剛才射雕的地方，止見大野茫茫，已與暮雲合成一片了。

這首詩八句結構很緊。前四句寫出獵，後四句寫獵歸。觀獵的人所得到的印象，止是一番雄壯迅速的軍事行動。顧小謝在《唐律消夏錄》裡評論此詩最好。他說此詩『全是形容一「快」字，耳後風生，鼻端火出，鷹飛兔走，蹄響弓鳴，眞有瞬息千里之勢』。這段話確已體會到這首詩的精神。

施補華在《峴傭說詩》裡也有一段分析。他在談到作詩法的時候說：『起處須有崚嶒之勢，收處須有完固之力。則中二聯愈形警策。如摩詰「風勁角弓鳴，將軍獵渭城」。倒戟而入，筆勢軒昂。「草枯」一聯，正寫獵字，愈有精神。「忽過」二句，寫獵後光景，題分已足。收處作回顧之筆，兜裹全篇，恰與起筆倒入者相照應，最爲整密可法。』這段話，注意在律詩的首尾起結。起聯有突兀的氣勢，結聯有餘力，可以使中二聯相得益彰。王維此詩的起聯，不說『將軍獵渭城，風勁角弓鳴』，而以『風勁』句放在前面，這就是所謂倒戟法。自從宋之問以尾聯戰勝沈佺期以後，詩人們都注意到律詩的起結了。

一九七八年四月十五日

16 孟浩然：五言律詩三首

臨洞庭贈張丞相

八月湖水平，涵虛混太清。
氣蒸雲夢澤，波撼岳陽城。
欲濟無舟楫，端居恥聖明。
坐觀垂釣者，徒有羨魚情。

與諸子登峴山

人事有代謝，往來成古今。
江山留勝跡，我輩復登臨。
水落魚梁淺，天寒夢澤深。
羊公碑尚在，讀罷淚沾襟。

歲暮歸南山

北闕休上書，南山歸敝廬。
不才明主棄，多病故人疏。
白髮催人老，青陽逼歲除。
永懷愁不寐，松月夜窗虛。

孟浩然，襄陽（今湖北襄樊）人，生於載初元年（公元六八九年），卒於開元二十八年（公元七四〇年），比王維年長十歲。王維官運亨通，做了安祿山的僞官，還能獲得赦免，繼續在朝。孟浩然一輩子沒有成進士，更沒有一官半職。早年隱居家鄉鹿門山，苦吟，有詩名。四十歲才到長安，結識了許多達官名士，詩名大噪，遂與王維並稱。但二人窮達不同，孟浩然始終是個襄陽布衣。

王、孟齊名，由於他們的詩格很相近，都以淸淡閒逸爲主。在他們的影響下，有儲光羲、劉愼虛、王灣、常建等後起之秀，都以同樣的詩格形成爲開元、天寶時期五言詩的特徵。

孟浩然死後五年，王士源搜集他的遺詩編成四卷，序文中說，共二百十八首。這本詩集傳到現在，卻有二百五十七首，恐怕已被後世人加入一些可疑的詩篇了。今本孟浩然詩集中有五言律詩一百二十四首，五言古詩六十二首，可知他平生作詩以五律爲主。因此，我們也選講他的五言律詩。

第一首開頭一聯直敘八月中的洞庭湖，水漲湖平。涵虛是涵泳於虛空；混太淸，是混合於天空。

虛與太淸，是指天而言。涵虛，實在就是混太淸，句意止是說水天一色。第二聯描寫此時湖上的景色。水氣從湖面上蒸發出來，波浪衝激著岳陽城。雲夢澤是洞庭湖的古名。這一聯是孟浩然的名句，十個字表現了洞庭湖的空闊浩瀚。歷代詩人歌詠洞庭湖，都沒有能創造更好的句子。第三、四聯忽然轉了方向，說自己想渡過湖，而沒有船可用，在聖明的時代，徒然閒住著，覺得很可恥。因此，坐在湖邊看人家釣魚，空有羨慕魚兒上鈎的心情。

這首詩在許多選本中，題目都是《臨洞庭》，這樣就無從了解下半首詩的意義。《初白庵詩評》云：『後半首全無魄力，第六句尤不著題。』也由於他沒有見到全題。此詩的原來題目是《臨洞庭贈張丞相》。張丞相是張九齡，開元二十四年（公元七三六年）從尚書右丞相降官爲荆州都督府長史。孟浩然集中有好些陪張丞相遊荆州名勝的詩，此詩即其中之一。上半首是寫洞庭湖，下半首卻是贈張丞相的話。第五句的『濟』字是一個關鍵性的字。濟字的本義是渡河越水，引伸而有工作或事業成功的用法。孟浩然說『欲濟無舟楫』，表面上仍是在說洞庭湖。隱藏的意義卻是說：我要獲得一官半職，可是沒有人幫助我。他希望得到張九齡的薦舉、提拔，好比給他一條船，使他能渡過大湖。他看見張九齡提拔過許多人，猶如釣上了許多魚，他的心情就是羨慕這些魚的被釣上去。

孟浩然一生不得志，後世稱讚他是一位敝屣功名富貴的隱士。其實他也很希望成進士，由吏部選派一個官職給他，止是他胸懷高潔，不屑作不擇手段的鑽營。沒有機會，也不介意。寧可遊山玩水，飲酒賦詩。要說他絕對不求名利，恐怕未必。他和官位較高的人，一起遊玩宴飲，詩的末尾常常流露出一些要求薦舉之意，例如《陪盧明府泛舟回峴山作》末句云：『猶憐不調者，白首未登科。』《與白明府遊江》末句云：『誰識躬耕者，年年梁甫吟。』《姚開府山池》末句云：『今日龍門下，誰知文學才。』即使在描寫農民生活的詩中，結尾還說：『鄉曲無知己，朝端乏親故，誰能爲揚雄，一薦甘泉賦。』這些詩句，還比較含蓄，因爲『明府』止不過一個縣令，官還不大。贈張丞相的詩，就把求薦之情表現得很急切了。不過，我這樣講，並不是說孟浩然不配稱爲隱士。他還是隱士。唐代知識分子由進士及第而從政，叫做入仕。落第回家，終生不得官職，叫做歸隱。唐代所謂隱士，僅僅意味著此人沒有功名，不像宋以後的隱士，根本不參加考試，不求功名，甚至韜光養晦，甘心使自己默默無聞，老死無人知道。

寫景而兼贈人的詩，一種是贈別，爲送人遠行而作詩。以寫景開始，結尾寓送行之意。另一種便是求薦，動機本來是寫景，但借題發揮，轉到求薦的意思。如何轉法？這就要作者的藝術手法了。孟浩然此詩的第五句，是轉得很高明的。

初唐時期的詩人，多半是高官、貴族、豪富，他們沒有乞憐求薦的需要，所以當時還沒有以求薦結束的寫景詩。盛唐以後，詩人多半是寒士，總盼望有一位達官貴人提挈一下，於是求薦的詩就多起來。連杜甫、韓愈這樣的大詩人，也曾作過這樣的詩。

第二首《與諸子登峴山》，是遊峴山而作的詩。『諸子』是『諸君子』的省略，意思是『幾個朋友』，不可解作『幾個兒子』。峴山在襄陽城外漢水上，是一處與羊祜有關的古跡。我們必須了解羊祜的故事，才能了解這首詩。

羊祜是晉朝人，做襄陽太守的時候，常到峴山上與同僚飲酒遊玩。一天，他感慨地對朋友們說：『自古以來，就有這個山；自古以來，有過許多賢人名士在這裏遊玩，可是這些人都默默無聞地消滅了，眞使人悲傷。如果我死了之後，魂魄也將留戀這個山呢。』後來，羊祜果然死在襄陽，百姓追悼他，在峴山上爲他立了一塊碑。來讀這塊碑文的人，都欷歔感慨，不覺下淚。因此，人們就把這把塊碑稱爲墮淚碑。

孟浩然這首詩的前四句，就是概括羊祜的話。『人事』，人物及其事跡，是有新陳代謝的。一代的人去了，一代的人接上了。這就成爲古今。山水今天依然是一個名勝，卻輪到我們這一代人來遊玩。第二聯寫眼前所見景色：冬季水落，魚梁中水淺了，在山上看，雲夢澤因水淺而覺得深了。這個『深』字，不是說水深，而是形容從山頂到湖面的距離深遠。這裏用『夢澤』，止是表示江水、湖水，並不實指洞庭湖。在唐代，襄陽已看不到洞庭湖了。魚梁是在江水中豎竹積石，做成一道堰，用以捕魚。利用這道堰，作爲一個渡口，就稱爲魚梁渡。孟浩然的《夜歸鹿門歌》有句云：『魚梁渡頭爭渡喧。』即指此處。這兩句詩寫的是一種蕭條荒落的情調，用來陪襯上下文。接下去說：羊祜的碑至今還在，使我讀了碑文，也爲之感傷得掉淚。這首詩的主題思想，當然是感生命之短促，精神狀態很空虛、消沉，大約是詩人在極不得意的時候所作。陳子昂有一首古詩，和孟浩然這首詩是同一種情調：

前不見古人，後不見來者，

念天地之悠悠，獨愴然而涕下。

第三首《歲暮歸南山》，是因為在長安沒有出路，到了年底，回終南山去住一時，乃作此詩。北闕是皇宮的北門。漢代的制度，人民要向皇帝有建議或申訴，可以把文件送到皇宮北門去，那裡有人收納。『休』字在唐詩裡有兩種用法：㈠不要，等於莫字或勿字；㈡罷休，停止。這裏是用第二義，意思是說：不用再向北闕去上書了，還是回到終南山簡陋的屋子裡去居住一時。歸字是倒裝用，本該作『歸南山敝廬』。第二聯說：上書無效，可見是自己才學不夠，為賢明的皇帝所棄；自身又多病，連老朋友都很少來往。第三聯寫遲暮之感，頭上漸生白髮，正在催我入老境。『青陽』即『青春』，這裏是泛指時序，已逼近年終了。因此有滿懷愁緒，不能入睡，止看著空虛的夜窗上，照著松林間的月光。

關於這首詩，《唐才子傳》記載了一個故事。有一天，王維在宮中辦公，私下把孟浩然請進去閒談。忽然玄宗皇帝來了，二人大驚，孟浩然趕緊躲在榻下。王維不敢隱瞞，止好直言請罪。皇帝聽說是孟浩然，就說：『這位詩人，我已聽人講起過，還沒有見到。』當下就叫孟浩然出來，並問他：『帶了新詩來沒有？』孟浩然回說沒有。皇帝就要他念幾首新作品，孟浩然就念了『北闕休上書』這一首。皇帝聽了很不高興，說：『你自己不要做官，怎麼誣蔑我，說我棄你呢？』於是命他仍回終南山去。

《唐詩紀事》裡也有這個故事，稍稍不同。由於丞相張說的推薦，玄宗皇帝召見孟浩然。孟浩然念了這首詩，因而忤旨放歸。當時皇帝還說：『你為什麼不念「氣蒸雲夢澤，波動岳陽城」呢？』這個故事，顯然是後世人編造出來的。洞庭湖一詩求薦之情非常誠懇，容易得人同情；所以編造故事的人斷定這個張丞相是張說，並且確實舉薦了孟浩然。《歸南山》一詩旣消沈，而且有怨憤之情，把自己的窮途潦倒歸咎於『明主』，做皇帝的當然聽不進去。這個故事雖非事實，但可以從此知道，這兩首詩，由於表現方法的不同，而所得的效果也很不同。編《唐詩別裁》的沈德潛在這首詩下批道：『時不誦《臨洞庭》而誦《歸南山》，命實爲之，浩然亦有不能自主者耶？』可知沈德潛止看到《唐才子傳》的記載，而沒有見到《唐詩紀事》。

一九七八年四月二十日

【增記】

今日偶閱《臨洞庭》詩諸家舊注，發現有對此詩理解大不同者，增記於此，以備參考。

唐汝詢《唐詩解》在末句下注引《漢書·董仲舒傳》云：『古人有言曰：臨淵羨魚，不如退而結網。』這樣一注，把『羨魚』二字的意義弄複雜了。他又把『欲濟無舟楫』講作孟浩然欲求仕而自知無才。因此，他解此詩道：『此臨湖而興求仕之思，復量其才而不欲進也。……見釣者得魚，不無欣慕意，然結網未遑，則亦徒然興羨耳。蓋襄陽本不欲仕，乃臨湖而有此嘆，豈抱道之情，猶未戰勝耶？』

唐汝詢首先肯定孟浩然不是要求仕的人，而此詩明顯地有羨慕別人得仕之情，因而說他好像還不能安貧抱道，思想上未能戰勝利祿的引誘。

這樣講，已經弄錯了孟浩然的思想情況。可是還有一個著《而庵說唐詩》的徐增出來把唐汝詢大罵一通，而且是站在比唐汝詢更不理解這首詩的立場上批斥唐汝詢的。現在先看徐而庵對『欲濟無舟楫』一句的注釋：

『「無舟楫」，言無用我爲舟楫者。《書經》云：「若濟巨川，用汝爲舟楫。」』孟浩然這句詩並沒有用典故。『舟楫』二字亦不必有根據。『要過湖，可惜沒有船。』這句話，誰都能說，不必一定要讀過《書經》。可是現在引用《書經》此句，就把『舟楫』與『用汝』連結起來，把孟浩然此句講作『要過湖，沒有人用我作船』，怎麼能講得通？

接下去，徐而庵說：『垂釣者，喻出仕之人也。垂釣則可得魚，然不如網之穩。徒有羨魚之情，見出仕者不能大有所濟，亦猶垂釣者之未必得魚，徒羨魚耳。此句當在垂釣者身上說。唐仲言謂浩然「抱道之情，猶未戰勝」，眞無目人語。襄陽本不欲仕，何羨魚之有哉？看詩須細細循作者之思路，方有所得。若泛然論去，所謂有意無意之間，不必求甚解，於詩究爲門外漢而已。』

這位而庵先生一口咬定孟浩然是不要做官的人，也沒有通讀《孟浩然詩集》，不知道孟浩然有過許多求仕、求汲引的詩句，因此，根據他的注解，此詩後半首的意義便成爲：『這個世界，沒有人用我爲船，因此就無人濟世。在這個聖明之世，我卻貧賤閒居，深感羞恥。我看那些已做了官的人（垂釣者），也未必能有所作爲。因爲釣魚終不如下網，所得的成果不大。』

唐汝詢是從小就雙目失明的人。徐而庵評他的注解爲『眞無目人語』，可謂刻毒。而他自己講這首詩，比唐汝詢更爲不通，又何嘗不是『瞎說』？唐、徐二家都不知道此詩題下還有『上張丞相』四字。也都沒有從孟浩然全部詩集中去『細循作者之思路』，僅僅就這四句詩中去穿鑿典故，曲解詩意。至少，對這首詩的理解，我看他們二位都不免是『門外漢』。

一九八〇年七月十一日增記

17 孟浩然：五言律詩又三首

洞庭湖寄閻九

洞庭秋正闊，余欲泛歸船。
莫辨荊吳地，唯餘水共天。
渺彌江樹沒，合沓海湖連。
遲爾爲舟楫，相將濟巨川。

都下送辛大之鄂

南國辛居士，言歸舊竹林。
未逢調鼎用，徒有濟川心。
余亦忘機者，田園在漢陰。
因君故鄉去，遙寄式微吟。

洛下送奚三還揚州

水國無邊際，舟行共使風。
羨君從此去，朝夕見鄉中。
余亦離家久，南歸恨不同。
音書若有問，江上會相逢。

孟浩然專作五言詩，現在所有的《孟浩然詩集》中，共收詩二百五十七首，五言詩佔了二百二十首。五言四韻的律詩又佔了五言詩中的大半。開元時期五言律詩的各種篇法、句法、調聲、對偶的形式，都可以從孟浩然詩中見到。這裏又選了三首孟浩然的詩，它們不是名作，從來也沒有選錄，宋元以來的詩話裡，也沒有人提到過。我現在選取這三首詩，目的是想講一講初、盛唐五言律詩的格律，用它們來作例子。

這三首詩都容易了解，不過我們還是先約略解釋一下。第一首是以洞庭湖爲題，寄給一個朋友閻九的。閻是姓，九是排行。中國知識分子，大約從春秋時代以來，每人都有一個名，一個字。名是正式公文書上用的，長輩叫小輩，可以稱他的名，平輩之間，就不能直呼其名，止能稱他的字。例如王維，同時友好都叫他摩詰，而不能叫他王維。但是，唐代人連字都不常用，一般熟人都以排行相稱呼。排行是從祖父算起的，閻九不是他父親的第九個兒子，而是他祖父的第九個孫子。例如祖父有三

孟浩然

個兒子，不管那一個兒子，首先生的孫子就是老大。以後第二、第三排下去，詩人高適的排行是第三十五，所以李頎詩題有《答高三十五留別》。這種詩題在唐人詩集中常見，後世讀者往往不知這高三十五是誰。史學家岑仲勉費過一番功夫，把《全唐詩》中用行輩稱呼的人名大都考查出來，寫了一本《唐人行第錄》，對研究唐詩的人，很有幫助。

此詩大意是說：洞庭湖到了秋天水漲，很闊大了，我也想乘船回襄陽去。接著就用二聯描寫湖水之空闊，止見水天一片，分不清那兒是楚，那兒是吳。這地區是古代吳楚接境，向來稱爲吳頭楚尾。江水和樹木都隱沒在空虛渺茫之中，湖與海好像也合併爲一了，這一句的意義是說湖廣大得像海了。最後二句說：等你來做我的船，大家一起渡過這個大湖。這一聯的意義和贈張丞相詩一樣，用一個雙關的『濟』字，用舟楫作比喻，就從寫景轉入爲抒情。大約作者希望等閻九回來，給他做一個介紹人，向達官貴人推薦一下。末句說『相將濟巨川』，可知是雙方有利的事。

第二首是在長安送辛大回鄂州去的詩。前四句叙述辛大，後四句叙述自己。南方的辛居士，要回家鄉去了。他空有『濟川』之心，而沒有發揮『調鼎』之用。信佛教而不出家的稱爲居士。『濟川』，在這裏也是求官的比喻。『調鼎』本來是宰相的職責，這裏用來比喻做官。這兩句詩，寫得很堂皇，說穿了，止是說：他想求個一官半職，可是竟沒有到手。有人把『濟川心』講做『救世濟民的心』，未免擡得太高了。

後半首說自己也是一個『忘機者』，家園也在漢水邊上，因爲聽說你要回家去，所以從遠地寄這首詩給你，以表慰問之情。『忘機者』是忘卻了一切求名求利、鈎心鬥角的機心的人。這是高尚的比喻，事實上是指那些在功名道路上的失敗者。《詩經·邶風》有一首詩，題名《式微》。有一個黎國的諸侯，失去了政權，寄居在衛國。他的臣子做了這首詩，勸他回去。『式微』的意義是很微賤。亡國之君，流落在外，是微賤之至的人。孟浩然說這首詩是『式微吟』，是鼓勵辛大回家鄉的意思。這個辛大，想必也是一位落第進士，和孟浩然一樣的失意人物。所以這首送別詩，沒有惜別之意，而表達了自己的式微之感，從而抒寫了自己的鄉愁。古典文學中用『式微』一詞，相當於現在的『沒落』。『式微吟』就是『沒落之歌』。

第三首是在洛陽送奚三回揚州的詩。主題、結構，和送辛大的詩完全一樣。前四句說揚州是茫茫無涯的水鄉，乘船回去都要依仗順風。我羨慕你從此路回去，不久就可以見到家鄉。『朝夕』即『旦夕』，亦即『不久』。下四句說自己也離家已久，恨不能同你一起回南。將來如果你有書信來，我們也許可以在江上會晤。這意思是說：那時我也可能回家了。

三首都是送人的詩，第一首是寄贈友人，第二、三首是送別友人。第一首詩還有掙扎著求仕進之意，第二、三首則流露了灰心絕望的沒落情緒。孟浩然詩的主題思想，大多如此。許多不得志的唐代詩人，他們的投贈詩也大多如此。史傳說孟浩然『文不爲仕，行不爲飾，遊不爲利』，恐怕是美化得過分了。

在講王績的《野望》詩時，我曾說五、七言律詩的中間二聯必須是對句，但這裏三首孟浩然的詩就不符合這條規律。上一篇講過的《與諸子登峴山》也不符合這條規律。第一首是頷聯不對的例子。

第二首是頸聯不對的例子。第三首是中二聯全不對的例子。《與諸子登峴山》是第一聯對而第二聯不對的例子。這種對法，宋代人稱爲『移柱』。一聯好比一條柱子，第一、二聯移換了柱子，以致第一聯反而是對句，第二聯反而不作對句。

這些詩的平仄，音節，無疑都是五言律詩，決不是五言古詩。這個情況，值得注意。孟浩然的五言詩，當時是『天下稱其盡美』的。他作詩，決不會破體失格，也決不是沒有能力作對句。那麼，這是什麼理由呢？答案很簡單：這是初、盛唐五言律詩的格式。是從五言古詩發展到五言律詩的道路上留下來的軌跡。平仄、音節已經固定了律詩的規格，對偶的規格還沒有固定，因而還可以有全不對或一聯不對的形式。這種形式的五言律詩，在李白、杜甫及其他同時詩人的詩中，常可以見到，然而在中唐以後，除非偶爾有人摹仿，一般地說是絕跡了。

《峴傭說詩》的作者施補華說：『五言律有中二語不對者，有全不對者，須一氣揮灑，妙極自然。初學人當講究對仗，不能臻此化境。』他以爲這種形式是五言律詩的最高藝術手法，是入於『化境』，初學作詩的人應當先講究對仗，從能作對句上升到不作對句。這個理論，我頗有懷疑，爲什麼中、晚唐詩人都不想追求這個『化境』呢？

奇怪的是，盛唐詩人作七言律詩，絕沒有不對的聯句，移柱的方法倒是有的。這或者是因爲七言律詩不作對句，就近似歌行，不如索性作歌行體了。

一九七八年五月十日

18 高適：燕歌行

開元二十六年，客有從御史大夫張公出塞而還者，作《燕歌行》以示適。感征戍之事，因而和焉。

漢家煙塵在東北，漢將辭家破殘賊。
男兒本自重橫行，天子非常賜顏色。（韻一）
摐金伐鼓下榆關，旌旆逶迤碣石間，
校尉羽書飛瀚海，單于獵火照狼山。（韻二）
山川蕭條極邊土，胡騎憑陵雜風雨，
戰士軍前半死生，美人帳下猶歌舞。（韻三）
大漠窮秋塞草腓，孤城落日鬥兵稀，
身當恩遇常輕敵，力盡關山未解圍。（韻四）

鐵衣遠戍辛勤久，玉筯應啼別離後，
少婦城南欲斷腸，征人薊北空回首。（韻五）
邊庭飄飖那可度，絕域蒼黃何所有？
殺氣三時作陣雲，寒聲一夜傳刁斗。（韻六）
相看白刃血紛紛，死節從來豈顧勛，
君不見沙場征戰苦，至今猶憶李將軍。（韻七）

這首詩的作者高適，字達夫，渤海郡蓨（今河北景縣）人。少時家道貧寒，流浪在中原一帶。年過五十，才學做詩。進步很快，數年之間，便已成名。他曾在河西節度使哥舒翰幕中任書記，因而熟悉邊塞生活，寫了許多邊塞詩。肅宗時，官至成都尹、劍南西川節度使。和杜甫有交情，杜甫有幾首詩爲他而作。唐代詩人，官至節鎮的，止有高適一人。他的詩與岑參齊名，稱爲『高岑』。《燕歌行》是高適的著名詩作，唐詩選本中差不多都選取的，近年來也有過許多注釋本。但是，這首詩文字雖易懂，解釋卻頗不容易，因爲有三個問題，似乎一向沒有弄清楚。

第一個問題是這首詩所反映的歷史事實是什麼？作者的自序說『開元二十六年，客有從御史大夫張公出塞而還者』。但在《河嶽英靈集》和《文苑英華》中卻是『開元十六年，客有從御史張公出塞而還者』。這個張公，是張守珪。開元十五年（公元七二七年），官瓜州刺史、墨離軍使。開元二十一年，官幽州長史、兼御史中丞、營州都督、河北節度副大使。開元二十三年，以河北節度副大使兼御史大夫。根據這個政歷，開元二十六年稱『御史大夫張公』是對的，而開元十六年張守珪還沒有兼御史銜，稱『御史張公』是錯了。由此看來，原文似乎應當是『開元二十六年』。但《河嶽英靈集》編成於天寶末年（公元七五六年），收錄的都是開元、天寶年間流傳衆口的著名詩篇。《文苑英華》是北宋初年編集的，所根據的都是唐人寫本。這兩部書都較爲可信，而它們同樣作『開元十六年』，似乎原本確實如此。因此，我以爲，可能高適作此詩及詩序時，是在二十一年以後，二十六年以前，則稱『御史張公』也不錯，而『開元十六年』則是他追記的年份。

無論是開元十六年或二十六年，這個年份止是那個曾經從張守珪出塞的幕客回來的年份。回到什麼地方？詩序中沒有說明。我們知道這時期高適還流浪於梁宋之間（今開封地區），正在學做詩。這位幕客做了一首《燕歌行》，給高適看。於是高適『感征戍之事』，也和作了一首。這位幕客不知是誰，他的《燕歌行》內容也不詳，可能是叙述或歌頌張守珪的功績的。高適這首和作裡，有沒有引用原作中的事實？這些情況，我們現在都無法知道，因此就不容易正確地理解。

第二個問題，是這首詩的主題思想。作者對於這些『征戍之事』的『感』，到底是什麼態度？肯定呢，還是否定？歌頌呢，還是諷刺？我看過一些箋釋，對於這個基本問題，似乎都沒有說明白。

第三個問題，是這首詩的結構，到底是集中描寫一件事實呢，還是概括了許多『征戍之事』？這些地名，是記實呢，還是借用？所提到的人物，是一個人呢，還是許多人？如果是一個人，是特寫張守珪呢，還是另有別人？『漢將』是誰？『男兒』是誰？『身當恩遇』是誰？『死節』又是誰？這些辭句，都有些捉摸不定，因而箋釋者就意見紛紜。

以上三個問題是有聯帶關係的，不能一個一個地分別解決。《舊唐書·張守珪傳》有一段記載，極可注意：

開元十五年，吐蕃寇陷瓜州，王君㚟死，河西洶懼。以守珪爲瓜州刺史、墨離軍使，領餘衆修築州城。板堞才立，賊又暴至城下。城中人相顧失色，雖相率登陴，略無守禦之意。守珪曰：『彼衆我寡，又創痍之後，不可以矢石相持，須以權道制之也。』乃於城上置酒作樂，以會將士。賊疑城中有備，竟不敢攻城而退。守珪縱兵擊敗之。於是修復廨宇，收合流亡皆復舊業。

這一段歷史，可以啓發我們兩件事：㈠開元十六年，有一個張守珪的幕客從瓜州回來。他曾作了一首《燕歌行》，敍述或歌頌張守珪這一次的軍功。高適讀了，印象很深。過了幾年，就採取這個題材，也作了一首。事情原是發生在瓜州，但高適作此詩時，張守珪已轉官爲幽州長史兼御史中丞、河北節度副大使，因此他的詩序中稱『御史張公』，而詩中的地名都是在幽州國防線上了。㈡詩中最有關係的兩句：『戰士軍前半死生，美人帳下猶歌舞。』多數注釋者都以爲諷刺主將荒淫，耽於酒色，而不恤士兵的生命。但是從這兩句的上下文看來，分明不是作者對張守珪的諷刺。這個謎，向來沒有人解通，止有陳沆在《詩比興箋》中曾引用這一段史傳，認爲這兩句與瓜州的『空城計』有關。但是，他又說：『然其時守珪尚未建節，此詩作於開元二十六年建節之時，或追詠其事，或刺其末年富貴驕逸，不恤士卒之詞，均未可定。』這樣，他雖然注意到張守珪在瓜州以空城退敵這一史實，還是不敢確定這兩句詩是歌頌，還是諷刺。這是因爲他沒有注意到詩序原本是『開元十六年』。

開元十六年至二十三年是張守珪功名極盛時期，瓜州之勝，雖然是一時僥倖，但也可見其膽略。當時必然衆口喧傳，非但幕客以之入詩，而且歷史傳記裡也寫了進去，可知高適作此詩，決不是有諷刺之意。

《燕歌行》是樂府古題，吳兢在《樂府古題要解》中解釋這個曲調的內容是『言時序遷換，而行役不歸，佳人怨曠，無所訴也。』高適所感的『征戍之事』，這也是其中之一。既然用此題作詩，就應該符合這個曲調的內容要求。所以，『鐵衣遠戍』以下四句，就離開了張守珪的故事，而表現《燕歌行》的本意了。

開元、天寶年間，唐朝對突厥、回紇、吐蕃，連年有戰爭。對於這些戰爭，當時的詩人，一般是不反對的，因爲是衛國戰爭。對於參加這些戰爭的將士，又常常歌頌他們爲民族英雄，認爲他們是爲國死節，不是爲了貪功受賞。『死節從來豈顧勛』一句就表現了這個觀點。但對於戰爭本身，他們是反對的，或說憎厭的，因爲『沙場征戰苦』，驅使無數人民去『暴骨無全軀』。因此，歸根結底，最好還是有一位像李牧那樣的將軍，駐守邊塞，以守備爲本，既不讓敵人侵入，又不至於發生戰爭。

現在，我們可以看清楚，高適這首詩的前半篇十六句是有感於張守珪瓜州戰功而作，顯然就是那個幕客原作的題材內容，否則，爲什麼說是『和』呢？其後半篇十二句是表現了他對『征戍之事』的複雜的，或說矛盾的『感』，同時，也是爲了符合題目。『殺氣三時作陣雲』一聯是描寫邊塞上隨時都有戰爭。『三時』是春、夏、秋，見《左傳》。春、夏、秋是耕桑的季節，古人作戰一定選擇冬季，可以不妨礙生產，而且容易征召兵士。『陣雲』是某一種狀態的雲，據說出現了這種雲，就預兆著會發生戰爭，因爲這種雲是『殺氣蒸騰而成』。現在說春、夏、秋三時都有陣雲，可知終年都有戰事。

這首詩一共用了七個韻，每韻成爲一首絕句。第二、四、七韻是平韻絕句，其餘都是仄韻絕句。每一首絕句都押三個韻腳。第四韻『大漠窮秋塞草腓』，這個『腓』字有許多本子都作『衰』字，肯定是錯的，因爲『腓』字是韻。第六韻『邊庭飄飆那可度』，這個『度』字與下句的『有』、『斗』二字現在讀起來好像不押韻，但在唐代可能是押韻的，『度』應當讀如『豆』，如果不是古音，準是方言韻。

這是一首歌行體的樂府詩，但從句法、韻法和平仄黏綴的角度看來，卻是七首絕句的綴合。（『君不見』的『君』字可以說是襯字。）每一首絕句表達一個完整的觀念，絕不與上下文聯繫，這種結構是極少見的。

從來評選唐詩的人，似乎都把這首詩評價得過高了。其實，主題思想的不一貫，句法結構的支離散漫，仍然都是缺點，在高適的創作過程中，這首詩還是他的早期作品，不能作爲他的代表作。高、岑雖然齊名，論七言古體的邊塞詩，畢竟高不如岑。

一九七八年四月二十六日

19 岑參：七言歌行二首

白雪歌送武判官歸

北風卷地白草折，胡天八月即飛雪。（韻一）
忽如一夜春風來，千樹萬樹梨花開。（韻二）
散入珠簾濕羅幕，狐裘不煖錦衾薄。
將軍角弓不得控，都護鐵衣冷難著。（韻三）
瀚海闌干百丈冰，愁雲慘淡萬里凝。（韻四）
中軍置酒飲歸客，胡琴琵琶與羌笛。（韻五）
紛紛暮雪下轅門，風掣紅旗凍不翻。（韻六）
輪臺東門送君去，去時雪滿天山路。
山迴路轉不見君，雪上空留馬行處。（韻七）

岑參，南陽（今河南南陽）人，天寶三載（公元七四四年）進士及第。安祿山叛亂，攻占長安的時候，岑參年在四十左右。代宗時，官至嘉州刺史。爲西川節度使杜鴻漸所器重，奏請以岑參爲從事。杜鴻漸罷官後，岑參就終老於蜀中。天寶末年，封常淸爲安西節度使，岑參在其幕府中，因而熟悉西域情況，寫了許多描寫邊塞的歌行體詩，與高適齊名。

《白雪歌送武判官歸》是岑參名作之一。他的同事武判官要離職回家，節度使置酒送行，其時正在大雪天，岑參在酒席上作此詩送行。全詩以描寫邊地雪景開始，轉到送行的意思。論這首詩的作用，也是一首贈別詩。

此詩前十句都是《白雪歌》。西北塞外，八月就下雪了。好像一夜之間，吹來了春風，使千萬樹梨花都開放了。這是描寫雪之白。下面四句形容雪之寒：將軍的弓都拉不開，都護的鐵甲也穿不上身。唐代有北庭大都護，是西北邊防的統帥。『瀚海闌干百丈冰』這一句卻有問題，已有人指出過。『瀚海』就是沙漠，沒有水，不會結成百丈堅冰。大約作者用錯了名詞，指的是蒲類海之類的大湖泊了。

下面八句就轉到送行的事。判官東歸，節度使爲他送行。中軍是中軍之將，這裏用來代替主將，即指節度使封常淸。宴會上有音樂歌舞，以『胡琴琵琶與羌笛』一句來表達。宴會到傍晚，轅門口大雪紛飛，紅旗在風中也因凍結而不能翻展。輪臺是縣名，北庭大都護駐守的地方。在輪臺東門送行，這時天山下的大路已爲積雪所封，行人轉過一個彎，就看不見了，止留著雪上的馬蹄跡，供我懷念。

這首詩不能說有什麼突出的好處。武判官大約不是作者的親密朋友，送行的話並沒有深刻的情感。全詩止不過詞句通俗流利，集中一個主題，從各方面刻畫塞外雪景。在開元、天寶年間，這是一種新題材、新形式的詩歌，一時風行，成爲一個新的流派。

《白雪歌》相傳是黃帝時的琴曲。楚大夫宋玉對襄王云：『有客歌於郢中，歌《陽春》、《白雪》，國中和者數十人。』可知當時能唱此曲的人很少。唐高宗顯慶二年（公元六五七年），太常寺樂官取帝所作雪詩，依舊傳琴曲製譜，成《白雪歌》曲進呈。岑參此詩歌詠邊塞雪景，即以《白雪歌》爲題，是借用樂府歌曲名，不是自創題目。下文《送武判官歸》才是詩題。

現在，我們再讀一首岑參的歌行：

走馬川行奉送出師西征

君不見，走馬川，

雪海邊，

平沙莽莽黃入天。

輪臺九月風夜吼，

一川碎石大如斗，

隨風滿地石亂走。
匈奴草黃馬正肥，
金山西見煙塵飛，
漢家大將西出師。
將軍金甲夜不脫，
半夜軍行戈相撥，
風頭如刀面如割。
馬毛帶雪汗氣蒸，
五花連錢旋作冰，
幕中草檄硯水凝。
虜騎聞之應膽懾，
料知短兵不敢接，
車師西門佇獻捷。

這一首也是許多選本都選取的名作，走馬川不見於地理書，大約在輪臺附近。在走馬川送封常清出師西征，因此做一首描寫走馬川的詩，帶便寫進了送行之意。題目沒有說明送誰出師西征，但岑參另外有一首《輪臺歌送封大夫出師西征》，可知這一首也是送封常清的。沈德潛在《唐詩別裁》中把這首詩也題爲《奉送封大夫出師西征》，雖然大概不錯，但總是沒有根據的隨意添改。

川，本義是河流。沿著河流兩岸的平原，稱爲『川原』，也簡稱爲川。『行』是歌行的行，不是行走的行。《走馬川行》是這首詩的正題，是歌曲名；《奉送出師西征》是副題，是詩題。

這首詩的第一句，各個版本均有不同。《唐詩紀事》作『君不見走馬滄海邊』，顯然漏掉一個川字。《唐音》、《全唐詩》、《唐詩別裁》都作『君不見走馬川行雪海邊』，顯然多了一個行字。這首詩是每三句一韻，如果依照上面兩種句法，則第一韻少了一句。現在我們把它寫作：

君不見走馬川，
雪海邊，
平沙莽莽黃入天。

句法韻法就與全詩統一了。『川』字也是韻，而且是起韻，下面『邊』、『天』二字是跟著『川』字協韻的。滄海的『滄』字肯定是錯的，現在定作雪海。岑參《輪臺歌》有一句『四邊伐鼓雪海湧』，可以爲證。

《白雪歌》描寫的是雪，這首詩描寫的是風。『輪臺九月』三句描寫沙漠裏的大風，設想和造句，極爲雄健。下面三句就轉到副題上去，『漢家大將西出師』尤其是一個關鍵性詩句。金山不知現在是什麼山，注釋者都引用《嘉慶一統志》，說是『在陝西永昌衛城北』。這樣，反而在輪臺之東，而且是內地了。《輪臺歌》一開頭就說『羽書昨夜過渠黎，單于已在金山西。戍樓西望煙塵黑，漢兵屯在輪臺北』。這兩首詩寫的是同一件事，可知金山必在輪臺之西。煙塵是烽火的煙塵，是敵人入侵的警報。『將軍金甲』三句寫軍容之盛，但仍然聯繫著風。不過『風頭如刀面如割』這一句卻大有語病。從語法的角度看，既然頭面對舉，那麼這一句的散文結構，就應該是『風頭如刀，風面如割』。但作者的意思似乎是『風頭如刀，吹在人面上猶如被割裂了一樣』。那麼，這句詩實在是不合語法了。（問題在這個『頭』字用得不好。）

『馬毛帶雪』三句，都寫寒冷，前二句寫奔馳的戰馬，汗氣從身上的積雪下蒸發出來，隨即凝結爲冰。『五花』、『連錢』是馬毛的紋飾，此處用來作馬鬣的代用詞。第三句聯繫到自己，在幕府中起草文書，硯水也結冰了。

最後三句是頌揚封常清的，也是奉送出征的禮貌語。敵人聽到你的大軍出動，一定恐慌萬分。估計他們決不敢和我軍短兵相接，肯定會投降的。那時我們當在車師西門迎接你凱旋歸來。車師是古代匈奴部族名，也是他們居住的地名，在今新疆吐魯蕃奇臺一帶。從地形來看，應在輪臺東北。如果封常清從輪臺向西出師，則敵人不可能在其東北。因此，這裏所謂車師，或者是用一個歷史名詞，以代替輪臺，反正這一帶都是漢代匈奴的車師前後王庭所在地。

岑參在西域多年，寫了不少以邊塞爲題材的詩歌，每一首裏都有些精警的句子，爲後世所傳誦。但觀其全篇，往往還有美中不足之處。例如敘述凌亂，重複字多。此詩第五韻上二句寫馬，第三句忽然寫到『幕中草檄』，便毫不相干。也許作者想到的是『據鞍草檄』的典故，故爾有此一句。如果是這樣，則『幕中』二字便用得不適當，不如就用『據鞍草檄』，就與馬聯繫上了。

第三韻中兩個『西』字也沒有重複的必要。《輪臺歌》第一段云：

輪臺城頭夜吹角，輪臺城北旄頭落。
羽書昨夜過渠黎，單于已在金山西。
戍樓西望煙塵黑，漢兵屯在輪臺北。
上將擁旄西出征，平明吹笛大軍行。

這八句詩中，『西』字三見，『輪臺』三見，『頭』字二句中再見，『旄』字二見，都是語病，善於琢磨的作者，都能避免，而岑參卻不免粗疏。當然，我並不是說每一首詩中，絕對不許重複一個字。例如此詩第一、二句的『輪臺』是故意要重複的，但第六句的『輪臺北』就應當考慮了。

《白雪歌》的用韻方法很不整齊。第三韻與第七韻是四句一韻，其餘都是二句一韻。在一般情況下，一韻表示完成了一個思想概念。全詩用韻的方法，要求勻稱。此詩第七韻四句是一個不可斷絕的概念，所以應該是四句，況且又在篇末。如果上文都是二句一韻，此處忽然改爲四句一韻，可以使讀者有從容結束之感。但第三韻的四句卻很不適當。分明是兩個概念，應當仍用二句一韻，以取上下文的統一。

《走馬川行》的韻法就整齊了。三句一韻，每句尾都協韻，每三句表達一個概念（止有第五韻不合格），使人讀起來就覺得音節流利，意義明白。這種韻法，起源於秦始皇的《嶧山刻石》。那是三句一韻的四言詩，現在把這種韻法用於七言歌行，不知是不是岑參的創造。

韻與音節有關。五、七言歌行的韻法，最普通的是全篇一致，四句一韻，仄聲韻與平聲韻互用。這樣，詩的音節是和緩的。如果二句一韻，音節就較爲急促。也有逐句協韻，一韻到底，絕不轉韻的，其音節就最爲急促。爲了調劑音節，可以改變韻法。在四句一韻中插入二句一韻，或在二句一韻中插入四句一韻。但是要求在變化中有規律，不能忽此忽彼，漫無次序。

韻法約束了思想概念。二句一韻，必須把一個概念約束在二句之中。如果不可能，則改用四句韻。像《走馬川行》那樣的三句一韻，畢竟很少使用。這種技巧，文學批評家常常稱之爲『剪裁』。做衣服要把衣料剪裁得合身，做詩也要把詩意剪裁得配韻。或者說，韻要配合思想概念。

以上所講韻法，止是普通的、一般的規律，到了李白，由於他才氣大，敢於突破常規，他的歌行常有獨創的韻法。爲了配合他自己的韻法，甚至還敢於改變句法，有時把散文句法也用到詩歌裏來了。這種例外情況，每一位大詩人都有某些獨創，不獨李白一人爲然。

一九七八年四月三十日

20 早朝大明宮唱和詩四首

早朝大明宮呈兩省僚友

銀燭朝天紫陌長，禁城春色曉蒼蒼。
千條弱柳垂青瑣，百囀流鶯繞建章。
劍珮聲隨玉墀步，衣冠身惹御爐香。
共沐恩波鳳池上，朝朝染翰侍君王。

——賈至

和賈至舍人早朝大明宮之作

絳幘雞人報曉籌，尙衣方進翠雲裘。
九天閶闔開宮殿，萬國衣冠拜冕旒。
日色才臨仙掌動，香煙欲傍袞龍浮。

朝罷須裁五色詔，珮聲歸到鳳池頭。

——王維

和賈至舍人早朝大明宮之作

雞聲紫陌曙光寒，鶯囀皇州春色闌。

金闕曉鐘開萬戶，玉階仙仗擁千官。

花迎劍珮星初落，柳拂旌旗露未乾。

獨有鳳皇池上客，陽春一曲和皆難。

——岑參

奉和賈至舍人早朝大明宮

五夜漏聲催曉箭，九重春色醉仙桃。

旌旗日暖龍蛇動，宮殿風微燕雀高。

朝罷香煙攜滿袖，詩成珠玉在揮毫。

欲知世掌絲綸美，池上於今有鳳毛。

——杜甫

這裏有四首七律唱和詩，是宋元以來許多談詩的人喜歡評論的。唐肅宗至德二載九月，廣平王李俶率朔方、安西、回紇、南蠻、大食之兵二十萬人收復長安，平定了安祿山父子之亂。十月丁卯，肅宗還京，入居大明宮。三年二月丁未，大赦天下，改元乾元。此時李唐政權，方才轉危爲安，朝廷一切制度禮儀，正在恢復。中書舍人賈至在上朝之後，寫了一首詩，描寫皇帝復辟後宮廷中早朝的氣象，並把這首詩給他的兩省同僚看。兩省是門下省和中書省，在大明宮宣政殿左右，是宰相的辦公廳。中書省有政事堂，是宰相和大臣會議政事的地方。當時，杜甫官爲左拾遺，屬門下省。岑參官爲右補闕，屬中書省。王維本來是給事中，做了安祿山的僞官，此時剛才獲得赦免，降爲太子中允。他們都是詩人。賈至是中書舍人，是他們的上司，因而每人都做一首詩來奉和。當時和詩的一定不止他們三人，不過我們現在止能見到這三首。賈至首先作詩，稱爲原唱，王、岑、杜三人的詩是和作，合起來稱爲唱和詩。

官位較高的詩人，有資格每天進宮中朝見皇帝。他們對於宮廷中那些威嚴而又華貴的禮儀，印象極深，往往有詩記錄。唐宋詩人作這一類詩的不少。方虛谷編《瀛奎律髓》，給這一種詩取了一個分類目，名爲『朝省詩』。

朝省詩和應制詩同樣都是宮廷文學。字句要求富麗，對仗要求精工，思想內容要有感恩頌德之意。創作方法純然是賦，不能用有言外之意的比興。這種詩，在初、盛唐時期尤其多，詩人們往往用這種作品表示其寫作翰苑文章的才學。我們研究唐詩，也應該了解一下，雖然現在它們已沒有用處。

賈至的詩第一聯是描寫一個『早』字。進宮去朝見皇帝的時候，天還沒有亮，還得用蠟燭。到了宮城裏，才是黎明。『天』代表皇帝，朝見皇帝稱爲『朝天』。『紫陌』是紫紅泥鋪的路。第二聯寫大明宮的景色：千株嫩柳掛在宮門外，飛來飛去的黃鶯繞著宮殿鳴囀。『建章』是漢高祖造的宮殿，規模宏大，傳說有千門萬戶，後代詩人就用來代表宮殿。第三聯寫百官上殿朝見的情況：穿著朝服的官員肅靜無聲，走上白玉的階陛，止聽得身上懸掛的劍和佩帶物的聲音。衣冠端正的身上，沾染著兩旁香爐裏散發出來的香氣。第四聯就是感恩效忠的話了：我們大家都在鳳池中享受皇帝的恩澤，應該天天寫文章侍候皇上。鳳池是鳳凰池的簡稱，代表中書省的官署。此詩末一句，《唐詩紀事》作『終朝默默侍君王』，錯得可笑。

王維的和作是緊緊扣住賈至原唱的。第一聯也寫『早』：戴紅頭巾的衛士在宮門外傳呼天亮了，宮裏專管皇帝衣服的女官才把翠雲裘送來伺候皇帝視朝①。漢朝時，衛士在宮門外學作雞鳴以報曉，稱爲雞人。翠雲裘見於宋玉的賦，用來指御衣。曉籌是銅壺中報曉的籌子。第二聯寫朝見情況：宮殿的門都開了，各國官員都來朝拜皇帝。九天是最高的天，閶闔是天門。這一句實際上是宮殿開門的倒裝句法。衣冠代表人物，冕旒是皇帝的朝冠，此處用作皇帝的代詞。第三聯寫朝見時的景色：太陽光才照臨到殿前的承露盤，薰爐中的香煙要飄浮到皇帝的衣服上去。漢武帝曾鑄銅爲仙人，掌上托著一個承接露水的銅盤，放在宮殿前。此處用來指宮殿前陳列的裝飾物。皇帝的衣服繡有龍紋，稱爲龍

①皇帝在正殿接受群臣朝見，稱爲『視朝』。

袞，亦可稱袞龍。第四聯講到自己的職司：朝罷之後，回到中書省，就應當爲皇帝辦事，起草各種詔書。『五色詔』是用典故，石季龍的詔書是用五色紙寫的，故曰五色詔。此處止是用來作『詔』字的修飾語，其實唐代的詔書是用黃麻紙寫的。

岑參的詩，前三聯的內容也是同樣的。第一聯說：雞鳴的時候，路上還有黎明的寒氣，在這暮春時節，黃鶯在皇城裏鳴囀不已。從這一句看，可知這些詩都是在乾元元年三月裏作的。第二聯說：曉鐘一響，宮中的千門萬戶都開了，白玉階兩旁，警衛的儀仗隊簇擁著許多官員。『萬』、『千』二字，都是多的意思，金闕指宮廷。上一句就是王維的『九天閶闔開宮殿』。第三聯也是寫『早』：花迎接這些劍珮鏗鏘的官員，正是星星剛才隱落的時候，柳條吹拂著旌旗，還帶著露水。第四聯就和賈至的原作不同了。他說：止有這位鳳凰池上的人，能做這樣一首好詩，正如《陽春》、《白雪》的曲子一樣，使大家都難於奉和。這一聯就是恭維賈至了。

杜甫的和詩用一半篇幅來寫早朝，另一半篇幅來恭維賈至。第一聯說：五更時候，銅壺滴漏的聲音，催出了曉箭。這一句止是說：天亮了。古代無鐘表，以銅壺滴水計時。每一個時辰有一支竹籌，或稱箭，從水壺中升起。所以說『漏聲催曉箭』。下面的對句是說：皇宮裏的春風使桃花都紅了。『九重』是最高的地方，指皇宮。人醉則臉紅，桃花紅了，就像是醉了。天上的人是仙人，地上的人是凡人，皇帝既稱天子，皇宮就是天庭。皇宮裏的人物就可以用仙字來形容，『仙仗』、『仙桃』是同樣的用法。第二聯寫宮中日暖風微，畫著龍蛇的旌旗在微微飄動，宮牆殿角上有燕雀在高飛。第三聯說賈至朝見以後，滿袖帶著香煙回到中書省，提起筆來寫成了一首像珠玉般的好詩。第四聯的含意，必須先了解幾個有關的典故，方能明白。原來賈至的父親賈曾在開元初年也做過中書舍人，玄宗皇帝在先天元年即位的時候，玉冊文便是賈曾作的。後來玄宗避難入蜀，傳位於肅宗，這個傳位玉冊文是賈至作的，所以他們父子是『世掌絲綸』，兩代都職掌皇家的文書。『絲綸』，代表皇帝的話，見於《禮記》。劉宋詩人謝鳳的兒子謝超宗，詩文學問都好。有一天，皇帝對謝莊說：『超宗很有些鳳毛。』這是一句開玩笑的話，意思是說：謝超宗的才學，得到他父親的遺傳。後世文人就用『鳳毛』來代表能繼承家學的兒子。杜甫把這些典故組織在第四聯中：要知道世掌絲綸的美事，但看現在鳳凰池上有了鳳毛。這兩句對賈至的恭維，比岑參的兩句更貼切了。

這四首詩是研究唐詩的好資料。同一題材，同一形式，出於同時四位著名詩人之手，後世人就有興趣給他們評比甲乙，像上官婉兒評比沈、宋二詩一樣。

現在我先抄錄明清人的四詩優劣論，看看前人有過多少意見：

> 岑作精工整密，字字天成。頸聯絢爛鮮明，早朝意宛然在目。獨頷聯雖絕壯麗，而氣勢迫促，遂致全篇音節微乖。王起語意偏，不若岑之大體。結語思窘，不若岑之自然。頸聯甚活，終未若岑之駢切。獨頷聯高華博大而冠冕和平，前後映帶寬舒，遂令全首改色，稱最當時。但服色太多，為病不小。而岑之重兩『春』字，及『曙光』、『曉鐘』之再見，不無微纇，信七律全璧之難。

以上是明代胡元瑞的話，見《少室山房筆叢》。他把王維、岑參二詩作比較，以爲王維的起、結和頸聯都不如岑作，但頷聯卻好到使『全首改色』，成爲四詩之最。至於缺點，則王詩中『絳幘』、『尙衣』、『翠雲裘』、『衣冠』、『冕旒』、『袞龍』，儘管作用不同，總覺得衣服方面的詞彙太多。岑詩則『曙光』和『曉鐘』亦不免重複。

早朝四詩，名手彙此一題，覺右丞擅場，嘉州稱亞，獨老杜爲滯鈍無色。富貴題出語自關福相，於此可占諸人終身窮達，又不當以詩論者。

這一段是明代胡震亨的話，見《唐音癸籤》。他排定了考案：王維冠軍，岑參亞軍，杜甫殿末。理由是杜甫此詩最爲寒傖，富貴莊嚴的氣象不足。接下去講到有福相的人說話自然有富貴氣，不能說富貴話的人，必定是窮途潦倒漢。因此，從詩看人，可以預測杜甫一輩子不會顯達。這是他的定命論觀點，我們不必重視，也無暇在此批判。他既以『富貴語』爲衡量這四首詩的標準，可知他把王維列爲第一，是因爲王詩的富貴氣象勝於岑詩。

岑王矯矯不相下，舍人則雁行，少陵當退舍。蓋尺有所短，寸有所長，不當以一詩議優劣也。

這是明末唐汝詢的意見，見《唐詩解》。在岑、王之間，他不能定甲乙，賈至則掛名第三，杜甫考得了背榜。但又趕快申明這僅是四首詩的高下，並不是四人全部詩作的定評。

岑詩用意周密，格律精嚴，當爲第一。賈亦不能勝杜。

這是吳昌祺的一段眉批，寫在唐汝詢的評語上邊，見《刪訂唐詩解》。他定的考案是：岑參、王維、杜甫、賈至。

岑參和賈至舍人早朝大明宮之作，起二句『早』字，三四句大明宮早朝，五六正寫朝時，收和詩匀稱。原唱及摩詰、子美，無以過之。

這是清人方東樹的意見，見《昭昧詹言》。他以岑參詩爲第一，理由是全詩章法匀稱。其他三詩，他沒有排名次。

和賈至舍人早朝詩究以岑參爲第一。『花迎劍珮、柳拂旌旗』，何等華貴自然。摩詰『九天閶闔』一聯失之廓落。少陵『九重春色醉仙桃』更不妥矣。詩有一日短長，雖大手筆不免也。

這是晚清施補華的意見，見《峴傭說詩》。他的最後二句，意思與唐汝詢同，表示並不因此詩而否定杜甫的偉大。其實他們這些話是多餘的，他們爲什麼不反過來說，他們並不以爲岑參的詩都是第一呢？

早朝唱和詩右丞正大，嘉州明秀，有魯衛之目。賈作平平。杜作無朝之正位，不存可也。

這是沈德潛的評價，見《唐詩別裁》。他以爲王、岑之間，旗鼓相當，不易分高下。賈至詩雖平平，還可列入第三。杜甫詩止做『早』字，沒有把『朝』字放在正位上，就使主題落空，因此他根本不選這首詩。

以上選錄了明清二代七家的評語，止是現在手頭所有的資料。宋元人詩話中也有過個別論議，但似乎還沒有人作綜合評比。單就這七家的論定來看，杜甫不及格是肯定的了。岑得三票，王得二票，棄權二票。看形勢，岑詩的冠軍地位，較王詩爲穩。

從全詩的結構、章法、句法來看，我以爲這樣的定案是公允的。但從部分詩句的評論來看，還可以有所商榷。胡元瑞說王維詩『結語思窘，不若岑之自然』。這是牽涉到詩的結尾方法的問題。賈至是首唱，可以不談，岑參、杜甫二詩的結尾都是針對原作，諛頌賈至的。因爲賈至是中書舍人，是長官。王維詩的結尾，雖然用賈至原意，卻並不對賈至一人而言，止是泛說兩省僚友退朝之後，就得回到省中去辦公。這是因爲王維的官位是太子中允，和中書舍人同爲正五品上階。他的資格也比賈至老，因此他不作恭維賈至的話。岑參官右補闕，是從七品官；杜甫官左拾遺，是從八品官，他們當然應該恭維一下長官。從恭維的辭藻來比較，杜甫的結聯實在高於岑參。胡元瑞說王維思路窘弱，恐怕沒有考核一下當時王維的身分。

賈至的原作，雖然工穩，但沒有一聯警句，比起來眞是平平。其餘三詩，各有一聯被推爲名句。王維是『九天閶闔』一聯，岑參是『花迎劍珮』一聯，杜甫是『旌旗日暖』一聯。王維這一聯，胡元瑞以爲『高華博大，冠冕和平，使全詩爲之生色』，而施補華卻說是『失之廓落』。這兩家的評價，相去甚遠。『廓落』就是空泛，大約峴傭以爲這一聯是抽象的描寫。他把『九天閶闔』誤解爲天庭，把『萬國衣冠』誤解爲全世界的人，於是便覺得詩意不切『朝』字，流於空泛了。其實王維此聯的重點在『萬國衣冠』一句。當時有契丹、吐蕃、回紇、南蠻許多國家和部落的軍隊來協助平定安祿山之亂，每天都有各國的可汗、君主、或將帥參與朝會。王維寫的正是當時現實的盛況，而這正是賈、岑、杜三詩所沒有表現的。因爲有了下一句，才配了上一句來形容宮殿之高大。所以胡元瑞感到這一聯所描寫的朝會氣象和其餘三首詩不同。它非但不是『廓落』，而正是寫出了當時朝會的一個特徵。

岑參的一聯，也有過不同的看法。唐汝詢解釋道：『花柳芬菲，星沉露滴，早朝之景麗矣。』吳山民在《唐詩評醳》中也批評這二句『花星無涉，柳露相黏』。可知他們都以爲二句之中寫了四景，每句的上四字與下三字不相干。這是沒有足夠的體會。吳昌祺就指出：『花迎二句，或謂爲兩截語，非也。蓋言迎於星落之時，拂於露湛之際耳。』這就把作者的句法講明白了，怎麼能說『花星無涉』呢？至於『柳露相黏』，是說這一句中犯了用雙聲字之病。一句詩中，忌用雙聲字，這是關於調合四聲的八病之一。在盛唐時候，詩人還不重視這種聲病，我們可以存而不論。

杜甫的『旌旗日暖』一聯，是蘇東坡極口稱讚的。但這一聯的下句與上句不很相稱。因爲用了『燕雀』二字便不夠富麗。封建時代的宮廷文學，對花鳥之類，也有選擇。講到花，總得用牡丹、芍藥、桃李之類。講到鳥，總得用鳳凰、鸚鵡之類。『雀』是田野裏的小鳥，放在宮裏，就顯得寒傖。杜甫這一句本該用『鶯燕』，就沒有問題，可是這裏止許用兩個仄聲字，老杜也止好配上一個『雀』字了。

一九七八年五月四日

21 王灣：五言律詩二首

江南意

南國多新意，東行伺早天。
潮平兩岸失，風正一帆懸。
海日生殘夜，江春入舊年。
從來觀氣象，惟向此中偏。

——《河嶽英靈集》

次北固山下作

客路青山外，行舟綠水前。
潮平兩岸闊，風正一帆懸。
海日生殘夜，江春入舊年。

鄉書何處達，歸雁洛陽邊。

——《國秀集》

現在選講一首王灣的詩。這首詩，從唐代傳流下來，一開始就有兩個文本。除了中二聯止差一字外，起結二聯，完全不同，連題目也不同。這是研究唐詩的人都感到興趣的。

王灣，洛陽人，不知其字。《唐詩紀事》說他登先天進士，開元初爲滎陽主簿。以後被馬懷素選請去校正祕閣群書，最後的官職是洛陽尉。《唐才子傳》說他是開元十一年（公元七二三年）進士，比先天遲了十年。天寶年間，國子生芮挺章編選了一部同時代人的詩集，叫做《國秀集》。此書一共選錄了詩二百二十篇，王灣這首詩也在內，題作《次北固山下作》。過了十年，丹陽進士殷璠也編了一部當代詩選，題名爲《河嶽英靈集》。此書一共選詩二百三十四首，都是開元、天寶年間的名作，王灣這首詩也被選進了，但題目卻是《江南意》。同時的書，選的又是同時代的作品，兩個本子文字如此不同，這是極爲少見的。後世人選錄這首詩，有人用芮本，有人用殷本，對於這首詩的體會和解釋，也就不同。

幸而中間二聯止差一個字。頷聯寫長江水漲風靜之景，芮本作『兩岸闊』，殷本作『兩岸失』，這就有人評比過。沈德潛在《唐詩別裁》中說：『兩岸失，言潮平而不見兩岸也。別本作兩岸闊，少味。』可是，我卻覺得用『闊』字好得多。潮與岸平，則感覺到兩岸開闊。若『兩岸失』，則潮水泛濫成災了。如果從『平』字去體會，我以爲『闊』字是作者的改定本。

頸聯是盛唐名句。王灣的詩名，全靠這一聯，垂於不朽①。海上已湧出一輪紅日，這邊還是殘夜；江上已有春意，而舊年還未過完。這是說江南春早。兩個動詞『生』和『入』都用得靈活。『生』字還比較平常，『入』字卻非經過苦心鍛鍊不能想到。他用的是倒叙句法。不說臘月裏已有春意（可能這一年立春在臘月），而說春意進入了舊年。殷璠說這兩句是『詩人已來，少有此句。』又說：張說作宰相的時候，曾親手寫了這首詩，貼在政事堂中，教人學習。

這兩個文本，不但題目不同，連起結二聯也絕然不同，因此我們可以斷定不是被別人改了詩題，很可能是原作者一詩二用。初稿也許是『江南意』，寫北方人初到江南所見的景色。起聯作正面叙述：南方有很多新的意思，趁大清早就開船東下。接下去兩聯就描寫江水，海日和早春。在北方人看來，這些都是新意。這個『意』字，現在文言裡似乎已沒有這樣用法，但在口語裡卻還存在。我們看到好風景或新鮮事物，常常說：『有意思』，就是這個『意』字的注解。最後一聯說：向來我看過各處地方大自然的美景，止有這裡是非常特別的。這個『偏』字，在現代語文中已沒有這樣用法，但在唐代卻是一個普通狀詞。岑參的《敦煌太守後庭歌》結句云：『此中樂事亦已偏』，又孟郊《邊城吟》云：『西城近日天，俗稟氣候偏』，又皎然詩云：『寒空驚雪遍，春意入歌偏。』都是同樣的用法。

①譚友夏在《唐詩歸》中評此聯云：『不朽。』

『偏』字本來有不正、欹側的意義，大約唐人引伸而有獨特，別致的意義。

『次北固山下』，即在北固山下宿夜。『次』字作停頓解。無論駐馬、泊舟、停車，都可以用『次』字。這個詩題的意義是停船在北固山下過夜，待明天一早開船。北固山在鎮江。如果把《江南意》的中間二聯用於這個詩題，起結二聯就必須改作。於是，作者把起聯改爲『客路青山外，行舟綠水前』，以點明題目。結聯改作『鄉書何處達，歸雁洛陽邊』。以旅客懷鄉的情緒作結束。

芮挺章的《國秀集》先出，他得到是題爲《次北固山下作》的文本，殷璠的《河嶽英靈集》遲出，他得到的是《江南意》文本。但是我以爲芮挺章得到的是改定本，殷璠所得卻是初稿本。因此，我以爲『潮平兩岸失』是初稿，而『兩岸闊』是作者自己的改定本。

方回編的《瀛奎律髓》選了這首詩的《次北固山下》文本，在評語中說：「《江南意》似不如此篇之渾全。」周伯弼的《三體唐詩》亦用此本。《唐詩紀事》、《唐才子傳》都採錄了《江南意》文本。沈德潛的《唐詩別裁》錄用了《次北固山下作》文本，但是他把『兩岸闊』改回來，仍作『兩岸失』。可見他以爲從全體看，這首詩以《次北固》本爲佳，但在『闊』與『失』之間，他堅持以爲『失』字有味，硬是改亂了二本的眞面目。

顧小謝的《唐律消夏錄》選用了《江南意》文本。他有一段很好的評解，今全錄於此：

第三、四句潮平岸失，風正帆懸，尋常之景。第五、六句因海天空闊，見日出恁早，故曰生殘夜。江樹青蔥，覺春來亦恁早，故曰入舊年。句法雖佳，意亦淺近。妙在是北人初到江南，處處從生眼看出新意，所以中間兩聯，便成奇景妙語。後人將此題改作《次北固山下》，起結全換，是何見解，可嘆可嘆。

這一段話，對我們很有啓發。它說明了詩與題目的密切關係。中間二聯寫的本來是尋常景色，詩意亦是淺近的。在《次北固山下》這個題目之下，這兩聯便顯不出妙處。用《江南意》爲題，而且第一句就點明『南國多新意』，於是這兩聯便突出了。它使讀者感到是典型的江南氣象，是初到江南的北方人生活經驗中的新意。由此可見，讀古代文學作品，連題目都應當注意，看看作品本文與題目是否呼應？題目能否概括本文全篇？孟浩然的《臨洞庭》一詩，豈不是也因爲被删去了『贈張丞相』四字而使讀者感到結尾幾句不著題嗎？

至於顧小謝認爲《次北固山下》是後人改換的題目和詩句，這是不可能的。後人竄改古人詩，從來沒有這樣大幅度的改。而且這兩個文本，見於同時代人所編的書，相去不過十多年，要改也止能是同時代人所改，決不可能是後人所改。所以我估計這是王灣自己的改本。

一九七八年五月五日

22 邊塞絕句四首

涼州詞

蒲桃美酒夜光杯，欲飲琵琶馬上催。
醉臥沙場君莫笑，古來征戰幾人回。

——王翰

涼州詞

黃河遠上白雲間，一片孤城萬仞山。
羌笛何須怨楊柳，春風不度玉門關。

——王之渙

出塞

秦時明月漢時關，萬里長征人未還。
但使龍城飛將在，不教胡馬度陰山。

——王昌齡

逢入京使

故園東望路漫漫，雙袖龍鍾淚不乾。
馬上相逢無紙筆，憑君傳語報平安。

——岑參

初、盛唐時期，東北，西北，西南各處國防線上常有戰事，唐朝政府不得不派大軍守衛邊境。統率這些國防軍的節度使都是著名的將帥，他們需要帶一批文人去掌管文書事務。文人進入節度使幕府，有希望由於長官的舉薦而獲得一官半職。在玄宗開元、天寶年間，許多著名詩人都被收羅在邊防節度使的幕下。這些詩人熟悉了邊塞風物和將士的生活、情緒，用各種形式的詩歌來歌詠、表現它們，於是唐詩中大量出現了這一類的新題材。我們把這一類詩歌稱爲邊塞詩。我們已講過了高適、岑參的三首七言歌行形式的邊塞詩，現在再選講四首七言絕句形式的邊塞詩。

第一、二首都題作《涼州詞》。『涼州』是當時新流行的曲調。據說有一位龜茲國王愛好音樂，他在大山中聽風聲水聲，和他的樂師們一起譜成許多歌曲，在西域風行一時。唐朝的隴右節度使郭知運搜集到這些曲譜，進獻給玄宗，玄宗就交給教坊翻成中國曲譜，並配上新的中國歌詞。就以歌曲產生的地名爲曲調名，有『伊州』、『甘州』、『涼州』等十多個曲調。詩人們熱烈歡迎這些新鮮的歌曲，大家都爲它們作詞，因此許多人的詩集裡都有以『涼州詞』、『伊州詞』或『甘州詞』爲題的詩歌，它們是唐代新的樂府曲名，不是詩題。

王翰的《涼州詞》寫一個即將奔赴戰場的將軍，在臨陣以前，僚屬給他歡送出征。葡萄酒是涼州名產，夜光杯是最好的白玉酒杯，也是涼州名物。用這一句來概括宴席的豐盛。將軍還想多喝幾杯，可是軍士們已騎上馬，不便口頭催促，止是撥響著琵琶。將軍一聽，就知道伙伴們在催促他了。但將軍此時已喝得醉醺醺的。他是貪杯酗酒嗎？不是。他是貪生怕死嗎？也不是。他說：我醉倒在戰場上，你們也別笑我。你們看，從古以來，上陣作戰的人有幾個活著回來的？這就表現了將軍抱著必死之心，喝飽老酒，上馬殺敵的豪壯氣概。施補華評這二句道：『作悲傷語讀便淺。作諧謔語讀便妙。在學人領悟。』他的體會沒有錯，我們應當把這二句看作幽默話。

第二首王之渙的《涼州詞》，就用另外一種邊塞風光來譜詞了。他先寫塞上邊城，在高山之間露出一片城牆。山下的黃河好像從白雲中流出來。他把這個國防重鎮的地理形勢勾勒出來了。於是在這裡聽到有人在吹笛子，所吹的曲調恰是『折楊柳』。這是西北一帶的橫吹曲。從南北朝以來，人民有一種折楊柳枝送別的風俗，因而『折楊柳』的曲子又成爲離別時奏的樂曲。現在聽到又有人在吹這個曲子，體會到吹笛人一定有懷鄉怨別之情。於是，詩人說：玉門關外，止有黃沙白草，春風都吹不到，哪裏有楊柳可折。你吹笛的人，也不要怨楊柳了吧。結合前面二句，就可以感覺到這首詩的主題思想是說玉門關外如此荒蕪寒冷，身居其地，懷鄉恨別之情，極其深刻。『何須怨』不是眞的勸他不要怨，而是說怨也無用，這是更深刻的反話。羌笛是西羌人做的笛子，吹笛子的人還是守衛邊塞的大唐戰士，不能理解爲羌人在吹笛子。李白有一首《春夜洛城聞笛》詩，其二句云：『此夜曲中聞折柳，何人不起故園情。』可以爲解釋王之渙此詩的參考。近來有人注釋此詩，知道『折楊柳』是曲名，卻沒有注明這個曲子的意義，因而對全詩的主題思想就無所知了。

這首詩最早見於《國秀集》。第一、二句云：『一片孤城萬仞山，黃河直上白雲間。』次序與今本不同。其次是《集異記》所引，第一句作『黃沙遠上白雲間』。後來在許多宋人書中，都作『黃沙直上白雲間』①。『黃河』與『黃沙』，『遠上』與『直上』，孰是孰非，引起了後人的推敲。

許多人主張應以『黃沙』爲是，『黃河』爲誤。理由是涼州城外沒有黃河。我以爲『河』與『沙』是傳寫之誤，今天已無法確定到底原本是什麼。論句法氣勢，則應當以『黃河遠上』爲較好。李白詩『黃河之水天上來』就是同一意境，這都是當時詩人對黃河上游的印象。至於說涼州不在黃河邊上，因而肯定了『黃沙』，這也有問題。因爲『涼州詞』是譜唱《涼州曲》的歌詞，其內容本來不限定要

---

①《文苑英華》、《樂府詩集》、《唐詩紀事》均作『黃沙直上白雲間』。《全唐詩》亦用此句。

描寫涼州城。王之渙此詩止是寫一個邊塞上的戍城，『孤城』是泛用，並非專指涼州。再說，涼州也不在萬仞山中，如果認爲此詩是描寫涼州的，那麼連這第二句也得否定了。

王昌齡一首題爲《出塞》，即出關。在唐詩中，一般用以表示出征，而『入塞』則表示凱旋歸來。第一句『秦時明月漢時關』，先從字面排列講：看看天上的明月，還是秦朝時候的明月；看看雄壯的關城，也還是漢朝時候的國防建築。第二句接著說：在這個從古到今景色不變的關塞中，出關萬里去參加遠征的人都沒有回來。於是，詩人不免有些厭惡這種戰爭。他想，爲什麼要很遠的走出國境去征伐胡人呢？如果有一位像李廣一樣的飛將軍，能堅守邊防，不讓胡人的騎兵越過陰山來侵略中國，豈不是可以使許多兵士免於死亡嗎？顯然，這是一首反對侵略戰爭的詩，寫得很含蓄，用『但使』、『不教』兩個詞語，讓讀者自己去體會。

『秦時明月漢時關』這一句曾引起過許多爭議。王世貞以爲是『可解不可解』（《全唐詩說》）的詩句。吳昌祺以爲這地方在秦朝還是明月照著的荒野，到漢朝便已有關城了。這都是從字面排列的呆講，把『秦時明月』和『漢時關』分爲不相干的兩部分。其實，詩人用『秦漢』二字是活用，也是形象用法。意義止是說：這裏天上的月色，和地上的關城，都仍然和秦漢時代一樣。但他不能把詩句寫成『秦漢明月秦漢關』，這不成爲詩，於是他改作『秦時明月漢時關』。無論是『秦』是『漢』，這兩個字都代表一個抽象的概念：『古』，並不是要把明月和關分屬於兩個朝代，而是把『秦漢』二字分在二處作狀詞。這種詩句的修辭方法，稱爲『互文同義』。盧綸有一首《送張郎中還蜀歌》，起句是

『秦家御史漢家郎』。張郎中是御史兼郎中，都是秦漢以來古官名，詩人亦用互文式的修辭來造句。這可以說是唐人句法，宋以後就不見這樣的句子了。

第三句的『龍城』與『飛將』，注釋家也有許多意見。龍城是漢代匈奴的都城，大將軍衛青征伐匈奴，直搗龍城。但匈奴是遊牧民族，他們沒有固定的都城。所謂都城，止是指匈奴各個部落首領所在地，或者說軍事主力所在。飛將軍是漢代將軍李廣，他駐防邊疆，匈奴人稱之爲飛將軍，形容他用兵神速。這裏是兩個典故的合用，『龍城飛將』止是說能打敗敵人的名將，並不實指某處某人。有些注釋者太拘泥於歷史事實，考證出龍城應當是盧龍塞，飛將應該是衛青而不是李廣，因爲李廣與龍城無關。這樣講詩，眞是『固哉』！試參看唐詩中用這兩個名詞的，都是活用，不可死講。楊炯《從軍行》云：『鐵騎繞龍城。』盧照鄰《戰城南》云：『笳喧雁門北，陣翼龍城南。』沈佺期《雜詩》云：『誰能將旗鼓，一爲取龍城。』虞世南《從軍行》云：『塗山烽候驚，弭節度龍城。』這幾位詩人都在王之渙以前。如果要把他們詩中的『龍城』確定在某一地方，那麼一會兒在雁門，一會兒在塗山。後來溫飛卿有詩云：『昔年戎虜犯榆關，一敗龍城匹馬還。』這個龍城，又在榆關外了。豈不是也很難解釋？『飛將』也是唐詩人常用的語詞，止是猛將、勇將的意思，不必牽扯到衛青或李廣，更不必和上下句中的地名聯繫考索。賀朝詩云：『天子金壇拜飛將，單于玉塞振佳兵。』杜甫《秦州雜詩》云：『故老思飛將，何時議築壇。』都和王昌齡同樣用法。

最後一首岑參的詩，用另外一種手法來表現他旅居邊塞的寂寞。『故園東望』即『東望故園』，因爲調聲關係，把它們倒裝了。東望故鄉，路程遙遠，被懷念家鄉的情緒所激動，兩個袖口抖索地擦不乾眼淚。恰巧路上遇到一個回京城去的使者，就想托他帶一封家信回去。可是隨身沒有紙筆，無法寫信，止好托他帶個口信回家，說自己身體健康，平安無恙。這首詩是平平直直的叙述，沒有寓意，全用賦的手法。因爲所叙的事實深刻地表現了邊塞征人的懷鄉情緒，儘管是質樸的素描，也仍然很能感動人。

關於王昌齡、王之渙這兩首詩，唐人小說中記錄了一個故事：有一天，王昌齡、高適和王之渙同在旗亭上遊春飲酒。恰有幾個歌妓在侍候貴人，唱歌勸酒。他們三人便約好，聽這些妓女唱什麼人的詩最多，借此評定三人中誰最有名。第一個妓女唱了王昌齡的『寒雨連江夜入吳』。第二個妓女唱的是高適的『開篋淚沾臆』。第三個妓女唱的是『奉帚平明金殿開』，又是王昌齡的詩。於是王之渙指著一個最美的妓女說：『如果這個姑娘唱的不是我的詩，我就一輩子不做詩了。』後來，輪到這個妓女唱，果然唱的是王之渙的『黃沙遠上白雲間』。接著，她又唱了兩支歌，也都是王之渙的詩。這個故事見於薛用弱的《集異記》，它說明二王、高、岑諸人，在當時同樣著名，不易分別甲乙，而小說的作者是以王之渙爲第一的。

這些絕句，直到後世，還有人評比。明代的李于鱗，以王昌齡的『秦時明月漢時關』爲唐人絕句第一。王世貞以王翰的『蒲桃美酒夜光杯』爲第一。清代的王漁洋以王維的『渭城朝雨挹輕塵』，李白的『朝辭白帝彩雲間』，王昌齡的『奉帚平明金殿開』，王之渙的『黃河遠上白雲間』爲唐人七絕最佳作品，而且說：從此以後，直到唐末，也沒有人能超過這四首。施補華也舉出『秦時明月』、『黃河遠上』二詩爲唐人邊塞名作：『意態雄健，音節高亮。情思悱惻，百讀不厭。』可知這幾首詩之爲唐代七絕最高作品，已是衆口一辭的定評了。

一九七八年五月八日

【增記】

唐時玉門關外沒有楊柳，故王之渙詩云：『羌笛何須怨楊柳，春風不度玉門關。』清代左宗棠收復新疆，想到王之渙這兩句詩，就命令各地官員在天山南路大道兩旁種了幾十萬株楊柳。當時稱爲左公柳。左宗棠幕下詩人、將軍都作詩歌頌。鄧廷楨詩云：

羽林壯士唱刀環，齊裹貂褕振旅還。
千樹桃花萬行柳，春風吹過玉門關。

又楊昌浚詩云：

上相籌邊未肯還，湖湘子弟遍天山。
新栽楊柳三千里，引得春風度玉關。

近來從清人筆記中見到這兩首詩，我以爲可作唐詩佳話，故附錄於此。

一九八四年八月五日記

23　五言絕句四首

相思子

紅豆生南國，春來發幾枝。
願君多採擷，此物最相思。

——王維

登鸛鵲樓

白日依山盡，黃河入海流。
欲窮千里目，更上一層樓。

——王之渙

春怨

打起黃鶯兒，莫教枝上啼。

啼時驚妾夢，不得到遼西。

——金昌緒

哥舒歌

北斗七星高，哥舒夜帶刀。
至今窺牧馬，不敢過臨洮。

——失名

現在選講四首五言絕句。律詩與古詩的關係，在五言絕句這一形式中顯示得最爲密切。因此，現在打算趁這個機會來看看從古詩演化爲律詩的歷程。

先請讀一下這四首古體五言詩：

枯魚過河泣，何時悔復及。
作書與魴鱮，相教愼出入。

——漢詩

歌謠數百種，子夜最可憐。
慷慨吐清音，明轉出天然。

——（晉）子夜歌

門前一株棗，歲歲不知老。
阿婆不嫁女，那得孫兒抱。

——（北朝）折楊柳枝歌

客遊經歲月，羈旅故情多。
近學衡陽雁，秋分俱渡河。

——庾信：《和侃法師三絕》

第一首是漢代的五言詩，不講究平仄黏綴，第一、二、四句尾是韻，用的是仄聲韻。這一形式的詩，在徐陵編的《玉臺新詠》裏，給題上了『古絕句』的名目。第二首是晉代的民歌，也不講究平仄黏綴，第二、四句尾是韻，用了平聲韻。第三句第五字仍用平聲字，但不協韻。第三首是北朝的民歌，也沒有講究平仄黏綴。第一、二、四句尾是仄聲韻，第三句末也是仄聲字，但不是韻。第四首是北周詩人庾信的詩，平仄黏綴，完全符合唐人律詩。第二、四句尾是平聲韻，第一、三句尾都用仄聲字。詩題已稱爲『絕』。庾信另外有一首五言詩，題目就是『絕句』。由此可見，五言絕句不是唐代詩人的創造，而是已完成於南北朝末期。不過，在那時候，像庾信這樣平仄和諧、完全符合唐律的五言絕句還是不多，不論是民歌或文人作品，仍以前三首的古詩形式爲主。

在唐代律詩形式完成以後，五律、七律、七絕，這三種詩體都已擺脫了古詩傳統。獨有五絕還保持著古詩傳統。唐代詩人作五言絕句，兼用平韻和仄韻。用仄韻的幾乎仍是古詩形式，連平仄都無須黏綴，試舉孟浩然的一首《春曉》爲例：

春眠不覺曉，處處聞啼鳥。
夜來風雨聲，花落知多少。

這首詩，儘管選詩的人把它列入近體詩的五言絕句，其實與古詩沒有什麼不同。因此，我們可以說，在五言絕句中，古詩和律詩的關係最爲密切，因爲它們的界線並不清楚。

現在要講的四首唐人五絕，都用平聲韻，平仄黏綴合律，這是五言絕句的正格。作五言絕句，一般都依照這種形式。五絕止有二十個字，比七絕還少八個字，更容不下複雜的內容。因此，我們對五絕的題材內容，不能有奢望。止要它能使人獲得清新的感覺，在短小的形式中有回味，這就夠了。希臘古代有一種詩銘（Epigram），也是小詩，希臘人比之爲蜜蜂的刺。雖然小，卻能刺痛人。這個比喻，也可以用於我們的五言絕句。

這四首詩，文字都淺顯，表現方法都是正面敍述，一讀就懂，不必逐句解釋。唐宋以來的文學評論家，對於詩，也要求符合『起承轉合』的邏輯性，像散文一樣。他甚至規定了律詩的第一聯必須是起，以下三聯，必須分別爲承、轉、合各一聯。對於一首絕句，則第一句至第四句，必須依次序爲起、承、轉、合。這樣論詩，未免太機械，有些詩人不很理睬這一要求。但是，儘管起承轉合的句法可以移易，邏輯上的三段論法，每一首詩總是不可違背的。這四首詩的起承轉合表現得很清楚，可以用來說明一首詩的邏輯性。

第一首和第三首，都是起承轉合各一句。『紅豆生南國』，『打起黃鶯兒』，概念都不完全，必須有下面一句，才完成一個概念。所以，『春來發幾枝』和『莫教枝上啼』是承接上句以以完成一個概念的。第三句都是轉句。沒有這一句，那麼第四句就和第一、二句找不到關係，也就是這首詩上下無從結合。第二首『白日依山盡』二句是平列的對句，沒有起和承的關係，止能說這二句都是起。第三句仍然是轉。可見這首詩止有起、轉、合，而沒有承。第四首以『北斗七星高』一句起興，而第二句『哥舒夜帶刀』不能說是承接句，因爲它和第一句沒有關係，我們止能說二句都是起句。這樣看來，所謂起承轉合的規律，在於活用，而許多絕句，可以沒有承句。

第一首王維的《相思子》，這是生長在南方的植物，結出鮮紅的像豆一般的子，俗名紅豆。民間傳說以爲身上佩帶這種紅豆，能永遠懷念關心的人。王維用這個傳說寫了這首詩，送給到南方去的朋友。

這首詩，劉須溪校本《王右丞集》中沒有收。《唐詩紀事》說，安祿山之亂，著名的宮廷歌人李龜年流落在湖南。在湘中採訪使的酒席上，他唱了兩個歌，都是梨園裏作譜的王維的詩。其中之一就是『紅豆生南國』。李龜年唱的第二句是『秋來發幾枝』，第三句是『贈君多採擷』。《唐詩別裁》選入了這首詩，第三句作『勸君休採擷』。《全唐詩》所載此詩，注明了各本異文，而第二句卻採用了『秋來發故枝』。這樣一首小詩，第二句和第三句有許多異文，使讀者感到困難，不知原本到底如何。甚至連這首詩是否王維所作，也可懷疑。

「春」和「秋」的問題，我以爲應作「秋」字。紅豆子結於秋天。「發枝」是說結出幾枝紅豆，不是說紅豆樹的枝葉。因此，『發故枝』肯定也是錯的，因爲如果指枝葉而言，則『故枝』早該在春天就萌發了。『勸』與『贈』的問題，顯然『贈』字是錯的，因爲使這個句子不通了。『勸』與『願』沒有大區別，都可以用。『多採擷』與『休採擷』的距離卻遠了。因爲『此物最相思』，所以勸朋友多採些，就是希望他別後時常相念。這就是漢代人臨別時常用的『長毋相忘』的意思。如果勸他不要採，那就是希望他不要相念，免得損了健康。這也就是李陵答蘇武的信中所說『勿以爲念，努力自愛』的意思。兩個字義雖然相反，詩意卻都可以講得通。而用『休』字則詩意似乎更深一層。

現代青年看到『相思』二字，想到的止是男歡女愛。看到『情人』二字，想到的止是男女情侶。用這一觀念去讀古代文學作品，容易想入非非。古代作家用這些語詞，有莊重的用法，用於朋友；有側艷的用法，用於男女私情；還有比興的用法，表面上是說男女之間的關係，實質上是用以比喻君臣、朋友的關係。這些都要根據作品的涵義作具體的區別。古詩：『客從遠方來，遺我一書札。上言長相思，下言久離別。』鮑明遠詩：『迴軒駐輕蓋，留酌待情人。』都是指朋友的。費昶詩：『窺紅對鏡斂雙眉，含愁拭淚坐相思。』晉《子夜歌》：『情人劉碧玉，來嫁汝南王。』都是指男女之愛的。張九齡詩：『情人怨遙夜，竟夕起相思。』就是比興的用法了。王維這首詩是一般的給朋友的贈別詩。近來有人解釋這首詩，先把紅豆說成是愛情的象徵，於是肯定詩中的『君』字是指一個女子所戀愛的青年。這樣講詩，我看是走錯門路了。

第二首王之渙的《登鸛鵲樓》。這個樓在今山西省永濟縣，在唐代是河中郡的城樓，以高敞宏偉著名。唐詩人登此樓作詩者不少，除王之渙這一首之外，現在我們還可以讀到暢諸、李益、吳融等人的作品。王之渙登此樓，一眼看去，太陽正靠著中條山背後沉下去，黃河正在滔滔滾滾地奔向大海。這樣，已是用盡了目力，再也不能眺望得更遠了。於是他說：如果要看到千里之外，非得再上一層樓不可。二十個字，詩意不過如此，有什麼好處，爲什麼著名？因爲他把登樓望遠這一件平常的生活經驗，用形象思維的方法表達了一個眞理。前二句寫登樓所見，是賦。賦可以誇張，在鸛鵲樓上，望不到黃河入海，離中條山也很遠。這一誇張，離現實太遠。後二句是比。俗話說：『站得高，望得遠。』成語說：『高瞻遠矚。』這是從邏輯思維中得到概念，放不進詩裏去。詩人用比喻來說：『欲窮千里目，更上一層樓。』這樣便耐人思索，不是乾巴巴的直說道理了。現在，這兩句詩已成爲經常被引用的成語，適用於各種類似的情況，因而使此詩成爲名作。

這首詩最初見於《國秀集》，題爲《登樓》，作者是朱斌。鍾惺的《唐詩歸》選錄此詩，也以爲是朱斌的詩。但在其他選本和《全唐詩》中，都以爲是王之渙的詩。另外還有一個不同的記載，見於《翰林盛事》：『朱佐日，吳郡人。兩登制科，三爲御史。天后嘗吟詩曰：「白日依山盡，黃河入海流。欲窮千里目，更上一層樓。」問是誰作。李嶠曰：「御史朱佐日詩也。」』《翰林盛事》是唐人筆記，記翰苑文人的故事。不知何人所作，現在此書已失傳。這一段文字被引用在宋人朱長文所著《吳郡志》中。朱佐日，可能就是朱斌。由此看來，如果《翰林盛事》的記載可靠，那麼，武則天已讀到過此詩，恐怕其作者可能是朱佐日，而不是王之渙。再說，《國秀集》是一部可信的詩選集。編者與王之渙同時，他決不會把王之渙的詩改署朱斌的名字。又《國秀集》的詩題是《登樓》，不是《登鸛鵲樓》。從『黃河入海流』一句看來，我以爲這首詩可能是登近海的樓臺而作，因爲這一句用在鸛鵲樓，實在太不適當了。

第三首『打起黃鶯兒』，此詩先見於《唐詩紀事》，題目是《春怨》，作者是金昌緒，餘杭人。『打起』作『打卻』，『啼時』作『幾回』。有注云：『顧陶取此詩爲《唐類詩》。』顧陶是唐末人，編過一部《唐詩類選》，現在止存殘卷。由這個注可知此詩從《唐詩類選》中選出。郭茂倩的《樂府詩集》也收有此詩，題目是《伊州歌》，作者是蓋嘉運。注曰：『開元中，蓋嘉運爲西涼節度使，進此詩。』蓋嘉運和隴右節度使郭知運一樣，都是迎合玄宗皇帝的意志，在西域搜集新的歌曲。伊州曲是蓋嘉運進呈的。但他進呈的是曲譜，不是歌詞。注稱『進此詩』，這就錯了。詩題《春怨》，恐怕是顧陶所改定。開元、天寶年間，《涼州》、《伊州》、《甘州》等歌曲盛極一時，許多詩人配合這些新曲調作歌詞，大多用五、七言絕句形式。這首詩題作《伊州歌》，可能是原題，像王翰、王之渙的《涼州詞》一樣。

這首詩用一個婦女的口氣來反映一種社會現實。她吩咐侍女趕掉樹上的黃鶯，不讓它們鳴噪，因爲黃鶯不停地鳴叫，會驚醒她的夢，因而不能在夢中到遼西去會晤她的從軍遠征的丈夫。遼西是和契丹作戰的地方。當時契丹屢次入侵，唐朝徵發了許多人民去作戰，軍事連年不解，使無數夫妻長期離別。詩人作此詩，反映了人民的厭戰情緒。『遼西』是此詩的關鍵，當時人讀了這首詩，立刻就體會到作者的意志，因爲這正是人人都怕去的地方。

崔顥有一首詩，題目就是《遼西》。詩意是把遠戍遼西的士兵的苦況，向安居樂業的洛陽人報導。李白詩有『相思不相見，托夢遼城東』，也是說士兵的妻子不能見到丈夫，止能在夢中到遼城去會面。由此可知，此詩的主題，反映著當時的一種社會現實。後世人見了『遼西』二字，不會觸目驚心，聯想到戰爭給人民帶來的苦難，因此就把這首詩看成僅僅是描寫閨情的詩。作《唐詩合解》的王堯衢解釋此詩云：『夢既驚斷，遼西便到不得，連夢見良人也不能矣。寫閨情至此，眞使柔腸欲斷。』近來有一個注釋本，在『遼西』下注道：『遼西是她所思念的人的居住地。』這都是光從文字表面來理解，什麼『閨情』、『春怨』，『居住地』，注解了一大堆文字，都沒有指出詩的涵義。

第四首是西北一帶的民歌。開元、天寶年間，吐蕃不時入侵。安西節度使哥舒翰驍勇善戰，大敗吐蕃主力部隊於石堡城。占領之後，把石堡城修築堅固，成爲唐朝的國防要塞，從此吐蕃就不敢侵入青海。當地人民就編了這首歌謠來讚揚他。李白有一首詩，題目是《答王十二寒夜獨酌有懷》，有句云：

君不能，學哥舒，
橫行青海夜帶刀，
西屠石堡取紫袍。

大約正是這首民歌流行的時候寫的。這首歌謠第一句『北斗七星高』是用北斗星來起興，同時也用來比喻哥舒翰。在全詩中的意義，可以說是『興而比也』。天上有北斗星，使夜行人辨認方向，不至迷路。地上有哥舒翰，他通宵帶刀警備，使人民高枕無憂。第三、四句就說：自從哥舒翰駐守在這裏以後，吐蕃人不敢侵入臨洮郡來牧馬了。臨洮是當時的郡名，在今甘肅臨潭縣。詩說『過臨洮』，恐怕應當理解爲過洮河。意思是說吐蕃人涉過洮水，到臨洮郡草原上來放牧。『窺牧』是一個語詞，用作『馬』的狀詞。外族人欺侮我們邊防不嚴，膽敢侵入我們的領土上牧馬，這叫做『窺牧』，『窺』有『偷』的意思。這兩句詩，就是用了賈誼《過秦論》的一句：『胡人不敢南下而牧馬。』同時，杜甫也有詩道：『近聞犬戎遠遁逃，牧馬不敢過臨洮。』

『窺牧』這個名詞，似乎許多人都不知道。吳昌祺批道：『牧馬加窺字，甚其詞也。』這個批語，可謂奇特。他以爲加一個『窺』字，就加強了『牧馬』的語氣。但『窺牧馬』到底是什麼馬，他實在沒有明白。近年來有許多唐詩注釋本，對這一句的注釋，幾乎都是錯誤的。問題在於不了解『窺牧』的意義，而把『窺』字作爲動詞講。有一本的解釋云：『如今敵人止能遠遠地窺伺而不敢越過臨洮。』又說『牧馬，指敵軍的馬隊』。這個注解，使人愈看愈糊塗。既然『窺』是個動詞，作窺伺解，而窺伺的又是敵人，那麼，『窺牧馬』應當是敵人窺伺我們的牧馬了。可是又說：『牧馬是指敵軍的馬隊。』那麼，敵軍爲什麼窺伺他們自己的馬隊呢？由此可知，注者非但不知道『窺牧』這個名詞，連什麼東西不敢過臨洮也沒有理解清楚。

這首詩原來是洮州一帶的民歌。《太平廣記》卷四百九十五引溫庭筠的《乾𦠆子》所載《西鄙人歌》云：

北斗七星高，哥舒夜帶刀。
吐蕃總殺卻，更築兩重壕。

這是當時的原本，可見我們現在所讀的，已是經過文人加工的改本。大概古書上所記載的民歌，都有文人修改的成分。『總殺卻』即『統統殺掉』。第四句大約說哥舒翰在石堡城外掘了兩道城壕，以加強防禦工事。

一九七八年五月十日

24 常建：題破山寺後禪院

清晨入古寺，初日照高林。
竹徑通幽處，禪房花木深。
山光悅鳥性，潭影空人心。
萬籟此都寂，但餘鐘磬音。

常建，長安人，開元十五年與王昌齡同榜進士及第，但他的官運比王昌齡更差。《唐才子傳》說他『大曆中，授盱眙尉。仕履頗不如意，遂放浪琴酒，有肥遯之志。後寓鄂渚，招王昌齡、張僨同隱，獲大名於當時。』他的生平，可知者止有這一段記載。但殷璠在《河嶽英靈集》中說：『高才無貴仕，誠哉是言。曩劉楨死於文學，左思終於記室，鮑照卒於參軍。今常建亦淪於一尉，悲夫！』可見在天寶末年，常建已爲縣尉，可能就是《唐才子傳》所謂盱眙尉。大約安祿山亂後，就失去官職，寄情琴酒，隱居作詩，這是他的晚年生活。

常建與王昌齡、儲光羲、孟浩然、王之渙，都是開元、天寶年間著名詩人，也同樣都是潦倒不得意的詩人。他的詩現在止存五十多首，這首《題破山寺後禪院》是他的著名作品，幾乎各個選本都選入的。破山寺在今江蘇省常熟縣虞山上，遺址猶存，因常建此詩而成爲古跡。此詩可能是常建任盱眙尉時所作，因爲在他的詩集裏，這首詩之後就有《泊舟盱眙》一首，也是五言律詩，可能是同時所作。

這首詩止是從正面描寫一所冷落岑寂的山中古寺，沒有寓意，因而止是賦體，沒有比興。自從南朝的鮑照、謝靈運創始了山水詩以來，直到唐代，詩的領域裏形成了山水風景詩一派，甚至影響到藝術領域裏，從王維起產生了山水畫派。

這一派山水詩與陶淵明的田園詩不同。陶淵明作田園詩是表現了他的人格的。他對農民，對田園生活和生產勞動有同情，有欣羡，也有憐憫。而鮑、謝諸人的山水詩大多是客觀的描繪，不反映與人民有密切關係的社會現實。甚至可以說，這些詩沒有主題思想。詩人在寫作時，注意的止是如何用精美的詞句來刻劃自然風景。儘管詩的結尾有時也抒發一點感慨，但從全詩的寫作態度來看，卻並不是重點，不過借此來做結束而已。因此，這一派的詩，往往止有好的句子，少有好的全篇。鮑、謝等人所作，都是五言古體詩，描寫的句子較多，但也不能句句都突出地好。鍾嶸《詩品》稱謝靈運的詩『名章迥句，處處間起；麗典新聲，絡繹奔會』，稱鮑照『善制形狀寫物之詞』，稱謝朓的詩『一章之中，自有玉石，然奇章秀句，往往警遒』，這些都是指出他們的優點是有美善的章句。所以謝靈運的詩最爲人傳誦的是『池塘生春草，園柳變鳴禽』。謝朓的名句是『魚戲新荷動，鳥散餘花落』、『餘霞散成綺，澄江靜如練』之類。在全篇中雖是警句，而全篇卻並不都好。劉彥和總論宋齊間的詩風說：『宋初文詠，體有因革。莊老告退，而山水方滋。儷采百字之偶，爭價一句之奇。情必極貌以寫物，辭必窮力而追新。此近世所競也。』（見《文心雕龍·明詩》）也說這些山水詩的創作傾向在於刻意雕琢新奇的對句。初、盛唐詩人繼承並發展了這個傳統，幾乎每人都有些描寫山水風景的詩，不過已不用古詩體的五言，而改用律詩體的五言了。五言古詩篇幅較長，可以『儷采百字之偶』，五律則工夫都得放在中間二聯二十個字上。隨著詩人們的爭奇鬥勝，五言律詩在唐詩中成爲藝術標準最高的一種詩體。

山水詩既以創造秀句爲工，這一風氣在文學批評上導致了一種極不好的傾向。即評論詩篇，不談思想內容，不談全篇的完整統一，而止摘取其一二『奇章秀句』。《世說新語》記錄了一件謝安石的軼事：他問子弟們：《詩經》裏那一句最好？他的兒子回說：『昔我往矣，楊柳依依；今我來思，雨雪霏霏』，此句最好。謝安石說：我以爲『訏謨定命，遠猷辰告』這一句最好，因爲有雅人深致。這是摘句論詩的開始。其後鍾嶸作《詩品》，常常舉出各個詩人的秀句。到唐代，殷璠作《河嶽英靈集》，高仲武編《中興間氣集》，他們評論當時詩人，都舉出其傳誦一時的名句。宋元以後，許多人作詩話，經常舉出某詩人的一二聯詩句，致其讚賞，絕不論及全篇的思想內容，似乎詩的好壞，關係全在有無佳妙的聯句。這樣的文學批評，就犯了純藝術觀點的錯誤。

對於詩人自己的用力於鍛鍊句子，我們的看法應當一分爲二。大詩人也講究做精警的句子。杜甫就說他自己作詩是『語不驚人死不休』，又說他是『爲人性僻耽佳句』。還說李白的詩很多佳句：『李侯有佳句，往往似陰鏗。』又寄高適詩云：『美名人不及，佳句法如何？』又答岑參詩云：『故人得佳句，獨贈白頭翁。』這些特別強調『佳句』的資料，反映出盛唐時期詩人極重視鍛鍊句法，而這所謂『佳句』，往往是律詩中的二聯。有人說做詩不宜苦思，苦思則喪失自然風韻。但詩僧皎然卻在他的《詩式》中說：『此亦不然。夫不入虎穴，不得虎子。取境之時，須至難至險，始見奇句。成篇之後，觀其氣貌，有似等閒，不思而得。此高手也。』這一段話，大可注意。皎然以爲：作詩取境，必須經過苦思，方能鍊得奇句。但在全詩完成以後，要使這個奇句，並不顯得突出，好像是隨便寫來，不見苦思的痕跡，這才是高手。由此可見，他是要求奇句與全篇面貌一致的。鍛鍊奇句，不是作詩的目的，而是作好詩的手段。所以，像杜甫那樣的耽於創造驚人的佳句，我們應當肯定的。

中、晚唐詩人漸漸無視句與篇的關係。他們作律詩，往往先有中間二聯，然後配上頭尾。他們並不是先有一種思想感情，而後用詩的形式來表達，而是先有佳句，然後配上合適的思想感情。這是一種虛僞的文學。儘管像賈島那樣『二句三年得』，而不能使人『一吟雙淚流』，也就等於紙紮花果，徒費精神，無補實用。這樣的追求佳句，就不足爲法了。

我們每讀一首詩，第一總得研求它的主題思想。純用賦體的叙事或寫景小詩，就以它的詩意爲主題。如果是一首用比興方法寫的詩，尤其應當研求它所寄托的意義，即所謂言外之意。其次才賞鑒它的章法、句法，乃至用字的藝術手法。宋元以後的詩話，很多的是摘句論詩，所以很少有高明的見解。

現在，我們回頭來解釋常建這首詩。第一聯是很好的流水對，初讀時不覺得它是對句。『初日』照應上句的『清晨』，『高林』照應下文的『竹徑』和『花木』。第二聯和第三聯是平列的，用幾個具體形象來表現古寺的幽靜。第一聯不必對，作者卻做了對句；第二聯必須對，作者卻不對。這種形式，稱爲移柱對，又名偷春對，是律詩的變格，一般都出現在五言律詩中，七言律詩中如此者極少見。第三聯說清曉的山光使鳥雀都感到喜悅，澄澈的池塘使人心也同樣空虛。『山光、潭影』都是描寫一個『清晨，初日』。在朝陽臨照之處，亮的地方是光，暗的地方是影。『悅』與『空』都是動詞。『山光悅鳥性』這一句的平仄是『平平仄仄仄』。雖然說一、三、五不拘，但連用三個仄聲字，畢竟音節太硬。因此，下句就不能連用三個平聲字。作者用『潭影空人心』，這個『空』字不能作平聲讀，才可以挽救上句『悅』字的拗口。從前有許多人不了解，以爲作者用的是平聲的『空』字，引起過一些辯論。沈德潛說：『空字平聲，此入古句法。』吳昌祺也說：『空字止作平聲讀，自佳。』他們都以爲這是古詩句法，不知其他七句都是律詩音節，怎麼可以在此插入一句古詩？

沈德潛解釋這一聯云：『鳥性之悅，悅以山光；人心之空，空因潭水。此倒裝句法。』他止知道『悅』和『空』都是狀詞，因此他把『悅鳥性』解作『鳥性悅』，把『空人心』解作『人心空』，所以說這兩句是倒裝句。我們現在知道這個『空』字在詩律上必須讀作仄聲，那麼它肯定是一個作動詞用的字。『空人心』，意爲使人心地空虛。王昌齡詩云：『蕭條郡城閉，旅舍空寒煙。』也是應讀去聲的。同樣，『悅』字也是一個動詞。

第四聯結尾。大意說：這個地方除了寺裏鐘磬聲音之外，一切都是寂靜的。『此』字用在這裏，可以省去下面的名詞。不論此事、此物、此地、此時、此人，都可以單用一個『此』字，反正看上文總可明白。『寂』字是全詩的中心，因爲整首詩寫的止是一種寂靜氣氛。『但餘鐘磬音』的『餘』字，一般都講作『剩餘』。『但餘』就是『止剩』。但鍾伯敬卻強調這個『餘』字，解作『多餘』。他說：這裏一切都是非常寂靜，止有寺裏的鐘磬音是多餘的。我以爲這樣講法，沒有摸清作者的思路。作者並不以爲寺裏的鐘磬音是破壞寂靜境界的多餘之物，反之，他以爲寺裏的鐘磬音加強了此地的寂靜。王籍《入若耶溪》詩：『蟬噪林逾靜，鳥鳴山更幽』，亦即此意。

詩就這樣講過，詩意也就這樣表白無遺。你如果問，這首詩的主題是什麼？這個問題，就很難回答。一個文藝作品，不可能沒有主題。否則，作者爲什麼寫它出來呢？但這首詩是純客觀的描寫，對讀者既沒有任何教育意義，也沒有什麼啓發。甚至一點不用誇張手法，說它的創作方法是賦，也似乎說不上。這首詩止是冷冷地勾勒幾筆，描繪出一個山中古寺的幽寂境界。這就算是它的主題了。王維、孟浩然、儲光羲等盛唐詩人，都有這樣的詩。歷代評論家對這些詩都非常讚賞，說它們清秀、古淡、閒雅、樸素。『竹徑通幽處』一聯，更是歐陽修十分欣賞的，他自己說，竭力摹仿，也寫不出這樣好的句子。

這一派的詩，對後世有相當大的影響。許多詩人把精神浪費在雕琢字句，鑄造兩副精工的對聯。藝術成就可能不壞，而全篇意義空虛，終於止是一種消極的文學。

一九七八年五月二十日

25 王昌齡：七言絕句四首

長信秋詞（三首之一）

奉帚平明金殿開，且將團扇共徘徊。
玉顏不及寒鴉色，猶帶昭陽日影來。

閨怨

閨中少婦不知愁，春日凝妝上翠樓。
忽見陌頭楊柳色，悔教夫婿覓封侯。

芙蓉樓送辛漸

寒雨連江夜入吳，平明送客楚山孤。
洛陽親友如相問，一片冰心在玉壺。

寄穆侍御出幽州

一從恩譴度瀟湘，塞北江南萬里長。
莫道薊門書信少，雁飛猶得到衡陽。

七言絕句的唐律聲調，完成於初、盛唐之際，作者愈多。加以西域歌曲大量輸入，需要新的歌詞以配樂，詩人們都利用絕句的形式。因此，開元、天寶年間，絕句盛行，尤以七言絕句爲主。七言絕句一共止有二十八字，聲韻、章法、句法的錯綜變化，題材的多樣，詩人藝術手法的各有特色，使這二十八字能組織成種種不同圖案的萬花鏡。在盛唐詩人中，王昌齡特別是作七言絕句的高手，他的七言絕句傳到今天的也是最多。我們現在再選講他四首七絕。關於從軍、邊塞的絕句，已經講過一首，這裏不再選了。現在選取的是其他兩種題材的作品。

王昌齡，字少伯，京兆（今西安）人。開元十五年進士及第，官祕書郎。二十二年，中宏詞科，調汜水尉，遷江寧丞。史傳中說他因爲『晚節不護細行』，貶龍標尉。安祿山之亂，他回到家鄉，不知因何事，爲縣令閭丘曉所殺害。所謂『晚節不護細行』，竟無從查考，不知是怎麼一回事。做江寧縣丞的時候，大約是他作詩的全盛時期，因此當時人稱他爲王江寧。他最後的官職是龍標尉，故後世人稱他爲王龍標。

這裏所選四首絕句，前二首屬於宮詞、閨怨一類，後二首屬於朋友投贈一類。加上從軍邊塞詩，就是他全部七絕的題材了。

宮詞是寫宮中妃嬪的生活和思想感情。她們對君王的怨情，或者是失寵了，或者是求寵而不得，或者是悲嘆青春虛度。閨怨是寫一般民間婦女的情懷，或者失寵於丈夫，或者懷念離別已久的丈夫。二者實在是同樣的題材，不過作宮詞就需要多用些華麗的辭藻，而且往往是借古喻今，不能明白地直說是當今皇宮中的事情。這一類閨情詩，雖然《詩經》中已開始出現，但在晉宋之間，民歌流行以後，助長了它的波瀾。《樂府詩集》中有許多晉代的民間情歌，如《子夜歌》、《讀曲歌》，也都是五言四句。到了梁陳時代，文人用這種題材來描寫貴族婦女的生活和愛情，就成爲宮體詩。唐代詩人繼承這一傳統，但採用比興方法，將失寵或不得寵的婦女的怨情，隱喻自己不得志的遭遇。於是使這類詩具有新的意義，形成了一個新的傳統。

《長信秋詞》共有五首，這裏選的是第三首。五首詩的題材是漢成帝兩個妃子的故事。成帝先寵愛上班婕妤。不久又寵愛了趙飛燕。班婕妤失寵後，自請到長信宮去侍候太后，這樣才得避免趙飛燕的妒害。班婕妤是史學家班固的祖姑，也有文才。她留下了一篇自叙性的賦，其中有句云：『奉供養於東宮兮，托長信之末流；供灑掃於帷幄兮，永終死以爲期。』就是叙述她退居東宮，爲太后執灑掃之役，甘心從此終老。王昌齡運用這個歷史故事，作《長信秋詞》，描寫班婕妤在長信宮中秋天裏的思想感情。

第一句說：天色黎明，殿門開了，她捧了掃帚進去打掃。第二句說：暫且拿一把團扇在殿前徘徊休息。將，作持字解。爲什麼這裏忽然用到團扇？因爲秋風一起，團扇被人拋棄了，恰好象徵婦女的失寵。班婕妤在殿前徘徊，是和團扇在一起，一個是失寵的人，一個是失寵的物，所以詩人說『共徘徊』。昭陽是趙飛燕居住的華麗的宮殿。班婕妤看到從昭陽宮那邊飛來的烏鴉，背上還帶著太陽光，而自己身上卻照不到，因而感嘆自己的容顏反而不及烏鴉。太陽，在文學上常是君王的象徵，太陽光，是君王恩寵的象徵。這樣一說明，這兩句的形象思維就清楚了。從散文的語法觀點來看，『猶帶』的主語，應當是『玉顏』，但這是講不通的。從詩意的分析來看，主語應當是『寒鴉』。這是詩與散文語法結構不同之處。

第二首較爲簡單，用正面描寫的賦體。一個不知憂愁的青年婦女，在春天裏打扮得齊齊整整，上樓去眺望。忽然看到路邊楊柳已經抽青，才後悔不該讓丈夫離家遠去，追求封侯做大官。凝妝即嚴妝、盛妝。翠樓、朱樓、紅樓都是指婦女所居，詩人可以隨便用，但青樓卻專指妓女所居了。覓封侯是從軍的代用詞。止有從軍殺敵，建立軍功，才能得封侯之賞。所以這一句等於說『悔教夫婿去從軍』。這首詩有兩個曲折。第一個曲折是第三句與第四句的關係。爲什麼她看到陌頭柳色，就後悔不該讓丈夫遠行。不動腦筋，就不能了解。不能體會封建時代婦女的思想感情，也不能了解。原來柳色青青，表示春意濃厚，這時孤獨的婦女，爲春意所感動，迫切需要愛人在身邊。覓封侯是沒有把握的事情，而孤獨無伴卻是當前忍受不了的生活。她這時才覺悟到：犧牲青春的愛情，去追求無把握的富貴，完全是錯誤了。第二個曲折是前二句和後二句的關係。這裏，關鍵全在『忽見』二字。雖然在春天，她原先並沒有什麼感傷，照樣打扮齊整，高高興興地上樓去望遠景。這是她『忽見』以前的情況。『忽見』以後，情況大變。從『不知愁』劇變而為悔恨了。四句詩刻劃了一個出征軍人妻子的心理過程。用散文寫，二十八字肯定不夠。這就是王昌齡所作七絕的凝鍊的特色。

唐汝詢在《唐詩解》中評解此詩時指出了一個問題：『傷離者莫甚於從軍，故唐人閨怨，大抵皆征婦之辭也。』我們看唐代詩人的閨怨詩，果然大多描寫軍人的妻子。這是為什麼呢？傷離為什麼莫甚於從軍呢？這裏就必須聯繫到唐代的兵役制度。原來唐代採用府兵制。府兵就是分別隸屬於各個軍府的常備兵。這種兵士的服役期極長。最初的規定是二十一歲入伍，年滿六十退役。武則天時改為二十五歲入伍，五十歲退役。一個青年如果被征召入伍，他的妻子就差不多做一輩子寡婦。因此，兵士的妻子特別有傷離怨別之情。這就是唐人閨怨詩的社會背景。

第三首是在芙蓉樓上送朋友辛漸回洛陽去而作。芙蓉樓在今江蘇省鎮江市，是當時的北門城樓，面臨長江，大約船碼頭就在城下。這個樓最近已修飾一新，一定是王昌齡此詩的影響。全詩大意說自己從寒雨中乘江船來到吳地，已是夜晚了。可是第二天清早卻要在這裏，孤獨的楚山下，送人遠行。鎮江是吳地，也曾經屬於楚。上句用吳，下句用楚，沒有關係，總之這兩個字都代表『此地』。送客時要托他帶個口信去給洛陽親友。如果在洛陽的親友問起我的情況，請你告訴他們，我的心正像玉壺裏的一片冰一樣。這是一句隱語，也是一種比喻。向來注解者都引鮑照的詩句『清如玉壺冰』，以為這是王昌齡詩意的來源，以為作者借用來比喻自己對於做官已經冷淡得很。玉壺是比喻自己的清高，冰是比喻自己宦情之冷。

我們如果查考一下當時詩人用『冰壺』二字的含義，恐怕對王昌齡這句詩，就不能這樣解釋。開元初，姚崇做宰相時，曾寫了一篇《冰壺賦》以告誡官吏。賦前有一段小序，文曰：

冰壺者，清潔之至也。君子對之，不忘乎清。夫洞澈無瑕，澄空見底，當官明白者，有類是乎？是故內懷冰清，外涵玉潤，此君子冰壺之德也。

賦的最後有銘，銘文的最後幾句云：

嗟爾在位，祿厚官尊。固當聳廉勤之節，塞貪競之門。冰壺是對，炯戒猶存。以此清白，遺其子孫。

這裏說得很明白，他要求官吏廉潔奉公，像冰壺一樣的內清外潤。這篇文章在當時是澄清吏治的指導文件，爲官吏和士大夫所熟讀，而且連考試也以此爲題目。王維有一首詩，題曰《賦得玉壺冰》，注曰：『京兆府試，時年十九。』《文苑英華》有失名作《玉壺冰賦》，題下注云『以堅白貞虛，作人之則爲韻。』又陶翰、崔損各有一篇《冰壺賦》，題下注云：『以清如玉壺冰，何慚宿昔意爲韻。』這三篇賦顯然都是考試時做的限韻的律賦。同時詩人王季友也有《玉壺冰試詩》，其結句云：『正值求珪瓚，提攜共飲冰。』盧綸亦有一首題作《清如玉壺冰》的詩，有句云：『玉壺冰始結，循吏政初成。』韋應物有一首《寄洪州幕府盧二十一侍郎》詩，其句云：『文苑臺中妙，冰壺幕下清。』李白有一首詩，贈其侄臨漳縣令李聿，也說：『白玉壺冰水，壺中見底清。清光洞毫髮，皎潔照群情。』趙北美佳政，燕南播高名。』這許多詩賦，都是響應姚崇的《冰壺賦》而作，玉壺冰的意義是比喻爲官廉潔清正。王昌齡此詩，應該也是寓同樣的意思，請辛漸回去告訴洛陽親友，說自己做官，一定守冰壺之戒。沈德潛代表了明清許多選家，給此詩批道：『言己之不牽於宦情也。』（《唐別詩裁》）我以爲全都錯了。王昌齡不是一個『不牽於宦情』的人。

第四首是作者在龍標寄給一位姓穆的朋友，此人官爲侍御史，正要到幽州（今河北省地區）去。詩意說：自從我蒙恩降官，度過瀟湘二水，來到龍標，我在江南，你卻到塞北去了。我們相隔萬里，可是，你不要說，你不容易從薊門寄信來，要知道在秋天裏從北方飛來的大雁也飛得到衡陽呢。這兩句是希望他多寫信來。封建時代的官吏，因有罪而被降職，還得感激皇帝，說是受到恩惠，定罪從寬。『恩譴』二字就是降謫的禮貌語。

王昌齡這四首絕句，每一首都符合『起承轉合』的邏輯程序。第一句當然都是起句，又稱爲發句。這一句要起得不平凡，不閒空，還要能夠控制全詩的主題思想。有些著名的詩，起句非常突然，好像桂林的山，拔地而起，一句就抓住了全篇。例如鮑照的《登黃鶴樓》起句云：『木落江渡寒』，謝朓的《贈西府同僚》起句云：『大江流日夜』，吳均的《春詠》起句云：『春從何處來』，王維《觀獵》的『風勁角弓鳴』，王昌齡的『秦時明月漢時關』，都是以起句雄健著名的。第二句是繼承第一句的思路而作補充或發展的。到這裏，必須完成一個概念，而全詩的主題思想還沒有透露出來。第三句應當轉一個方向，提出一個新的概念。然後用第四句來完成這個概念，從而說明了第三、四句與第

一、二句的關係，這一句稱爲結句，或曰落句。一首詩，能否使讀者感到有餘味，就要看結句的藝術手法。起句和結句是固定的，承句並不固定。也許第一、二句都是起句而沒有承句。第三句轉也是固定的，它是全詩的關鍵句子，讀到這裏，就看出詩人的用意來了。學習古代詩歌，應當注意絕句的第三句，看作者用什麼方法表現全詩的主題。

現在引用《峴傭說詩》兩條，可供參考：

七絕用意宜在第三句。第四句只作推宕，或作指點，則神韻自出。若用意在第四句，便易盡矣。

若一、二句用意，三、四句全作推宕或指點，又易空滑。故第三句是轉舵處。求之古人，雖不盡合，然法莫善於此也。

一九七八五月二十七日

26 李頎：漁父歌

白頭何老人，蓑笠蔽其身。
避世常不仕，釣魚清江濱。
浦沙明濯足，山月靜垂綸。
寓宿湍與瀨，行歌秋復春。
持竿湘岸竹，爇火蘆洲薪。
綠水飯香稻，青荷包紫鱗。
於中還自樂，所欲全吾眞。
而笑獨醒者，臨流多苦辛。

用漁父爲文學題材，來源也很古了。傳說中有太公姜尙，八十歲還在磻溪釣魚，被周文王請去做軍師，打倒了商朝紂王的腐敗政權，成爲周朝的開國功臣。從此，文學上用磻溪漁父的典故，就代表了懷抱文武全才的隱士。莊周寫了一篇散文《漁父》，借一個漁人和孔子的對話，批判了儒家講禮樂的虛僞性。屈原跟著也寫了一篇小品文《漁父》，通過他自己和一個漁人的對話，表現了自己的潔身自好，不受污辱的品德，而漁父卻嘲笑他自鳴孤高，不能與世浮沉。於是，在文學上，漁父又代表了一種浪跡煙波，自食其力，不問世務的人格。陶淵明寫了一篇詩序《桃花源記》，叙述一個捕魚爲業的武陵人發現了一處與亂世隔絕的太平社會。於是文學上的漁父，又添了一個新的意義，他成爲發現理想社會的探險者。盛唐詩人儲光羲、高適、岑參、李頎，都有《漁父詞》，其主題思想大概都繼承了這些傳統。中唐詩人有張志和，也寫過五首《漁父詞》，創造了新的形式，後來成爲詞的始祖。此外，還有不少歌詠漁人生活的詩歌，以後有機會時還將講到。

現在選了李頎的這一首《漁父歌》，借此了解一下初、盛唐五言古詩演變到五言排律的一種特殊形式。因爲這首詩的聲調和句法都在五言古詩和律詩之間，既不同於六朝的五古，又還不是唐代的律詩，題目用『歌』字，而詩體又不是歌行。從形式上看來，這首詩可以說是一個『四不像』。

現在先講全詩大意。前四句叙述一個白髮老人，也不知他是誰，身上披簑戴笠，遠避人間，在清澈的江水邊釣魚。下四句開始描寫這個漁父的生活情況：他常常在明亮的沙灘邊洗脚，在寂靜的月光下垂釣。他住宿的地方無非是淺水沙灘，一年四季止是唱歌消遣。再下面四句繼續是描寫句。他手裡的釣竿是湘江岸上的竹枝，他在船中生火做飯，用的是蘆塘裡取來的蘆柴。他用江中清水煮飯，用青荷葉包裹釣得的魚。最後四句是結束：這個漁人在這樣的生活中悠然自樂，因爲他所要的是保全自己天眞的品性，因而對那些自以爲『衆醉獨醒』的人，如屈原那樣，徘徊於水邊，有許多悲哀、苦悶之感，倒覺得很可笑。全詩的主題思想，都在這最後四句。而這最後四句，也正是屈原《漁父》的縮影。

這首詩的形式，可以說是加了一倍的五言律詩。每四句止抵得律詩的一聯。我們不妨把它删減一半，詩意並無損失：

白頭何老人，釣魚清江濱。
浦沙明濯足，山月靜垂綸。
於中還自樂，所欲全吾眞。
而笑獨醒者，臨流多苦辛。

這樣就成爲一首五言律詩。由此可知，所謂排律，就是把五言律詩擴大一倍、二倍、三倍……除了起結之外，中間都是對句。主題思想複雜或豐富的，這些對句還可以有許多變化、轉折，主題思想簡單的，就止是堆砌許多同樣的描寫句。這首詩的中間八句，就是其例子。杜甫的五言排律之所以好，就因爲他的詩意層出不窮，富於變化轉折，不是永遠停留在一個概念上。

但李頎這首詩還不能稱爲排律，因爲它的聲調還不合律體，差不多每一聯都有失黏的字。我已把它們用×號標出來，如果改換了這些字的平仄，它就成爲排律了。另外一方面，這首詩又因爲已經有了調聲的傾向，一聯之中，黏綴處多於失黏處，聲調還是近於律詩，而不能說它是古詩。

這種四不像的五言詩，正是從古詩發展到律詩的過渡形式。齊梁以前，古詩不講究平仄諧和，齊梁以後，開始注意到平仄諧和。但規律還不嚴，就像李頎這首詩。盛唐以後，聲律嚴密了，不容許一聯中有失黏的字，像李頎這樣的詩就很少出現。關於對偶，謝靈運以前的古詩，絕大多數不用對句；謝靈運開始用對句，但還不成規格。而且不講究平仄黏綴，還是古詩的對句，不是律詩的對句。李頎這首詩中間八句是律詩的對句，然而是失黏的。這種對句，以後也不再有了，總結起來說，這首詩代表著古詩、律詩界限未淸時期的形式。盛唐以後，做古詩就不管平仄諧和，也不作對句；做律詩就嚴守格律，不許有一字失黏，於是古詩和律詩的界限淸楚了。

李頎，不傳其字，東川人（四川東部），從幼小時即住在潁陽（今河南許昌）。《唐才子傳》說他是開元二十三年賈季鄰榜進士。《全唐詩小傳》說他是開元十三年進士，官新鄉尉。二說相差十年，未知孰是。從他的詩集中，可知他和王維、高適、綦毋潛、王昌齡都是好友，這幾位詩人都是開元十年前後的進士。看來李頎和他們是同輩，大約以開元十三年舉進士爲近是。

李頎的詩，殷璠選入《河嶽英靈集》，並評云：『發調旣淸，修辭亦綉。雜歌咸善，玄理最長。』可知他不以律詩見勝。與李頎同時的高適也有《漁父歌》，是七言歌行；岑參有一首《漁父》，是五七言歌行；儲光羲有一首《漁父詞》，完全和李頎此詩一樣，也是一首四不像的五言詩。可知這個題材，當時正在流行。

一九七八年六月九日

27 李頎：聽董大彈胡笳聲兼語弄寄房給事

《國秀集》選錄李頎詩四首：五律二首、七絕二首。《河嶽英靈集》選十四首：五言古詩七首、七言歌行五首、五律一首、七絕一首。編者殷璠稱『頎詩發調既清，修辭亦綉，雜歌咸善，玄理最長』。可知《國秀集》所選是他早年的詩，其時尚未以歌行著名。後來多作歌行，又耽於學道，詩格因而一變。如《謁張果老先生》、《送王道士還山》等，都是語參玄理的詩。歌行詩除《漁父歌》之外，還有一首也常被選錄：

聽董大彈胡笳聲兼語弄寄房給事

蔡女昔造胡笳聲，一彈一十有八拍。
胡人落淚向邊草，漢使斷腸對歸客。

古戍蒼蒼烽火寒，大荒陰沉飛雪白。
先拂商絃後角羽，四郊秋葉驚摵摵。
董夫子，通神明，深山竊聽來妖精。
言遲更速皆應手，將往復旋如有情。
空山百鳥散還合，萬里浮雲陰且晴。
嘶酸雛雁失群夜，斷絕胡兒戀母聲。
川爲淨其波，鳥亦罷其鳴。
烏珠部落家鄉遠，邏娑沙塵哀怨生。
幽陰變調忽飄灑，長風吹林雨墮瓦。
迸泉颯颯飛木末，野鹿呦呦走堂下。
長安城連東掖垣，鳳皇池對靑瑣門。
高才脫略名與利，日夕望君抱琴至。

詩並不高明，『董夫子』以下七韻十四句都是形容琴聲，每句都是孤立的。中間插入五言二句，非但沒有好的效果，反而破壞了七言歌行的氣韻。我選這首詩，主要是爲了解釋詩題。因爲好久以來，由於無人了解題意，就隨便把題目改動。題目改錯，作者的本意不明白，講這首詩就不很清楚了。

董大是董庭蘭，當時著名的琴師。房給事是給事中房琯。李頎作此詩，是把董庭蘭推薦給房琯。房琯爲給事中，在天寶五年正月，可知此詩作於天寶年間。大約董庭蘭就由於李頎的推薦，做了房琯的門客。肅宗時，房琯爲宰相，常常招集琴客，大開筵宴，聽董庭蘭彈琴。這時董庭蘭已成爲房琯門下的紅人。朝廷官員，要見房琯，往往走董庭蘭的路子。董庭蘭又倚勢招納賄賂，連累房琯，爲御史彈劾。至德二年五月，房琯罷相，貶爲太子少師。董庭蘭亦得罪而死。

《胡笳十八拍》是琴曲。相傳東漢末年，蔡邕的女兒蔡琰，又稱蔡文姬，因董卓之亂，流落在匈奴。她聽到匈奴人吹胡笳的聲音，譜入琴絃，創造了表現胡笳聲的琴曲，名曰《胡笳十八拍》。建安十二年，曹操派人去匈奴贖回文姬，嫁給董祀，《胡笳十八拍》遂流傳於中國，成爲最早受胡樂影響的中國琴曲。

李頎這首詩的題目，在《河嶽英靈集》中是：

聽董大彈胡笳聲兼語弄寄房給事。

這是李頎自己寫下的原題，懂得這個琴曲的人，當然看得懂這個詩題。

《唐文粹》、《唐詩紀事》、《唐音》都照錄原題，可知編者都了解題義。但《文苑英華》是北宋早年編定的書，這首詩卻題爲：

聽董庭蘭彈琴兼寄房給事。

此後，明代的《唐詩紀》、清代的《全唐詩》，都題作：

聽董大彈胡笳聲兼寄語弄房給事。

明代的《唐詩品彙》、《唐詩解》和清人選的《唐詩三百首》都作：

聽董大彈胡笳兼寄語弄房給事。

最近出版的《唐詩選》也選入此詩，題作：

聽董大彈胡笳弄兼寄語房給事。

《文苑英華》的編者最爲乾脆，他們把不懂的字一概刪掉。《唐詩紀》以下的編者都不了解『語弄』二字，有人以爲應當連讀，有人以爲應當分屬上下文。或者以爲題中有誤鈔入的衍文，或者以爲有鈔寫顚倒之字。於是各就己意改定，題尾都改成『弄房給事』。『語』字屬上文，於是改成『寄語』。但是，『弄』是戲弄、調謔之意，此詩中實在看不出有戲弄房給事的話。於是把『弄』字移在前，成爲『胡笳弄』。

一九五九年，因爲討論郭沫若的《蔡文姬》，牽連到李頎這首詩，對這個詩題，也引起了一番辯論。有人把詩題讀作『聲兼語』，聲是指琴曲而言，語是指唱詞而言。他以爲董庭蘭是一邊彈琴，一邊唱歌詞的。這個講法，被許多人否定了，因爲詩中看不出有描寫歌唱的句子。也有人以爲詩題應讀作『聲兼語弄』，但沒有找到『語弄』的釋義。止得暫時存疑。後來，這些問題停止了討論，這個詩題至今沒有弄明白。

《河嶽英靈集》的編者殷璠在評論李頎時，引述這首詩，說：『又《聽彈胡笳聲》云……』他把詩題簡縮爲五個字，而在『聲』字上讀斷，這是第一個讀破句的人。後人跟他誤讀，下文的『兼語弄』云云就無法理解了。現在我們應當把這個詩題標點清楚：

聽董大彈胡笳，聲兼語弄，寄房給事。

『聲兼語弄』是一句，用來形容董庭蘭的琴聲。『寄房給事』是這首詩的作用，用這首詩來推薦董庭蘭，寓意都在最後四句中。『聲兼語弄』是說董庭蘭彈奏《胡笳十八拍》，兼有『語』的聲音，又有『弄』的聲音。什麽是『語』呢？

千載琵琶作胡語，分明怨恨曲中論。（杜甫：《詠懷古跡》）

不解胡人語，空留楚客心。（劉長卿：《聽杜別駕彈胡琴》）

大弦嘈嘈如急雨，小弦切切如私語。（白居易：《琵琶行》）

今夜聞君琵琶語，如聽仙樂耳暫明。（白居易：《琵琶行》）

聲似胡兒彈舌語，愁如塞月恨邊雲。（白居易：《聽李士良琵琶》）

學語胡兒撼玉鈴，甘州破裡最星星。（元稹：《琵琶》）

這裡六個『語』字，都是形容琵琶聲的。白居易索性將琵琶聲說成『琵琶語』了。原來唐人對西域來的音樂或歌曲，都比之爲胡語。『弄』是琴曲的名稱，例如『梅花三弄』，至今還有曲譜。『聲兼語弄』是形容董庭蘭彈奏《胡笳十八拍》，兼有胡笳和琴的聲音。也就是說，他的琴聲中充分表達了胡笳的聲音。戎昱有一首《聽杜山人彈胡笳歌》。杜山人是董庭蘭的學生。戎昱描寫他的琴聲之美妙，都用蔡文姬在匈奴的生活情況爲比擬，雖然不用『胡』字，可知他亦以爲琴聲表現了胡地風光。李頎這首詩中也有『斷絕胡兒戀母聲』一句，亦比之爲胡語。尤其可證。

本文目的，僅在解釋詩題，爲唐詩學者解決一個問題。詩容易懂，而且已有許多注釋，故不再拾人牙慧。我說這首詩的作用是向房琯推薦董庭蘭，以前也沒有人說過，這是我從最後一句體會出來的。『高才』即指房琯。『烏珠』，今本多誤作『烏孫』，『邏娑』即今西藏的拉薩。

一九七九年十月七日

28 黃鶴樓與鳳凰臺

黃鶴樓

昔人已乘白雲去，此地空餘黃鶴樓。
黃鶴一去不復返，白雲千載空悠悠。
晴川歷歷漢陽樹，春草萋萋鸚鵡洲。
日暮鄉關何處是，煙波江上使人愁。
——崔顥

登金陵鳳皇臺

鳳皇臺上鳳皇遊，鳳去臺空江自流。
吳宮花草埋幽徑，晉代衣冠成古丘。
三山半落青天外，二水中分白鷺洲。

總爲浮雲能蔽日，長安不見使人愁。

——李白

現在選了兩首極著名的七言律詩。作者崔顥和李白是同時人。崔顥登武昌黃鶴樓，題了一首詩，寫景抒情，當時被認爲是傑作。據說李白也上黃鶴樓遊覽，看見崔顥的詩，就不敢題詩，止寫了兩句：『眼前有景道不得，崔顥題詩在上頭。』後來李白到南京，遊鳳凰臺，才做了一首詩，顯然是有意和崔顥競賽。從此之後，歷代欣賞唐詩的人，都喜歡把這兩首詩來評比，議論紛紛，各有看法。現在我們也來欣賞這兩首詩，把前人各種評論介紹一下，然後談談我的意見。

崔顥，不知其字。汴州（今開封）人。開元十三年（公元七二五年）登進士第，累官司勛員外郎，天寶十三載（公元七五四年）卒。《河嶽英靈集》說：『顥少年爲詩，屬意浮艷，多陷輕薄。晚節忽變常體，風骨凜然，鮑照、江淹，須有慚色。』崔顥的詩，現在止存數十首，並沒有浮艷輕薄之作，可能已刪除了少年之作。《唐詩紀事》說他『有文無行』，似乎他的品德很壞，但到底如何『無行』卻不見於唐宋人記載。元代辛文房的《唐才子傳》中才有具體的記載，說他『行履稍劣，好蒲博，嗜酒，娶妻擇美者，稍不愜即棄之，凡易三四。』原來止是愛賭錢、喝酒、好色而已。說他『行履稍劣』也還公平，說他『有文無行』恐怕太重了。

黃鶴樓在武昌長江邊，是歷史上的名勝古跡。前幾年，因爲建造長江大橋，這座樓已經拆卸下來，用原材料易地重建。因此，現在的黃鶴樓，已經不在原來的地方了。

崔顥這首詩有不同的文本。第一句『昔人已乘白雲去』，近代的版本都是『昔人已乘黃鶴去』。唐代三個選本《國秀集》、《河嶽英靈集》、《又玄集》，宋代的《唐詩紀事》、《三體唐詩》，元代的選集《唐音》，都是『白雲』，而元代另一個選集《唐詩鼓吹》卻開始改爲『黃鶴』了。從此以後，從明代的《唐詩品彙》、《唐詩解》直到清代的《唐詩別裁》、《唐詩三百首》等，都是『黃鶴』了。由此看來，似乎在金元之間，有人把『白雲』改作『黃鶴』，使它和下句的關係扣緊些。但是晚唐的選本《又玄集》在詩題下加了一個注：『黃鶴乃人名也。』這個注非常奇怪，好像已知道有人改作『黃鶴』，因此注明黃鶴是人名，以證其誤。這樣看來，又仿佛唐代末年已經有改作『黃鶴』的寫本了。我們現在所見到的《又玄集》，是從日本傳回來，一九五九年由古典文學出版社據日本刻本影印，未必是原本式樣。這個注可能是後人所加，而不是此書編者韋莊的原注。《唐詩解》的著者唐汝詢在此句下注道：『黃鶴，諸本多作白雲，非。』他所謂諸本，是他所見同時代流行的版本。他沒有查考一下唐宋舊本，不知道當時的諸本，都作『白雲』。他武斷地肯定了黃鶴，使以後清代諸家都跟著他錯了。此外，『春草萋萋』，唐宋許多選本均同，止有《國秀集》作『春草青青』。從《唐詩鼓吹》開始，所有的版本都改作『芳草萋萋』了。可見這個字也是金元時代人所改。現在我們根據唐宋舊本抄錄。

黃鶴樓的起源，有各種不同的記載。《齊諧志》說：黃鶴樓在黃鶴山上。仙人王子安乘黃鶴過此山，因此山名黃鶴。後人在山上造一座樓，即名爲黃鶴樓。《述異記》說：荀環愛好道家修仙之術。

曾在黃鶴樓上望見空中有仙人乘鶴而下。仙人和他一同飲酒，飲畢即騎鶴騰空而去。唐代的《鄂州圖經》說：費文禕登仙之後，曾駕黃鶴回來，在此山上休息①。總之，都是道家的仙話。有仙人騎黃鶴，在此山上出現，然後把山名叫做黃鶴山。有了黃鶴山，然後有黃鶴樓。或者是先有山名，然後有傳說。爲了附會傳說，才造起一座黃鶴樓。中國的名勝古跡，大多如此。但黃鶴是人名，卻毫無根據，這個注是胡說。

自從唐汝詢否定了『白雲』之後，還有人在討論『白雲』與『黃鶴』的是非。於是金聖嘆出來助陣，在《選批唐才子詩》中，極力爲『黃鶴』辯護。他說：

此即千載喧傳所云《黃鶴樓》詩也。有本乃作『昔人已乘白雲去』，大謬。不知此詩正以浩浩大筆連寫三『黃鶴』字爲奇耳。且使昔人若乘白雲，則此樓何故乃名黃鶴？此亦理之最淺顯者。至於四之忽陪白雲，正妙於有意無意，有謂無謂。若起手未寫黃鶴，先已寫一白雲，則是黃鶴、白雲，兩兩對峙。黃鶴固是樓名，白雲出於何典耶？且白雲既是昔人乘去，而至今尚見悠悠，世則豈有千載白雲耶？不足當一噱已。

金聖嘆這一段辯解，眞可當讀者一噱。他煞費苦心地辯論此句應爲『黃鶴』而不是『白雲』，但是對於一個關鍵問題，他止好似是而非地躱閃過去。我們以爲崔顥此詩原作，必是『白雲』。一則有

---

①此條見《唐詩鼓吹》郝天挺注中所引。

唐宋諸選本爲證，二則此詩第一、二聯都以『白雲』、『黃鶴』對舉。沒有第一句的『白雲』，第四句的『白雲』從何而來？金聖嘆也看出這一破綻，覺得無以自解，就說：好就好在『有意無意，有謂無謂』。這是故弄玄虛的話。這四句詩都可以實實在在地按字面解釋，沒有抽象的隱喻，根本不是『有意無意，有謂無謂』的句法。所以我們說他講到這裡，便躲躲閃閃地把話支吾開去了。『昔人已乘白雲去』，是說古人已乘雲仙去，接著說今天此地止剩下黃鶴樓這個古跡。第三、四句又反過來說：黃鶴既已一去不返，樓上也不再見到黃鶴，所能見到的止是悠悠白雲，雖然事隔千年，白雲卻依然如故。四句之中，用了兩個『去』字，兩個『空』字，完全是『有意』的、『有謂』的。總的意思，止是說：仙人與黃鶴，早已去了；山上的樓台和天上的白雲卻依然存在。『空』字有徒然的意思，在這千年之中，沒有人再乘白雲去登仙，所以說這些白雲是徒然地悠悠飄浮著。金聖嘆又以爲『白雲』與『黃鶴』不能對峙，因爲黃鶴是樓名，而白雲沒有出典。這個觀點也非常奇怪。第一，律詩的對偶止要求字面成對，並不要求典故必須與典故成對。按照聖嘆的觀念，則李商隱詩『此日六軍同駐馬，當時七夕笑牽牛。』（《馬嵬二首》之二）牽牛是星名，駐馬又是什麼？豈非也不能對嗎？第二，如果一定要以典故對典故，那麼，此句中的『白雲』，正是用了西王母贈穆天子詩中的『白雲』①的典故，

---

①西王母贈別穆天子詩云：『白雲在天，丘陵自出。道里悠遠，山川間之。將子無死，尚復能來。』（見《穆天子傳》）亦以白雲起興，希望穆天子能再來。

聖嘆不會不知道。第三，在這首詩中，『白雲』和『黃鶴』不是對峙，而是雙舉。唐人七言律詩中，常見運用這一手法。這四句詩，如果依照作者的思維邏輯來排列，應該寫成：

昔人已乘白雲去，——白雲千載空悠悠。
黃鶴一去不復返，——此地空餘黃鶴樓。

原詩第一句的『白雲』和第三句的『黃鶴』是虛用，實質上代替了一個『仙』字。第二句的『黃鶴』和第四句的『白雲』是實用，表示眼前的景物。經過這樣一分析，誰都可以承認原作應該是『乘白雲去』，而金聖嘆卻說：『白雲既是昔人乘去，而至今尚見悠悠，世豈有千載白雲耶？』這話已近於無賴。依照他的觀念，昔人既已乘白雲而去，今天的黃鶴樓頭就不該再有白雲了。文學語言有虛用實用之別，聖嘆似乎沒有了解。

元稹有一首《過襄陽樓》詩，以『樓』與『水』雙舉，今附見於此，作爲參考：

襄陽樓下樹陰成，荷葉如錢水面平。
拂水柳花千萬點，隔樓鶯舌兩三聲。
有時水畔看雲立，每日樓前信馬行。
早晚暫教王粲上，庾公應待月華明。

此詩接連三聯都用『樓』與『水』，而彼此都沒有呼應作用，手法還不如崔顥嚴密。而金聖嘆卻大爲稱讚，評云：『一時奇興既發，妙筆又能相赴。』由此可見聖嘆評詩，全靠一時發其『奇興』，說到那裡是那裡，心中本無原則。他的《選批唐才子詩》，儘管有不少極好的解釋，但前後自相矛盾處也很多。

這四句詩雖是七律的一半，但是用雙舉手法一氣呵成，並無起承的關係。況且第三、四句又不作對偶，論其格式，還是律詩音調的古詩。下面第五、六句才轉成律詩，用一聯來描寫黃鶴樓上所見景色：遠望晴朗的大江對岸，漢陽的樹木歷歷可見。江中則鸚鵡洲上春草萋萋，更是看得淸楚。可是，一會兒已到傍晚，再想眺望得遠些，看看家鄉在何處，這時江上已籠罩著煙霧，看不淸了，叫人好不愁惱。這樣就結束了全詩。

方回（字虛谷）說：『此詩前四句不拘對偶，氣勢雄大。』（《瀛奎律髓》）李東陽（字賓之）說：『然律猶可間出古意，古不可涉律。此篇律間涉古，要自不厭。』（《懷麓堂詩話》）吳昌祺說：『不古不律，亦古亦律，千秋絕唱，何獨李唐。』（《删訂唐詩解》）以上三家，都注意於詩體。前四句不對，平仄也不很黏綴，是古詩形式。後四句忽然變成律詩。這種詩體，在盛唐時期，還是常見的，正是律詩尚未定型的時期的作品，並不是作者的特點。『氣勢雄大』，成爲『千秋絕唱』，其實與詩體無關。這首詩之所以好，止是流利自然，主題思想表現得明白，沒有矯作的痕跡。在唐詩中，它不是深刻的作品，但容易爲大衆所欣賞，因而成爲名作。

李白的詩，絕大多數也是這樣的風格，所以他登上黃鶴樓，看到壁上詩牌上崔顥這首詩，感到自己不易超過，就不敢動筆。但是他還寫了一首《鸚鵡洲》，其實可以說是《黃鶴樓》的改名，卻寫得不好，後世也沒有人注意。大概他自己也有些喪氣，心中不平，跑到南京，遊鳳凰臺，再刻意做了一首，才夠得上和崔顥競賽的資格。

鳳凰臺在南京西南鳳凰山上。據說劉宋元嘉年間曾有鳳凰棲止在山上，後來就以鳳凰爲山名。李白在唐明皇宮中侍候了一陣皇帝和貴妃，被高力士、楊國忠等人說了許多背話，皇帝對他開始有點冷淡。他就自己告退，到齊、魯、吳、越去旅遊。在一個月夜，和友人崔宗之同上鳳凰臺。最初的感想和崔顥一樣：曾經有過鳳凰的臺，現在已不見鳳凰，止剩一座空臺，臺下的江流還在滔滔東流。第二聯的感想是崔顥所沒有的，他想起：金陵是東吳、東晉兩朝的國都，如今吳大帝宮中的花草早已埋在荒山上小路邊，晉朝的那些衣冠人物也都成爲累累古墓了。『花草』是妃嬪、美人的代詞，『衣冠』是貴族人物的代詞。這一聯使這首詩有了懷古的意味，如果順著這一思路寫下去，勢必成爲一首懷古詩了。幸而作者立即掉轉頭來，看著眼前風景：城北長江邊的三山，被雲霧遮掩了一半；從句容來的一道水，被白鷺洲中分爲二，一支流繞城外，一支流入城內，就成爲秦淮河。不說山被雲遮了半截，而說是半個山落在天外。一則是爲了要和下句『白鷺』作對，二則是埋伏一個『雲』字，留待下文點明。『二水中分白鷺洲』，其實是白鷺洲把一水中分爲二，經過藝術處理，鍛鍊成這樣一聯。這一聯相當於崔顥的『晴川、春草』一聯。最後一聯結尾，就和崔顥不同了。李白說：總是由於浮雲遮掩了太陽，所以無法望到長安，眞叫人好不愁惱。

崔顥因『日暮』而望不到『鄉關』，他的愁是旅客遊子的鄉愁。李白因『浮雲蔽日』而望不到長安，他的愁屬於那一類型？這裏就需要先明白『浮雲』、『太陽』和『長安』的關係，以及它們在文學上的比喻意義。古詩有『浮雲蔽白日，遊子不顧返』二句，這是『浮雲蔽日』被詩人用作比喻的開始。陸賈《新語》有一句『邪臣之蔽賢，猶浮雲之蔽日月』。這是把浮雲比爲奸邪之臣，把日月比爲賢能之臣。此外，太陽又是帝王的象徵。《書經》裏就有『時日曷喪，予及汝偕亡』，就是人民把太陽來代表君王的。因此，『浮雲蔽日』有時也用以比喻奸臣蒙蔽皇帝。《世說新語》裏記了一個故事：晉明帝司馬紹小時，他父親元帝司馬睿問他『是長安近呢，還是太陽近？』這位皇太子回說：『太陽近。』皇帝問是什麼理由。他說：『現在我擡眼止見太陽，不見長安。』原來他的所謂太陽，指的是皇帝，他的父親。從這個故事開始，『日』與『長安』又發生了關係。李白這兩句詩，是以這些傳統比喻爲基礎的。『浮雲蔽日』是指高力士、楊國忠等人蒙蔽明皇。『長安不見』是用以表示自己不能留在皇城。這樣講明白了，我們就可知李白的愁是放臣逐客的愁，是屈原式的政治性的愁。

這兩首詩，在文學批評家中間引起了優劣論。嚴羽認爲：『唐人七言律詩，當以崔顥《黃鶴樓》爲第一。』（《滄浪詩話》）劉克莊說：『今觀二詩，眞敵手棋也。』（《後村詩話》）方回說：『太白此詩，與崔顥《黃鶴樓》相似，格律氣勢，未易甲乙。』（《瀛奎律髓》）這是宋元人的意見。顧璘評《黃鶴樓》詩曰：『一氣渾成，太白所以見屈。』（《唐音》）王世懋以爲李白不及崔顥。他的理由是：二詩雖然同用『使人愁』，但崔顥用得恰當，李白用得不恰當。因爲崔顥本來不愁，看到江上煙波，才感到鄉愁。這個『使』字是起作用的。李白是失寵之臣，肚子裏早已裝滿愁緒，並非因登鳳凰臺才開始感到愁，他這個『使』字是用得不符合思想情緒的現實的。（見《藝圃擷餘》）徐獻忠評曰：『崔顥風格奇俊，大有佳篇。太白雖極推《黃鶴樓》，未足列於上駟。』（《唐音癸籤》引）這都是明代人的意見。吳昌祺批李白詩道：『起句失利，豈能比肩《黃鶴》。後村以爲崔顥敵手，愚哉。一結自佳，後人毀譽，皆多事也。』（《刪訂唐詩解》）這意思是說李詩起句不及崔詩，故沒有與崔詩『比肩』的資格。但又暗暗地針對王世懋說，結句是好。金聖嘆對李白此詩，大肆冷嘲。他說：『然則先生當日，定宜割愛，竟讓崔家獨步。何必如後世細瑣文人，必欲沾沾不捨，而甘於出此哉。』這是乾脆說李白當時應該藏拙，不必作此詩出醜。沈德潛評崔詩云：『意得像先，神行語外。縱筆寫去，遂擅千古之奇。』（《唐詩別裁》）這一評語是恭維得很高的。他又評李白詩云：『從心所造，偶然相似。必謂摹仿司勛，恐屬未然。』這是爲李白辯解，說他不是摹仿崔顥，而是偶然相似。以上是清代人的意見。此外肯定還有許多評論，不想再費時間去收集了。

大概《黃鶴樓》勝於《鳳凰臺》，這是衆口一辭的定評。《鳳凰臺》能否媲美《黃鶴樓》，這是議論有出入的。到金聖嘆，就把《鳳凰臺》一筆批倒了。現在我們把這兩首詩放在一起作出評比。我以爲，崔詩開頭四句，實在是重複的。這四句的意境，李白止用兩句就說盡了。這是李勝崔的地方。可是金聖嘆《選批唐才子詩》卻說：

> 人傳此詩是擬《黃鶴樓》詩。設使果然，便是出手早低一格。蓋崔第一句是去，第二句是空，……今先生豈欲避其形跡，乃將『去』、『空』縮入一句。既是兩句縮入一句，勢必句上別添閒

句。因而起云：『鳳凰臺上鳳凰遊』，此於詩家賦、比、興三者，竟屬何體哉？

吳昌祺也跟著說：『起句失利，豈能比肩《黃鶴》？』可見他們都認爲李白此詩起句疲弱，不及崔作之有氣勢。其實他們是以兩句比兩句，當然得出這樣的結論。不知崔作第三、四句的內容，李詩已概括在第一、二句中，而李詩的第三、四句，已轉深一層，從歷史的陳跡上去興起感慨了。方虛谷說：『此詩以《鳳凰臺》爲名，而詠鳳凰臺不過起語兩句，已盡之矣。』方氏此說有可取處，不過他沒有說得透徹。他肯定李詩止用兩句便說盡崔詩四句的內容，故第一句並不是金聖嘆所說的閒句。詩家用賦比興各種表現手法，不能從每一句中去找。李詩前四句是賦體，本來很清楚。『鳳凰臺上鳳凰遊』雖然是一句，還止有半個概念，聖嘆要問它屬於何體，簡直可笑。請問《詩經》第一篇第一句『關關雎鳩』屬於何體，恐怕聖嘆也答不上來。方虛谷的評語是指出李白用兩句概括了鳳凰臺的歷史和現狀，而崔顥卻用了四句。但是他把話說錯了，使人得到一個印象，彷彿下面六句就與鳳凰臺無關了。一個『不過』，一個『已盡』，都是語病。這個語病，又反映出另外一個問題，這裏順便講一講。

詩人作詩，一般都是先有主題思想。主題思想往往是偶然獲得的，可以說是一剎那間湧現的『靈感』。這個主題思想經過仔細組織，用適當的形象和辭藻寫成爲詩，然後給它安上一個題目。題目可以說明作品的主題，例如《白雪歌送武判官歸京》；也可以不透露主題，例如《登金陵鳳凰臺》；更簡單些，例如《黃鶴樓》。不透露主題的詩題，對詩的內容沒有約束。在『黃鶴樓』這樣的詩題下，可以用賦的手法描寫黃鶴樓；也可以用比興的手法借黃鶴樓來感今、懷古、抒情或敘事。方虛谷說李白用起語兩句詠盡了鳳凰臺，這是他把這首詩看成詠物詩似的，兩句旣已詠盡，以下六句豈非多餘。崔顥的四句，李白的兩句，都止是全詩的起句，還沒有接觸到主題。句『盡』或『不盡』，都沒有關係，甚至『詠』或『不詠』，也沒有關係。作者，尤其是讀者，都不該拘泥於詩題。蘇東坡說過：『賦詩必此詩，定非知詩人。』（《書鄢陵王主簿所畫折枝》）就是對這種情況而言。例如做一首詠梅花的詩，如果每句都寫梅花，絕不說到別處去，這就可知作者不是一位詩人。所以我說，李白以兩句概括了鳳凰臺，在藝術手法上是比崔顥簡練，但不能說是詠盡了鳳凰臺。

崔顥詩一起就是四句，佔了律詩的一半，餘意便不免局促，止好以『晴川春草』兩句過渡到下文的感慨。李詩則平列兩聯，上聯言吳晉故國的人物已成往事，下聯則言當前風景依然是三山二水，從這一對照中，流露了撫今悼古之情，而且也恰好闡發了起句的意境。

最後二句，二詩同以感慨結束，且同用『使人愁』。二人之愁緒不同，我們已分析過。崔顥是爲一身一己的歸宿而愁，李白是爲奸臣當道，賢者不得見用而愁。可見崔顥登樓望遠之際，情緒遠不如李白之積極。再說，這兩句與上文的聯繫，也是崔不如李。試問『晴川歷歷，春草萋萋』與『鄉關何處是』有何交代？這裡的思想過程，好像缺了一節。李白詩的『三山二水』兩句，旣承上，又啓下，作用何等微妙！如果講作眼前風景依然，這是承上的講法；如果講作山被雲遮，水爲洲分，那就是啓下的講法。從雲遮山而想到雲遮日，更引起長安不見之愁，思想過程，豈非表達得很合邏輯？而上下聯的關係，也顯得很密切了。蕭士贇注曰：『此詩因懷古而動懷君之思乎？抑亦自傷讒廢，望帝鄉而不見，乃觸景而生愁乎？太白之意，亦可哀也。』這解釋也完全中肯。因懷古而動懷君之思，『三山二水』兩句實在是很重要的轉折關鍵。

由此，我們可以做出結論：李白此詩，從思想內容、章法、句法來看，是勝過崔顥的。然而李白有摹仿崔詩的痕跡，也無可諱言。這決不是像沈德潛所說的『偶然相似』，我們止能評之爲『青出於藍』。方虛谷以爲這兩首詩『未易甲乙』，劉後村以李詩爲崔詩的『敵手』，都不失爲持平之論。金聖嘆、吳昌祺不從全詩看，止拈取起句以定高下，從而過分貶低了李白，這就未免有些偏見。

一九七八年六月八日

29 李白：古風三首

古風第十四

胡關饒風沙，蕭索竟終古。
木落秋草黃，登高望戎虜。
荒城空大漠，邊邑無遺堵。
白骨橫千霜，嵯峨蔽榛莽。
借問誰凌虐，天驕毒威武。
赫怒我聖皇，勞師事鼙鼓。
陽和變殺氣，發卒騷中土。
三十六萬人，哀哀淚如雨。
且悲就行役，安得營農圃。
不見征戍兒，豈知關山苦。

李牧今不在，邊人飼豺虎。

從王維以下，我們已選講了十多位盛唐詩人的各體詩。這些詩人及其作品，都是有代表性的。但是他們合起來，還不能代表這個時期的唐詩。沒有李白和杜甫，盛唐詩和初唐詩還沒有顯著的區別。李白和杜甫之所以成爲偉大的詩人、盛唐詩風格的創造者，並不是他們遺留給我們的詩多至千餘首，而是由於他們的詩在思想內容及藝術表現方法上都有獨特的創造，在過去許多詩人的基礎上開闢了新的道路、新的境界。在天寶至大曆這二十年間，他們的詩是新詩。李白才氣奔放，提起筆來就用各種形象思維來表達他的豪邁、憂鬱、苦悶、憤慨的情緒，而以遊仙和飲酒作爲他的外衣。他不甘心於搜索枯腸，句斟字酌，因此他的詩雖然極流利，卻比較粗疏。他又不肯爲律詩所束縛，隨時都任情高唱，唱出來就是詩句。有許多句子在別人是以爲止能用在散文裏的，而他卻大膽地組織在詩裏。

杜甫和李白恰恰相反。杜甫的性格沉靜穩重，他的詩都是千錘百鍊出來的。他刻意創造傑出的句法、章法，要做到『語不驚人死不休』。他非但嚴守格律，而且還使格律有所發展。他晚年的詩作，句法變化愈多，用他自負的話說：『晚節漸於詩律細。』（《遣悶戲呈路十九曹長》）在題材方面，他比李白更廣泛、更深刻地反映了政治、社會的現象和人民的生活狀況。這兩位同時代的大詩人，從性格到創作風格，完全不相同。我們用外國文學的術語來說，李白是浪漫主義的詩人，杜甫是現實主義的詩人。

李白的詩，五言多於七言，古詩和歌行多於律詩。而他的傳誦千載的詩篇，大多是歌行。這是由於他的藝術創造，在歌行體最爲突出，易於驚動世人耳目。他的古詩，在形式上並沒有創造，表現手法比較淺顯、直露，因此不惹人注意。其實他的古詩倒是繼承了陶淵明的一脈眞傳，以古淡取勝。一般人讀古詩，往往有一種脾氣，遇到艱澀難懂的詩，儘管心裏不懂，口頭卻偏要讚賞，恭維這位詩人寫得深刻；遇到明白易曉的詩，便有點不屑一顧，以爲作者幼稚。再加上青年人大多喜歡辭藻濃麗的詩，不喜歡清淡樸素的詩。因此，從陶淵明到李白這一派五言古體詩，非中年以上的人不能欣賞。

現在選講三首李白的《古風》。這個『風』字是『風雅頌』的『風』，用以代表一種反映人民思想和生活的詩。李白寫了五十九首五言古詩，總稱之爲《古風》，古體的風詩。他的第一首詩就有自敍的意味，大意說：《大雅》一類的詩，久已沒有人作了。《國風》一類的詩，也因爲戰國亂世，幾乎埋沒在荒煙蔓草之中。到了秦代，詩人止有哀怨之歌，而沒有中正和平的詩。漢朝則揚雄、司馬相如等人創作了許多淫靡的賦，使文風佚蕩。魏晉以後，詩體日益綺麗，更不足珍貴。到我們大唐，古道復興，政治文教以淸眞爲貴，出了許多詩人才子，各有新的作品，像秋空中萬點明星。我也有志於此，想用詩歌來垂名於千秋。這篇敍詩，可以說是他對『古風』的解釋。

《古風》五十九首是陳子昂、張九齡《感遇》詩以後的又一組漢魏古體詩，其內容也有詠史、詠懷、感事等各方面。但是李白喜歡以餐霞煉丹、修眞入道這一類道家思想和辭藻組織在詩裏，因此他有些詩又很像晉代郭璞的《遊仙》詩。他又經常喜歡歌詠飲酒，這些詩又很像陶淵明的《飲酒》詩。

讀李白的詩，必須了解遊仙與飲酒是他的藝術外衣，切不可認爲是他的主題思想。清代陳沆在他的《詩比興箋》中有一段論李白詩的話：

詩有必箋而後明者，嗣宗《詠懷》、子昂《感遇》是也。有必選之而始善者，太白《古風》是也。夫才役乎情者，其色耀而不浮；氣帥乎志者，其聲肆而不蕩。不浮，故感得深焉；不蕩，故趣得永焉。世誦李詩，唯取邁逸，才耀則情竭，氣慓則志流。指事淺而易窺，攄臆徑以傷盡。致使性情之比興，盡掩於遊仙之陳詞。實末學之少別裁，非獨武庫之有利鈍也。

這是對《古風》五十九首說的，我以爲也適用於李白的全部詩作。陳沆以爲李白的《古風》不浮不蕩，有深刻的感情，無窮的意趣。而一般人讀李白詩，卻喜愛他那些豪雄放逸的作品，殊不知這些作品，雖然才氣焜耀，可是感情和思想都比較膚淺，而且沒有含蓄，反而使比興的意義，都被遊仙的陳詞濫調所掩蓋了。這不單是由於李白的武器（詩作）本身有好壞，也由於讀者沒有鑒別能力。

陳沆這一段話，我以爲評論得極爲深刻。他說李白的詩『必選之而始善』，我也完全同意。李白的詩如長江大河，一瀉千里，但是挾泥沙以俱下。我們決不要以泥沙來代表李白。

現在我選了三首《古風》，都是比較平正，接近陳子昂的風格。第十四首也是以邊塞爲題材，更可以和其他詩人的作品參讀。這首詩開頭八句概括了新近被胡人入侵，遭到破壞後的邊城景狀。詩意說：那地方從古以來都是遍地風沙，景色蕭條。每到秋天，樹葉脫落以後，登高一望，就見得到戎虜囂張。大沙漠中我方所有的碉堡戍所，都已空空無人，連完整的牆也不留一堵。草莽之中，到處都是古來戰死兵士的殘骸。接下去四句是一個轉折點。是誰在我們邊疆上大肆暴虐呢？這是用發問句法。下面一句就是答語：是那些耀武揚威的匈奴人幹下的勾當。匈奴人自以爲是『天之驕子』（天帝所寵愛的兒子，見於《漢書·匈奴傳》）。後來，文學上即以『天驕』代表匈奴，或其他強悍的少數民族。王維《觀獵》詩云『居延城外獵天驕』，是同樣用法。『毒』是一個動詞，『毒威武』的意思就是『大大的炫耀了他們的威武』。這兩句，在詩的修辭上稱爲問答格。上句問，下句答。陶淵明詩：『問君何能爾，心遠地自偏。』（《飲酒》之五）也就是用了問答句的格式。『我聖皇』是指玄宗皇帝，他聞報胡人入侵，勃然大怒，立即派遣軍隊去征討。李白對這次戰爭是持反對態度的，所以他用一個『勞』字表明了他的立場。以下六句，就描寫皇帝驅使人民出關作戰的情況。『陽和』是春天的氣象，現在卻一下子變爲殺氣，因爲征兵騷動了全國。征募到三十六萬兵士，人人都淚下如雨，不得不茹苦含悲去服兵役，還怎麼能顧得到經營自己的田園呢？最後四句是詩的結束，說明了主題思想：如果不看見這些從軍青年的苦況，豈能知道邊疆生活的艱難？由於今天沒有李牧那樣能保衛國防的名將，以致邊塞上的人民被豺虎般的胡人所傷害。這四句詩應當和陳子昂的《感遇》詩第三首的結尾四句參看，同時也可以體會到它們就是王昌齡的『但使龍城飛將在，不教胡馬度陰山』。

古風第二十四

大車揚飛塵，亭午暗阡陌。

中貴多黃金，連雲開甲宅。
路逢鬬雞者，冠蓋何輝赫。
鼻息干虹霓，行人皆怵惕。
世無洗耳翁，誰知堯與跖。

這是一首諷喩時事的詩。前四句先描寫一下富有多金的『中貴』，即權勢烜赫的宦官。他們所住的都是甲級大宅院。『連雲』是形容房屋高聳入雲。他們出來的時候，大車成長列，塵土飛揚，雖在正午，也使道路陰暗。『阡陌』是道路的代詞，不必講做『田間小路』。宦官是在皇宮裏服侍皇帝和后妃的人，他們本來沒有政治地位，爲什麼會變得如此闊氣呢？因爲他們會迎合皇帝的愛好。玄宗皇帝有一個時候，喜歡鬥雞。宦官們就向民間去搜索能鬥的雞，以此得到皇帝的賞賜。以下四句，就說：路上碰到鬥雞的人，他們都是冠帶巍峨，氣派非常顯赫，鼻孔裏出氣也上沖虹霓。路上行人遇到他們，都戰戰兢兢，非常害怕。唐人小說中有一篇陳鴻作的《東城父老傳》，記載了一個宦官賈昌，因爲能鬥雞，玄宗任命他爲『五百小兒』的首領。『五百小兒』是宮中訓練的五百名鬥雞隊員。賈昌聲勢顯赫，玄宗天天賞賜他金帛，當時人民稱他爲『神雞童』。李白這首詩，就是爲賈昌這類人物寫的。最後二句說：現在沒有像許由那樣高尚的人，誰知道當今皇帝像堯一樣好呢，還是像跖一樣壞。古史相傳，許由是堯帝時的人。堯要把帝位傳給許由，許由聽了，趕緊到河邊去洗耳朵，表示不要聽這些污穢的話。唐堯總算是個好皇帝了，可是許由還不以爲好。今天沒有許由這樣的人物，皇帝的好壞更沒有人知道了。

徐禎卿說：『此篇譏時貴也。』（郭雲鵬重刊《李太白文集》引）我看此詩的諷刺對象還不是『時貴』，而是直接指向玄宗皇帝李隆基的。李隆基在位四十三年，他的政治設施，有好的一面，也有壞的一面。李白從他的荒淫腐敗的行爲，看穿了他殘虐人民的盜跖面目，因此有這兩句詩。《古風》第四十六首有句曰：『鬥雞金宮裏，蹴踘瑤池邊。』也是諷刺玄宗鬥雞踢球的生活的。

古風第五十六

越客採明珠，提攜出南隅。
清輝照海月，美價傾皇都。
獻君君按劍，懷寶空長吁。
魚目復相哂，寸心增煩紆。

這首詩的大意是說：南越商人採得了明珠，像海天明月一樣光輝。販珠商人從南方把明珠帶到京都，價值之高轟動都城。可是當他把這顆明珠獻給皇帝的時候，皇帝卻按劍而有怒色，以爲它是假貨。販珠人看到皇帝不識寶物，止好懷珠長嘆。而這時候，那些冒充明珠的魚目珠，卻紛紛來譏笑他，使他愈感到心中憤悶。

這首詩的寓意很明顯。李白自比爲南海明珠，而玄宗皇帝不能認識，因此沒有留用他。玄宗左右那些壞人，如李林甫、楊國忠之流，都是冒充珍珠的魚目，卻對他譏笑不已。這首詩顯然是李白被放出長安以後所作。《古風》第三十六首以卞和向楚王獻玉爲比喻，與此詩同一個主題，可以參看。

以上選講了三首李白的《古風》，都是陳沆所謂『指事淺而易窺』的作品。既不披遊仙的外衣，也不作曲折隱約的比喻，它們易於爲一般讀者所欣賞，這是李白詩的大衆化傾向。但正因爲如此，對於一些文學修養較深的人，他的詩又常常被認爲淺俗。元稹曾經對李、杜二人的詩作過比較，他以爲李白的『壯浪縱恣，擺去拘束，模寫物象及樂府歌詩』可以比得上杜甫，但在『屬對律切，而脫棄凡近』這方面，則李白遠不如杜甫（見《工部員外郎杜甫墓系銘》）。『屬對律切』，是指律詩的對偶功夫。李白作律詩不多，他似乎不屑費工夫去做對句，這一點確是不如杜甫，至於說杜甫能『脫棄凡近』，分明是說李白的詩淺俗了。蘇軾也說：『李白詩飄逸絕塵，而傷於易。』（《東坡題跋·書學太白詩》）這個『易』字，也是平凡淺顯之意。歷代以來，有許多人作過李杜比較論。有人揚李而抑杜，有人尊杜而貶李。種種議論，儘管從各種不同的觀點出發，但本質卻反映了一個詩歌要不要大衆化的問題。我們今天研究、學習或欣賞李白的詩，在參看各方面評論的時候，必須體會到這一意義。

一九七八年六月二十八日

30 李白：蜀道難

噫吁戲！危乎高哉！
蜀道之難，難於上青天。（韻一）
蠶叢及魚鳧，開國何茫然。
爾來四萬八千歲，不與秦塞通人煙。
西當太白有鳥道，可以橫絕峨眉巔。
地崩山摧壯士死，然後天梯石棧相鉤連。
上有六龍回日之高標，
下有衝波逆折之回川。（韻二）
黃鶴之飛，尚不得過，猿猱欲度愁攀緣。
青泥何盤盤，百步九折縈巖巒。

捫參歷井仰脅息，以手拊膺坐長嘆。
問君西遊何時還，
畏途巉巖不可攀。
但見悲鳥號古木，雄飛雌從繞林間。
又聞子規啼，夜月愁空山。
蜀道之難，難於上青天，
使人聽此凋朱顏。

連峰去天不盈尺，（韻三）
枯松倒挂倚絕壁。
飛湍瀑流爭喧豗，（韻四）
砯崖轉石萬壑雷。
其險也若此，嗟爾遠道之人胡爲乎來哉？
劍閣崢嶸而崔嵬，
一夫當關，萬夫莫開。
所守或匪親，化爲狼與豺。

朝避猛虎，夕避長蛇，（韻五）
磨牙吮血，殺人如麻，
錦城雖云樂，不如早還家。
蜀道之難，難於上青天，側身西望長咨嗟。

李白的作品，以樂府和歌行最爲著名，他的豪邁狂放的風格，在這些作品中表現得特別淋漓痛快。樂府和歌行，在詩的形式上，原無分別，如果以樂府曲調爲題目，就屬於樂府詩，如果自己製造題目，不譜入任何曲調，就屬於歌行體詩。『蜀道難』是魏晉時代早就有的歌曲，它屬於相和歌辭中的瑟調曲。這個歌曲的內容就是歌詠蜀道的艱難，行旅之辛苦。李白此詩，以《蜀道難》爲題，所描寫也是蜀道的艱險，所以它屬於樂府詩。

李白此詩極力渲染『蜀道之難，難於上青天』。他爲什麼忽然想到這個題材，爲什麼做這首詩，對於這一疑問，歷來就有好幾種解說。

唐人王定保的《摭言》首先記錄了這首詩的故事。李白初到長安，去拜訪賀知章。賀知章是玄宗皇帝器重的詩人，他讀了李白這首詩，十分讚賞，誇奬李白有『謫仙之才』。接著，孟棨所著《本事詩》也說：李白從蜀郡到京師，住在旅館裏。賀知章聞其名，首先去拜訪他。看到他的狀貌姿態，大以爲奇。又請他拿出著作來看，李白就把《蜀道難》取出來請教。賀知章讀後，讚不絕口，稱他爲

『謫仙』。這兩段都是晚唐人的記錄，大同小異，可知當時人以爲李白作此詩是描寫他從蜀郡出來漫遊時的行旅艱苦，又可知李白作此詩的時候相當早。李白到長安，在開元、天寶年間，此詩大約作於開元末年。

《新唐書·嚴武傳》說：嚴武在蜀中，任劍南節度使兼成都尹，驕恣放肆。其時房琯在他部下任刺史。房琯做宰相時，曾推薦嚴武。後來房琯因得罪降官，做了嚴武的下屬，可是嚴武對他卻極爲倨傲。其時杜甫在嚴武幕府中，任節度參謀，因爲誤犯了嚴武的父親挺之的諱字，嚴武幾乎要殺他。李白得知此事，遂作《蜀道難》，爲房、杜二人耽憂。《新唐書》這一段記載是從唐人范攄所著《雲溪友議》中採錄的，可知唐代人對《蜀道難》的寫作背景，還有這樣一種說法。宋祁、歐陽修把這個故事寫入了官方正史，就肯定了它的正確性。但嚴武任劍南節度使，是在肅宗末年。請杜甫任節度參謀，是在肅宗的最後一年，即寶應元年（公元七六二年）。這年的十一月，李白便故世了。當時李白遠在江東，似乎來不及知道房琯、杜甫在嚴武部下的情況。而且從杜甫寫贈嚴武的詩來看，他們二人間的關係未必壞到如此。因此，如果說《蜀道難》是爲房琯、杜甫二人的安危而作，在時間與史實上都有矛盾。

李白詩集有元人蕭士贇的箋注本，他對《蜀道難》提出了新的解釋。他以爲這首詩是作於安祿山叛軍攻佔長安，明皇倉皇幸蜀的時候，即天寶十五載（公元七五六年）六、七月間。當時李白在江南，聽到這個消息，以爲皇上幸蜀不是上策，『欲言則不在其位，不言則愛君憂國之情，不能自已，故作此詩以達意』。

明代的胡震亨，在其《唐音癸籤》中，也談到過這首詩。他以爲上文所引三家的解說都是『傅會不足據』。他認爲『《蜀道難》自是古曲，梁陳作者，止言其險，而不及其他。李白此詩，兼採張載《劍閣銘》「一人荷戟，萬夫趦趄，形勝之地，匪親弗居」等語用之，爲恃險割據與羈留佐逆者著戒。惟其海說事理，故包括大，而有合樂府諷世立教本旨。若但取一人一事實之，反失之細而不足味矣』。

以上是歷代詩評家對《蜀道難》主題思想的探討。把這些意見和原詩參研之下，蕭士贇的講法似乎最合情理，而且使這首詩含有高度的比興意義。由此，明清兩代講唐詩的人，大多採用他的講法，例如唐汝詢、陳沆、沈德潛等，都肯定《蜀道難》是爲明皇幸蜀而作，分析得很詳細。

但是，有一件事，他們都沒有注意。丹陽進士殷璠編選的《河嶽英靈集》，選錄了與他同時代的二十四位詩人的作品，共二百三十四首。他在自序中說明這些詩起於甲寅，即開元二年（公元七一四年）；終於癸巳，即天寶十三載。他選了李白的詩十三首，其中就有《蜀道難》。這是一個無可推翻的證據，證明《蜀道難》作於安史之亂之前。那麼，它顯然不是諷諭明皇幸蜀的詩了。如果《摭言》、《本事詩》的記載可信，則此詩的創作年代還可以提早到開元末年。爲此，我們不取以上那些講法，而把此詩定爲李白贈入蜀友人的詩。

初唐以來，樂府歌行的形式，一般都是七言古體詩，但李白卻創造了新的形式。他善於把三言、四言、五言、七言各種句法混合運用，成爲一種不同於魏晉的新型的雜言體。甚至，他有時還大膽地在詩裏運用散文句法。這是遠遠地繼承著楚辭和漢代樂府歌辭的傳統，而加以推陳出新的。就像這首《蜀道難》，七言句不到一半，其餘大半是不拘一格的雜言句。讀他的詩，要跟著作者的豪放的感情和參差的句法，一氣貫注，而以它的韻脚爲段落。長篇的詩，不論歌行或排律，換韻的地方一般總是思想內容分段的地方。讀詩的人應當懂得這個竅門。這一點，我在上文已經談到過，現在再提一提。這首詩，我就用依韻分段，以一韻爲一句的方法來寫定。

第一段以『天』字起韻，連押五韻。『噫吁戲！危乎高哉！蜀道之難，難於上青天』，雖然分二行寫，實在止是一句。全詩一開頭就用三字驚嘆詞『噫吁戲』。屈原用過『已矣哉！』漢樂府歌辭有『妃呼豨』、『伊那何』，都是三字驚嘆詞。此後也許在民間歌曲裏一向存在著，但在魏、晉、南北朝詩人的作品中卻不再出現。不過『噫吁戲』是『噫』字下再加一個『吁戲』。所以不能說是三字驚嘆詞，應當標點作『噫！吁戲！』『吁戲』就是『於戲』，而『於戲』是『嗚呼』的古代寫法。《宋景文筆記》云：『蜀人見物驚異，輒曰噫嘻。李太白作《蜀道難》，因用之。』可知『噫吁戲』是『噫嘻』的衍聲詞。胡元任又引蘇東坡的文章來作證。東坡《後赤壁賦》云：『嗚呼噫嘻，我知之矣。』又《洞庭春色賦》云：『嗚呼噫嘻，我言夸矣。』也就是李白的『噫吁戲』。李白把『噫嘻』衍爲三字，蘇東坡更衍爲四字，都用了蜀郡方言。

詩的創作方法，完全用賦體。全詩都是誇張地描繪蜀道的危險，行旅的艱苦。第一句先提綱總述：由於山路既高且危，所以蜀道之難比上登青天還難。以下四句，從蜀國古代史講起。據揚雄所作

《蜀王本紀》：上古時蜀國之王有蠶叢、柏灌、魚凫、蒲澤、開明等，其時人民椎髻嚨言，沒有文化。從蠶叢到開明，共三萬四千年。李白節取了兩位蜀王的名字，說蜀國的開國史多麼悠遠。『茫然』是悠久不可知的意思，和現在的用法稍有不同。揚雄說蜀國古史三萬四千年，已經是誇大了；李白又加上一萬四千年，說是四萬八千年以來，一直沒有和三秦人行旅往來。太白山，或稱太乙峰，是秦嶺的主峰，峨眉是蜀中大山。這兩句說：從太白到峨眉，止有一條狹窄而危險的小路。因此，秦蜀之間一向無人來往。

《蜀王本紀》又記載了一個關於蜀道的神話。據說秦惠王的時候，蜀王部下有五個大力士，稱爲『五丁力士』。他們力能移山。秦惠王送給蜀王五個美女，蜀王就命五丁力士移山開路，迎娶美女。有一天，看見有一條大蛇進入山洞，五丁力士一齊去拉蛇。忽然山嶺崩塌，壓死了五丁力士。秦國的五個美女都奔上山去，化爲石人。這個神話，反映著古代有許多勞動人民，鑿山開路，犧牲了不少人，終於打開了秦蜀通道。李白運用這個神話的母題①，寫了第五韻二句。『地崩山摧壯士死』，也可以說是指五丁力士，也可以說是指成千累萬爲開山闢路而犧牲的勞動人民。他們死了，然後從秦入蜀才有山路和棧道連接起來。第一段詩到此爲止，用四韻八句叙述了蜀道的起源。

第二段共用九個韻，描寫天梯石棧的蜀道。『六龍回日』也是一個神話故事，據說太陽之神羲和

---

①母題，是英語Motif的譯名。用在文學上，即是主題。用在民俗學上，指神話、傳說的本意。

駕著六條龍每天早晨從扶桑西馳，直到若木。左思《蜀都賦》有兩句描寫蜀中的高山：「羲和假道於峻坂，陽烏迴翼乎高標。』羲和和陽烏都是太陽的代詞。文意是說：太陽也得向高山借路。而最高的山還使太陽回飛避開。『上有六龍回日之高標』，這一句就是說：上面有連太陽都過不去的高峰。『高標』是高舉、高聳之意，但作名詞用，因而可以解作高峰。蕭士贇注引《圖經》云：高標是山名。這是後代人誤讀李白詩，或有意附會，硬把一座山名爲高標。原詩以『高標』和『回川』對舉，可知決不是專名。

這兩句詩有一個不同的文本。《河嶽英靈集》、《極玄集》這兩個唐人的選本、敦煌石室中發現的唐人寫本，還有北宋初的《唐文粹》，這兩句卻不是『上有六龍回日之高標，下有衝波逆折之回川』，而是『上有橫河斷海之浮雲，下有逆折衝波之流川』。從對偶來看，後者較爲工整，若論句子的氣魄，則前者更爲壯健。可能後者是當時流傳的初稿，而前者是作者的最後改定本。故當時的選本作『橫河斷海』，而李陽冰編定的集本作『六龍回日』。現在我們根據集本抄錄。

以下一大段又形容蜀山之高且險。黃鶴都飛不過，猿猴也怕攀緣之苦。青泥嶺，在陝西略陽縣，是由秦入蜀的必經之路。這條山路百步九曲，在山巖上紆回盤繞，行旅極爲艱苦。參和井都是二十八宿之一。蜀地屬於參宿的分野，秦地屬於井宿的分野。在高險的山路上，從秦入蜀，就好似仰面朝天，屏住呼吸，摸著星辰前進。在這樣艱難困苦的旅程中，行人都手按著胸膛，爲此而長嘆。這個『坐』字，不是坐立的坐，應該講作『因此』。

以上是第二段的前半，四韻八句，一氣貫注，渲染了蜀道之難。下面忽然接一句『問君西遊何時還』，這就透露了贈行的主題。作者不像作一般送行詩那樣，講些臨別的話，而在描寫蜀道艱難中間，插入一句『你什麼時候才能回來呀？』由此反映了來去都不容易。這一句本身也成爲蜀道難的描寫部分了。

『畏途巉巖』以下四韻七句，仍然緊接著上文四韻寫下去，不過改變了描寫的對象。現在不寫山高路險，而寫山中的禽鳥了。詩人說：這許多不可攀登的崢嶸的山巖，眞是旅人怕走的道路（畏途）。在這一路上，你能見到的止是古樹上悲鳴的鳥，雌的跟著雄的在幽林中飛繞。還有蜀地著名的子規鳥，常在月下悲鳴。據說古代有一個蜀王，名叫杜宇，號爲望帝。他因亡國而死，死後化爲子規鳥，每天夜裏在山中悲鳴，好像哭泣一樣。這一句詩的讀法，一向有不同的意見。近年來出版的選注本，都斷句爲『又聞子規啼夜月，愁空山』。成爲七字一句，三字一句。我以爲這樣讀法是錯的，應該是兩個五字句。古書沒有標點，也不斷句，很難知道古人把這句詩如何讀法。但吳昌祺的《刪訂唐詩解》、錢良擇的《唐音審體》，都是淸初刻本，都是圈斷了句子的。他們把這一句定爲『又聞子規啼，夜月愁空山』。我以爲這樣斷句較爲適當。它是兩個五言句，不是七、三句法。理由是：『愁空山』三字不成句。歌行中的三字句，常常是兩句連用，很少單獨用的。這在李白詩中可以找到不少例證。止因爲『子規啼月』、『蟪蛄啼月』在唐詩中往往可見，所以許多人不敢把『夜月』二字和『啼』字分開，於是讀成了上七下三的句法。至於『夜月愁空山』這一句的意思是：在空山之中，明月之下，使行人爲之憂愁。李白有一首《聞王昌齡左遷龍標遙有此寄》的絕句也用同樣的意境：

楊花落盡子規啼，聞道龍標過五溪。

我寄愁心與明月，隨風直過夜郎西。

以這首詩的第一句和第三句爲證據，可知李白寫的是兩個五言句，而不是上七下三的句法。作《而庵說唐詩》的徐增把此句十字連爲一句讀，而解釋道：『又聞子規啼夜月愁空山，並無有人跡。空山古木間，日之所見者，但是悲鳥雌雄成群而飛；夜之所聞，但是子規月下啼血最苦。』歷來講唐詩者，這段講解最爲突出。他躲躲閃閃地講了一通，我們竟看不出他怎樣分析這個十字句法。

以下還有一韻二句，是第二段的結束語。先重複一句『蜀道之難難於上青天』，接著說：使人聽了這些情況，會驚駭得變了臉色。『凋朱顏』在這裏止能講作因驚駭而『色變』的意思，雖然在別處應當講作『衰老』。

第二段以下，韻法與章法似乎有點參差。現在我依韻法來寫，分爲三段。但如果從思想內容的結構來看，實在止能說是兩段。從『連峰去天不盈尺』到『胡爲乎來哉』是一段，即全詩的第三段。從『劍閣崢嶸而崔嵬』到末句是又一段，即全詩的第四段，第三段前四句仍是描寫蜀道山水之險，但作者分用兩個韻。『尺』、『壁』一韻，止有二句，接下去立刻就換韻，使讀者到此，有氣氛短促之感。在長篇歌行中忽然插入這樣的短韻句法，一般都認爲是缺點。儘管李白才氣大，自由用韻，不受拘束，但這兩句韻既急促，思想又不成段落，在講究詩法的人看來，終不是可取的。

這一段前二句形容高山絕壁上有倒掛的枯松，下二句形容山泉奔瀑，衝擊崖石的猛勢，如萬壑雷聲。最後結束一句『其險也如此』。這個『如此』，並不單指上面二句，而是總結『上有六龍回日之高標』以下的一切描寫。在山水形勢方面的蜀道之險，到此結束。此下就又接一個問句：你這個遠路客人爲什麼到這裏來呢？這又是出人意外的句子。如果從蜀中人的立場來講，就是說：我們這地方，路不好走，你何必來呢？如果站在送行人的立場來講，就是說：如此危險的旅途，你有什麼必要到那裏去呢？

接下去轉入第四段，忽然講到蜀地的軍事形勢。『一夫當關，萬夫莫開』，易於固守，難於攻入。像這樣的地方，如果沒有親信可靠的人去鎭守，就非常危險了。這幾句詩完全用晉代張載的《劍閣銘》中四句：『一人荷戟，萬夫趦趄，形勝之地，匪親弗居。』李白描寫蜀道之難行，聯繫到蜀地形勢所具有的政治意義，事實上已越出了樂府舊題『蜀道難』的範圍。巴蜀物產富饒，對三秦的經濟供應，甚爲重要。所以王勃《送杜少府之任蜀州》詩第一句就說蜀地『城闕輔三秦』，也是指出了這一點。李白作樂府詩，雖然都用舊題，卻常常注入有現實意義的新意。這一段詩反映了初唐以來，蜀地因所守非親，屢次引起吐蕃、南蠻的入侵，導致生靈塗炭的戰爭，使三秦震動。

這一段詩，在李白是順便提到，作爲描寫蜀道難的一部分。但卻使後世讀者誤認爲全詩的主題所在。有人以爲此詩諷刺章仇兼瓊，有人以爲諷刺嚴武，有人以爲諷刺一般恃險割據的官吏，都是爲這一段詩所迷惑，而得出這些結論。但是，這幾句詩，確是破壞了全詩的統一性，寫在贈友人入蜀的詩中，實在使人有主題兩歧之感。明代的李于鱗，曾評李白的歌行詩云：『太白縱橫，往往強弩之末，間以長語，英雄欺人耳。』（《藝苑卮言》卷四引）對於這一段詩，我也認爲是『強弩之末』的『長語』（多餘的話）。

現在我們把全詩的骨幹句子集中起來：

蜀道之難，難於上青天，
問君西遊何時還？
蜀道之難，難於上青天，
嗟爾遠道之人胡爲乎來哉？
錦城雖云樂，不如早還家。
蜀道之難，難於上青天，
側身西望長咨嗟！

這就是《蜀道難》的全部思想內容。其他許多句子，儘管寫得光怪陸離，神豪氣壯，其實都是這些骨幹句子的裝飾品。讀李白這一派豪放的樂府歌行，不可爲一大堆描寫的句子所迷亂，應當先找出全詩的骨架子。這個讀法，我稱之爲剝皮抽筋法。

李白的樂府詩，其句法、章法都是直接繼承楚辭和漢樂府的。他用的都是樂府舊題，詩的內容也大多依照傳統的題意。從這三方面看，他的樂府詩，對齊梁以來的樂府詩來說，確是復古。但是，他有針對現實的主題，他的辭藻表現著充沛的時代精神，詩的形式也大膽地擺脫了一切古典的束縛。從這三方面看，他的樂府詩是新創的唐詩。他給古老的樂府詩注入了新的生命，影響了以後許多詩人，使樂府詩也成爲唐詩的一個重要傳統。

歷來對李白樂府詩的評論，我以爲胡震亨的一段話講得最好，現在抄錄在這裏，以代結語：

太白於樂府最深，古題無一弗擬。或用其本意，或翻案另出新意。合而若離，離而實合，曲盡擬古之妙。嘗謂讀太白樂府者有三難：不先明古題辭義源委，不知奪換所自。不參按白身世遭遇之概，不知其因事傳題，借題抒情之本旨。不讀盡古人書，精熟《離騷》、選賦及歷代諸家詩集，無繇得其所伐之材與巧鑄靈運之跡。今人但謂李白天才，不知其留意樂府，自有如許功力在，非草草任筆性懸合者，不可不爲拈出。（《唐音癸籤》卷九）

一九七八年七月二十日

【增記】

近日又閱唐寫本詩選殘卷，李白《蜀道難》詩寫本文句與今世傳本大有異同，有可以校正今本之誤者，亦有抄寫者的筆誤，不可信從的。惟『子規』一句，唐寫本作『又聞子規啼月愁空山』，乃是二、七句法，與上文『然後天梯石棧相勾連』句式相同。『然後』、『又聞』都是襯字，下面各帶一個七言句，我以爲這個句式比較好，它與上下句和諧，讀起來流暢。但是，這一句在《河嶽英靈集》中已作『又聞子規啼夜月愁空山』，還在敦煌寫本以前，亦不可能定爲後人刪去『夜』字。因此，李白此句原本如何，已無從考定，我止能依今本字句，讀作五言二句。

又，唐人寫本沒有『錦城雖云樂，不如早還家』二句。我也以爲較好。因爲上文沒有描寫錦城之樂，這裏就不應該忽然提到錦城之樂。這二句如果用作全詩的結語，倒也還可以，但下面明明還有一句重複的『蜀道之難，難於上青天』。全詩以這一句領起，底下兩大段，都以這一句作結束。可知李白作此詩，章法很整齊。唯有這『錦城』一句，又是多餘話中的多餘話。

一九八四年十月五日

31 李白：戰城南

去年戰，桑乾源；
今年戰，蔥河道。（韻一）
洗兵條支海上波，
放馬天山雪中草。
萬里長征戰，
三軍盡衰老。

匈奴以殺戮爲耕作，
古來唯見白骨黃沙田。（韻二）
秦家築城備胡處，①

①『備胡』諸本均作『避胡』，惟唐寫本作『備胡』，較勝，今從之。

漢家還有烽火然。

烽火然不息，

征戰無已時。（韻三）

野戰格鬬死，

敗馬號鳴向天悲。

烏鳶啄人腸，

銜飛上掛枯樹枝。

士卒塗草莽，

將軍空爾爲。

乃知兵者是凶器，

聖人不得已而用之。

『戰城南』是漢代鼓吹樂中鐃歌十八曲之一。鐃歌是一種軍樂，行軍時用短簫和鐃鈸伴唱，故又稱短簫鐃歌。漢代的『戰城南』曲辭，大意是描寫將士英勇作戰，身死陣地，自以爲對君對國，效忠盡節，可是刀筆之吏，還有非議，以致功高而賞薄，欲爲忠臣而不可得。李白此詩，也是描寫捍衛邊

李白

防的戰士。題材是繼承了舊傳統的，但主題思想卻稍有改變，針對著當時的現實情況了。《舊唐書·王忠嗣傳》說：天寶元年，王忠嗣率師北討契丹，戰於桑乾河，三戰三勝。又《李嗣業傳》說：李嗣業曾討伐勃律，打通了去葱嶺的道路。李白此詩開頭兩句，如果就指這兩次戰役，那麼可以推測此詩作於天寶二年（公元七四三年）。

條支是漢代西域一個小國，在青海邊上。這裏兩句是說唐軍在青海上洗兵器，在天山下牧馬，他們離家萬里，永遠過著戰鬥生活，人都衰老了。以上是全詩第一段，即第一韻六句，首先就說明了題目雖舊，內容卻是時事。

第二段即第二韻四句，說匈奴沒有農業生產，他們的生產勞動，就是以殺牛殺羊，乃至劫掠殺人，以代替耕作。自古以來，他們的田，不是稻田、麥田，而是白骨田、黃沙田。秦朝時在邊境上構築的城堡，到了漢朝時還經常燃燒著報告敵人入侵的烽火。這一段是簡鍊地概括一下，在我國漫長的邊境上，歷代以來都有各個種族的敵人入侵，引起了戰爭。

第三段較長，也用一個韻，十句。『烽火然不息』二句是第二、三段之間的一個連鎖：從秦漢到如今，烽火燃燒不熄，戰爭永遠沒有停止。參加野戰的兵士在格鬥中死亡，留下來的敗陣之馬在向天悲嘶，烏鳶飛下來啄食死人的腸子，銜著飛去掛在枯樹枝上。在如此劇烈的激戰中，兵士的血污染了草莽，將軍也止剩一個空名。『將軍空爾爲』這一句，在語法上是『空爾爲將軍』的倒裝。空爾即徒然，『爾』字是副詞的語尾形式。全句用現代語來說，就是『止成了一個空頭將軍』。結尾二句，完全用老子《道德經》的話：『兵者，不祥之器，非君子之器，聖人不得已而用之。』由於看到了這樣慘酷的戰爭，才知道武器實在不是好東西，聖人非到萬不得已的時候，決不貿然使用的。聖人，指帝王。這兩句完全是散文句，李白開始大膽地用在詩裏。者、而、之這些虛字，雖然先已有人用過，也沒有李白那樣突出地用。這都是李白詩的特徵。『敗馬』、『烏鳶』一段，止是稍稍改變了漢樂府的辭句。現在把漢樂府的前半首抄在這裏，以供對照。

戰城南，死郭北，
野死不葬烏可食。
爲我謂烏：『且爲客豪，
野死諒不葬，腐肉安能去子逃。』
水深激激，蒲葦冥冥，
梟騎戰鬪死，駑馬徘徊鳴。

在開元、天寶年間，玄宗好大喜功，在各方面邊境上，對奚、契丹、突厥、吐蕃等經常用兵。雖然最初總是敵人先來侵犯，劫掠我邊境，但在打退敵人以後，就不免要乘勝遠征，而那時便會轉勝爲敗，全軍覆沒。所以盛唐詩人以邊塞爲題材的詩，常常反映出一種既肯定戰爭又否定戰爭的矛盾心理，這在岑參、高適、王維的詩裏，都可以找到例證。李白這首詩的第二段明白地說戰爭起於胡人入侵，那麼第三段應當描寫我軍人衛國戰爭的壯烈場面。可是作者卻描寫了戰爭的慘酷。而且結句又並不對這場戰爭有什麼讚揚。他主張兵器應該是『不得已而用之』，什麼情況才是『不得已』呢？作者沒有在這裏說明，但已在《古風》第十四首中說了：

不見征戍兒，豈知關塞苦。

李牧今不在，邊人飼豺虎。

王昌齡也說：

但使龍城飛將在，

不教胡馬度陰山。

他們都是同樣的思想，以爲止要堅守國防，不讓敵人侵入，就可以免得『士卒塗草莽』。萬一敵人竟敢於入侵，那就止好運用武器，把他們打退。這就是所謂『不得已』的時候。在我國的歷史上，對待強鄰壓境的政策，一向是『人不犯我，我不犯人』。偶爾有幾個皇帝發動擴張主義的戰爭，就會受到人民的諷刺或責怨。盛唐詩人寫邊塞戰爭的詩，可以說是反映了人民的意志的。

《戰城南》是李白幾十首樂府詩中最淺顯明白的。運用漢代樂府歌辭的那幾句，可以說是有點抄襲嫌疑，因爲基本上還是用了原意，沒有脫胎換骨。選李白詩的人，不很願意選這一首，因爲不夠代表李白的豪放風格。我現在選講這一首，是爲了給學詩或作詩的青年提供一個適當的範本，如果參看漢樂府原作，可以懂得古詩變爲近體詩的道路，用舊瓶裝新酒的手法，以及正統樂府詩的模式。

一九七八年七月二十六日

32 李白：將進酒

君不見黃河之水天上來，（韻一）
奔流到海不復回。
君不見高堂明鏡悲白髮，（韻二）
朝如青絲暮成雪。
人生得意須盡歡，
莫使金樽空對月。
天生我材必有用，
千金散盡還復來。（韻三）
烹羊宰牛且爲樂，
會須一飲三百杯。

岑夫子，丹邱生，（韻四）
將進酒，君莫停。
與君歌一曲，
請君爲我側耳聽：
『鐘鼎玉帛豈足貴，
但願長醉不願醒。
古來聖賢皆寂寞，
惟有飲者留其名。
陳王昔時宴平樂，（韻五）
斗酒十千恣歡謔。
主人何爲言少錢，
徑須沽取對君酌。』
五花馬，千金裘，（韻六）
呼兒將出換美酒，

與爾同銷萬古愁。

現在再講一篇李白的古題樂府詩《將進酒》，也是漢代短簫鐃歌之一。漢代樂府歌辭原文，因爲聲辭雜寫，故不能了解其意義。止有第一句是『將進酒』，後世文人擬作，都是吟詠飲酒之事。李白此詩，也沿襲舊傳統，以飲酒爲題材。

這首詩用三言、五言、七言句法錯雜結構而成，一氣奔注，音節極其急促，表現了作者牢騷憤慨的情緒。文字通俗明白，沒有晦澀費解的句子，這是李白最自然流暢的作品。

全詩轉換了六個韻。第一、二韻六句合爲一段。此後每韻自成一個思想段落。開頭四句用兩個『君不見』引起你注意兩種現象：『黃河之水天上來，奔流到海不復回』是比喻光陰一去不會重回，『高堂明鏡悲白髮，朝如青絲暮成雪』是說人生很快便會衰老。青春既不會回來，反而很容易馬上進入老年，所以人生在得意的時候，應當盡量飲酒作樂，不要使酒杯空對明月。這是第一段的內容，它也像《蜀道難》一樣，一開頭就從題目正面落筆。『君不見』是漢代樂府裏已經出現的表現方法，意思是『你沒有看見嗎？』跟我們現在新詩裏用『看啊』、『你瞧』一樣，是爲了加強下文的語氣。李白詩中常用『君不見』，這三個字不是詩的正文，讀的時候應當快些。我們如果把兩個『君不見』都刪掉，也沒有關係，詩意並無殘缺。而且刪掉之後，這一段就是整整齊齊的六個七言句，更可以看出這兩個『君不見』是附加成分。在七言歌行中，這一類的附加成分，我們借用一個南北曲的名詞，稱之爲『襯詞』，因爲它們止起陪襯的作用，不是歌曲的正文，唱起來也不佔節拍。但是，如果『君不見』三字不在七言句之外，那就不能算是襯詞。李白另一首詩云：『君不見梁王池上月，昔照梁王樽酒中。』（《攜妓登梁王棲霞山孟氏桃園中》）這又是一種用法。如果把這個『君不見』也作爲襯詞，則第一句止有五字，而全詩卻都是七言句。如果把『君不見』認爲詩的正文，則這一句有八言了。在這種情況下，我們止能說：全句仍是七言，多出來的一個字是襯字。『君不見』三字止抵二字用，應當讀得快，讓它們止佔兩個字的音節。南北曲和彈詞裏，這種襯詞很多，因此產生了這個名詞。唐代雖然還沒有這個名詞，但像『君不見』之類的附加成分，實在已是曲子裏用襯詞的萌芽。此外，李白還有一首《答王十二寒夜獨酌有懷》中有：

君不見，李北海，
英風豪氣今何在？
君不見，裴尚書，
土墳三尺蒿藜居。

這是構成了兩個三字句，也不能說是襯詞了。

第二段四句，大意說：天既生我這個人材，一定會有用處。千金用完，也不必擔憂，總會得再有的。眼前不妨暫且烹羊宰牛，快樂一下。應該放量飲酒，一飲就是三百杯。這一段詩，表面上非常豪放，其實反映著作者的牢騷與悲憤。言外之意是像我這樣的人材，不被重用，以致窮困得在江湖上流浪。

第三段再對兩個酒友發洩自己的牢騷。岑夫子是岑勛，年齡較長，故稱爲夫子。丹邱生是一個講究煉丹的道士元丹邱，李白跟他學道求仙，做了許多詩送他。這裏，詩人勸他們儘管開懷暢飲，不要停下酒杯。我唱個飲酒歌給你們兩位聽：鐘鼎玉帛，這種富貴排場的享樂，我以爲不值得重視，我止願意永遠醉著不醒。自古以來，一切聖人、賢人都已經寂寞無名，誰也不知道他們。止有喝酒的人，像劉伶、陶淵明這些人，倒是千古留名的。從前陳思王曹植有兩句詩道：『歸來宴平樂，美酒斗十千。』（《名都篇》）是說他打獵回來，在平樂觀裏宴請朋友和從臣，飲萬錢一斗的美酒，大家盡情歡樂談笑，現在我們的主人爲什麽說沒有錢，捨不得打酒呢？應該立刻就去打取美酒，來請大家喝個痛快。這一段四韻八句就是『請君爲我側耳聽』的一曲歌，是詩中的歌。『鐘鼎』是『鐘鳴鼎食』的簡用，『玉帛』是富貴人的服御。這四個字就代表富貴人的奢侈享受。詩人說，這些都不足貴重，止要有酒就成了。『主人』是諷刺他自己，也可以說是自嘲。上文說過『千金散盡還復來』，可見現在正是『少錢』的時候。錢少，也不要緊，酒總得要喝，於是引出了最後一段三句：好吧，現在手頭雖然沒有錢，家裏還有一匹五花駿馬，還有一件價值千金的狐裘，立刻叫兒子拿出去換取美酒，和你們喝個痛快，把千秋萬古以來的愁緒一起銷解掉。

李白的詩，以飲酒、遊仙、美女爲題材的最多，後代的文學批評家常以此爲李白的缺點。例如王安石就說：『李白詩詞，迅快無疏脫處，然其識汚下，十句九言婦人與酒耳。』所謂其識汚下，就是世界觀庸俗。這種批評，雖則也有人爲李白辯護，但在李白的詩歌裏，高尚、深刻的世界觀確是沒有表現。他止是一個才氣過人的詩人，能擺脫傳統創作流利奔放的詩篇。至於對人生的態度，他和當時一般文人並沒有多大不同。早期的生活，就是飲酒作詩，到處旅遊。後來跑到長安，認識了賀知章。賀知章極欣賞他的詩，把他推薦給玄宗。於是玄宗留他在宮裏做一名翰林供奉。『翰林供奉』是所謂『文學侍從之臣』，當明皇和楊貴妃賞花飲酒作樂的時候，找他來做幾首新詩譜入歌曲。這就是翰林供奉的職務。它並不是一個官。然而李白做了翰林供奉卻驕傲得很。他有好些詩自畫他當時的得意情況：『歸來入咸陽，談笑皆王公。』（《東武吟》）又云：『王公大人借顏色，金章紫綬來相趨。』（《駕去溫泉後贈楊山人》）這是說王公宰相都來和他交朋友了。『昔在長安醉花柳，五侯七貴同杯酒。』（《流夜郎贈辛判官》）是說當時和他飲宴的都是王公貴人。『當時笑我微賤者，卻來請謁爲交歡。』（《贈從弟南平太守之遙二首》）是說從前瞧不起我的人，現在都來巴結我了。此外，他還有不少詩句，誇耀他的得意時候。大約正是這種驕傲自大態度，得罪了不少人，使玄宗左右那些李林甫、楊國忠之流對他不能容忍，在玄宗面前挑撥了幾句，他就被放逐出宮廷。他自己說當時是『騎虎不敢下，攀龍忽墮天』，可見他自己也早就覺察到已經處於騎虎之勢，正在無法脫身，而被龍尾巴一掉，便從天上摔下來了。此後，他又恢復了飲酒浪漫的生活，把自己裝成一個飄飄然有仙風道骨的高人逸士，不時在詩裏諷刺一下政治，好像朝廷不重用他，就失去了天下大治的機會。《鹽鐵論》裏有一段大夫譏笑文學的話：『文學裒衣博帶，竊周公之服；鞠躬踧踖，竊仲尼之容；議論傳誦，竊商賜之辭；刺譏言治，過管晏之才；心卑卿相，志小萬乘。及授之政，昏亂不治。』這些話都切中文人之弊。他們平時高談闊論，目空一切，『心卑卿相』，人人自以爲是伊、呂、管、晏。及至給他一個官做，也未見得能盡其職守。唐代進士初入仕途，往往從縣尉做起，可是詩人中也沒有出類拔萃的好縣尉，而他們常在詩中發牢騷，嫌位卑官小，屈辱了他這樣的人才。這種孤芳自賞的高傲情緒，從屈原以來，早就在我國文學中形成一個傳統，而李白的表現，特別發揚了這個傳統。我以爲我們學習古典文學，對歷代作家這一種世界觀的過度的表現，可以不必重視，更不宜依據他們的自我表揚，而肯定他們眞是一個被壓制的人才。李白的詩，是第一流的浪漫主義作品，他在盛唐時期詩壇上的情況，正和雨果在法國，拜倫在英國一樣。遊仙、飲酒、美人，是他的浪漫主義形式；嶔崎、歷落①、狂妄、傲岸，是他的浪漫主義精神。但是他對政治社會的認識，還是消極因素多於積極因素。因此，我以爲李白的詩，還不能說是一種積極的浪漫主義。就以飲酒爲例，李白的飲酒和陶淵明的飲酒，顯然不同。陶淵明的飲酒是作爲一個農民，在勞作之後，飲幾杯酒，以養性全神。他飲酒的態度是：『汎此忘憂物，遠我遺世情。』（《飲酒》之八）李白的態度是：『人生得意須盡歡。』陶淵明說人家『有酒不肯飲』是因爲『但顧世間名』（《飲酒》之四），而李白卻說：『惟有飲者留其名。』陶淵明爲逃名而自隱於酒，李白則爲爭名而『一飲三百杯』。由此可知，陶淵明的飲酒，對人世社會好像是消極的，但他的人格卻是積極的。我覺得李白的飲酒詩，止能比之爲古代波斯詩人莪瑪·哈耶謨和哈菲茲②，而不能和陶淵明

---

①李白自己說：『僕嶔崎歷落可笑人也。』見其《上安州李長史書》。

②莪瑪·哈耶謨的《魯拜集》，有郭沫若譯本。哈菲茲也是古代波斯（伊朗）詩人。

相提並論。

『古來聖賢皆寂寞，惟有飲者留其名。』這兩句詩曾引起過一些封建衛道者的批評，以爲李白過於狂妄，難道連先聖先賢如孔子、孟子者，都是默默無聞，止有酒鬼留名於後世嗎？編《唐文粹》的姚鉉就把『聖賢』改爲『賢達』，代李白糾正了失言。這種批評，其實是多餘的，讀文藝作品不能如此認眞，如此老實。這兩句詩，僅是藝術上的誇張手法，不必看成思想的眞實。宋代人講究詩的各種鍊句方法，把這種格式的詩句稱爲『尊題格』。在一個對比中，爲了強調甲方而大大地壓低乙方，這叫作『強此弱彼』的句法。也就是『尊題』的意思。李白爲了誇大飲者，而貶低了聖賢的後世之名。白居易的《琵琶行》云：『豈無山歌與村笛，嘔啞嘲哳難爲聽。今夜聞君琵琶語，如聽仙樂耳暫明。』爲了誇張商婦彈琵琶的美妙，就說得江州地方沒有中聽的音樂，有的止是很難聽的山歌與村笛。韓愈的《石鼓歌》云：『陋儒編詩不收入，二雅褊迫無委蛇。』爲了誇大石鼓詩的典雅，甚至責怪孔子編《詩經》爲什麼不把這首詩收進去。還說，《詩經》中的大雅小雅兩部分的詩都是很『褊迫』而無曲折的。甚至還說孔子是一個『陋儒』。又爲了誇大石鼓文的書法，而貶低王羲之的書法是庸俗的：『羲之俗書逞姿媚，數紙尙可博白鵝。』以上三例，也都是尊題手法，在唐詩中是常見的。

一九七八年八月二日

33　李白：夢遊天姥山別東魯諸公

海客談瀛洲，煙濤微茫信難求。
越人語天姥，雲霓明滅或可睹。
天姥連天向天橫，勢拔五嶽掩赤城。
天台四萬八千丈，對此欲倒東南傾。
我欲因之夢吳越，一夜飛渡鏡湖月。

湖月照我影，送我到剡溪。
謝公宿處今尚在，淥水蕩漾淸猿啼。
腳著謝公屐，身登青雲梯。
半壁見海日，空中聞天雞。

千巖萬轉路不定①，迷花倚石忽已暝。
熊咆龍吟殷巖泉，慄深林兮驚層巔。
雲青青兮欲雨，水澹澹兮生煙。
列缺霹靂，丘巒崩摧。
洞天石扉，訇然中開。
青冥浩蕩不見底，日月照耀金銀臺。
霓爲裳兮風爲馬，雲之君兮紛紛而來下。
虎鼓瑟兮鸞迴車，仙之人兮列如麻。
忽魂悸兮魄動，怳驚起而長嗟。
惟覺時之枕席，失向來之煙霞。
世間行樂亦如此，古來萬事東流水。

---

①『千巖萬轉』疑爲『萬壑』之誤。李白《送王屋山人》詩云：『遙聞會稽美，且度耶溪水。萬壑與千巖，崢嶸鏡湖裏。』可證。但各本皆作『萬轉』，不敢妄改。

別君去兮何時還？
且放白鹿青崖間，
須行即騎訪名山。
安能摧眉折腰事權貴，使我不得開心顏①。

這是一首描寫夢遊天姥山的詩，雜用四、五、六、七言句，句法錯落有致。轉韻至十二次之多。或兩句一韻，或三句一韻，或四句一韻，或五句一韻。韻法亦變化多端，或逐句押韻，或隔句押韻。這是李白的典型作品。因爲全詩以七言句爲主，故一般選本都編入七言古詩或七言歌行類。

詩題據《河嶽英靈集》作『夢遊天姥山別東魯諸公』，近代版本都已省作『夢遊天姥吟留別』。前者說明是『別東魯諸公』，可知是在離開齊魯，正要南遊淮泗的時期所作。當時聽到有人誇讚越中（今浙東）天姥山風景之奇，因而中心嚮往，居然夢到天姥山去遊覽了一番，醒來就寫出了這首詩，並且把它作爲向東魯幾位朋友的告別辭。詩的內容是『夢遊天姥山』，詩的作用是『留別』。要了解這首詩，必須把它的內容和作用聯繫起來：爲什麼作者要把一首記夢詩作爲告別辭？這首詩與告別朋友的思想感情有什麼關係？

①此句《河嶽英靈集》作『暫樂酒色凋朱顏』。

因爲韻法與思想程序有參差，這首詩不宜按韻法來分段。現在我們按思想程序把它分成三段：第一段是開頭四韻十句，這是全詩的引言。第二段從『湖月照我影』到『失向來之煙霞』共五韻二十八句。這是全詩的主體，描寫整個夢境，直到夢醒。以下是第三段，二韻七句，叙述夢遊之後的感想，總結了這個夢，作爲向東魯朋友告別的話。

李白在好幾首詩中，嚮往於蓬萊仙界，希望煉成金丹，呑服之後，飄然成仙，跨鶴騎鹿，遠離人世，遨遊於神仙洞府。但在這首詩中，一開頭就否定了瀛洲仙島的存在。他說：航海客人談到瀛洲仙島，都說是在渺茫的煙波之中，實在是難以找得到的地方。可是，越人談起天姥山，儘管它是隱現於雲霓明滅之中，卻是有可能看見的。這四句是全詩的引言，說明作此詩的最初動機。『瀛洲』止是用來作爲陪襯，但卻無意中說出了作者對煉丹修仙的眞正認識。『信難求』這個『信』字用得十分堅決，根本否定了海外仙山的存在，也從而否定了求仙的可能性。然則，李白的一切遊仙詩，可知都不是出於他的本心。連同其他一切歌詠酒和女人的詩，都是他的浪漫主義的外衣。杜甫懷念李白的詩說：『不見李生久，佯狂眞可哀。世人皆欲殺，吾意獨憐才。』（《不見》）已把李白當時的情況告訴我們了。他是『佯狂』，假裝瘋瘋顚顚。他這種僞裝行爲，在杜甫看來，是很可哀憐的。因爲杜甫知道他有不得不如此的理由，下面更明白說出『世人皆欲殺』，這也不是一般的誇張寫法。可以想見，當時一定有許多人憎惡或妒忌李白，或者是李白得罪了不少人，而杜甫呢，他是李白的朋友，他對李白的行爲即使不很贊同，但對李白的天才卻是佩服的，所以他說『吾意獨憐才』。

第三韻四句是概括越人所說天姥山的高峻。它高過五嶽，掩蔽赤城。赤城是天台山的別名。天台山已經很高了，對著天姥山，卻好像向東南傾倒的樣子。四萬八千丈，當然是藝術誇張，珠穆朗瑪峰也止有八千八百四十多公尺高，因爲聽了越人的宣傳，我就想去看看。誰知當夜就在夢中飛渡鏡湖（在今紹興），再東南行，到達了天姥山。『吳越』在此句中，用的是複詞偏義，主要是『夢越』，爲了湊成一句七言詩，加了一個『吳』字。

第二段，全詩的主體，描寫夢遊天姥山的所見所遇。文辭光怪離奇，顯然是繼承了楚辭的藝術傳統。作者告訴我們：他飛過鏡湖，到了剡溪（今嵊縣），看到了南朝大詩人謝靈運遊宿過的地方。湖泊裏有淥波蕩漾，山林中有猿啼清哀。他也仿效謝靈運，腳下趿著爲遊山而特製的木屐，登上了高山①。從此一路過去，到了天姥山。走在半峰上，就看到海中日出，又聽到天雞的啼聲。經過了許多崎嶇曲折的山路之後，正在迷途之間，天色忽已暝暮。這時聽到的是像熊咆龍吟的瀑布之聲，看到的是雨雲和煙水。這種深山幽谷中的夜景，別說旅客爲之驚心動魄，就是林木和峰巒，也要覺得戰慄。這時候，忽然又遇到了奇跡，崖壁上的石門開了。其中別有一個天地，別有一群人物。他看到許多霓裳風馬的『雲之君』和鸞鳳駕車、虎豹奏樂的『仙之人』，不覺嚇了一跳，驀然醒來，止看到自己的枕席；而剛才所見的一切雲山景物都消失了。

---

①謝靈運遊山，把他的木屐改裝了一下，上山時去其前齒，下山時去其後齒，當時稱爲謝公屐。

『雲之君』是神，『仙之人』是仙人，合起來就是神仙。李白愛好修道求仙，爲什麼遇到這許多神仙，非但並不高興，反而驚慌起來呢？這一驚慌，使他的遊興大受打擊，在驚醒之後，便勾引起深深的感慨，甚至長嘆起來。於是接下去產生了第三段。

就全篇詩意來看，第三段才是眞正的主體，因爲作者把主題思想放在這一段裏。但是在這第三段的七句中，我們可以找到兩個概念。一個是『世間行樂亦如此，古來萬事東流水』。意思是說：人世間一切快樂的事都像做了一個美夢，一下子像水一般流失了。這是一種消極的世界觀，對人生的態度是虛無主義的。另一個概念是『安能摧眉折腰事權貴，使我不得開心顏』。這是一個不爲權貴所屈的詩人，從趨炎附勢的社會中脫逃出來以後的誓言，它反映一種積極的世界觀，一種反抗精神。這兩種思想顯然是不同路，甚至是相反的，然而作者卻把它們寫在一起。這就引出了一個問題：到底那一個是作者的主題呢？

當然，從來沒有一個讀者止看見作者這一個思想而無視於另一個思想。但在二者的輕重之間，或說因果之間，看法稍有不同，就可能從這首詩得到不同的體會。作《唐詩解》的唐汝詢是偏重於前一種思想的。他說：

將之天姥，托言夢遊以見世事皆虛幻也。……於是魂魄動而驚起，乃嘆曰：『此枕席間豈復有向來之煙霞哉？』乃知世間行樂，亦如此夢耳。古來萬事，亦豈有在者乎？皆如流水之不返矣。我今別君而去，未知何時可還。且放白鹿於山間，歸而乘之以遍訪名山，安能屈身權貴，使不得豁我之襟懷乎？

這樣講法，就意味著作者基於他的消極的世界觀而不屑阿附權貴，因爲這也是一種虛幻的事情。詩中所謂『世間行樂亦如此』，這個『此』字，就應當體會爲上面二句所表現的夢境空虛。

作《詩比興箋》的陳沆提出了另一種解釋。他偏重在後一種思想：

此篇即屈子《遠遊》之旨，亦即太白《梁甫吟》『我欲攀龍見明主，雷公砰訇震天鼓，帝旁投壺多玉女，三時大笑開電光，倏爍晦冥起風雨，閶闔九門不可通，以額扣關閽者怒』之旨也。太白被放以後，回首蓬萊宮殿，有若夢遊，故托天姥以寄意……題曰『留別』，蓋寄去國離都之思，非徒酬贈握手之什。

這樣講法，情況就不同了。它意味著作者基於他的積極的世界觀，揭發和控訴了明皇宮中充滿著忌才害賢的小人，使他來不及有所作爲，就被排擠出來。他回憶在宮廷中的生活，簡直像個惡夢，至今心有餘悸。於是『世間行樂亦如此』這一句就應當了解爲指宮廷中的快樂生活，也像惡夢一樣，止會使人心悸。作者有了這樣的覺悟，於是就鄙棄一切，對『古來萬事』都有空虛之感。爲了保持自己的人格，爲了維護自己的心靈，寧可從此騎鹿遊山，決不再低眉折腰去討好權貴們了。

我同意陳沆的講法。把第二段詩句仔細體會一下，可知作者所要表達的不是夢境的虛幻，而是夢境的可怕。遊天姥山是一個可怕的夢；在皇帝宮中做翰林供奉，也是一個可怕的夢。如果說作者主題是描寫夢境的虛幻，那又與『摧眉』句有什麼關係？依照唐汝詢的講法，這第二段的創作方法是單純的賦，依照陳沆的講法，卻是『賦而比也』。

陳沆引用李白另一首詩《梁甫吟》來作旁證，確實也看得出這兩首詩的描寫方法及意境都有相似之處。李白有許多留別詩，屢次流露出他被放逐的憤慨。把這些詩聯繫起來看，更可以肯定遊天姥山是遊皇宮的比喩。有一首《留別曹南群官之江南》的五言古詩，就緊接編在《夢遊天姥山》之後。曹與魯是鄰境，前詩留別東魯諸公，後詩留別曹南群官，可知是作於同一時期。這首詩開頭說自己早年修道求仙，後來碰上運氣，供奉內廷。有過一些建議，很少被採用，止得辭官回家。下文說：『仙宮兩無從，人間久摧藏。』這是明白地說學道做官都失敗了，止落得在民間沒落和流浪。《夢遊天姥山》開頭二句是說求仙『無從』，其次二句是說進宮或有希望。此下描寫天姥山景色一大段，實質是描寫宮廷。結論是宮廷裏也『無從』存身。『仙宮兩無從』這一句可以說就是《夢遊天姥山》的主題。

一九七八年八月十六日

34 李白：五言律詩三首

現在選講李白的三首五言律詩，代表他的律詩的幾個方面。李白的詩，無論在數量或質量上，以樂府歌行爲主。其次是古體，其次是絕句。五、七言律詩止能掛在最後。在五、七律之間，七律更是既少且弱。《登金陵鳳皇臺》一首，恐怕要算是最傑出的了。第一首，我們選：

送友人

青山橫北郭，白水繞東城。
此地一爲別，孤蓬萬里征。
浮雲遊子意，落日故人情。
揮手自茲去，蕭蕭班馬鳴。

這是典型的唐律。李白詩才奔放，適宜於縱橫錯落的歌行句法。碰上律詩，就像野馬被羈，止好俯首就範。這首詩是他的謹嚴之作，風格已逼近杜甫了。

詩是爲送別友人而作，開頭二句就寫明送別之地。北郭東城，不宜死講，總在城外山水之間。看到這種修辭方法，不必提出疑問：到底是在東城呢，還是在北郭？反正你可以體會作東北郊，也就差不多。如果作者說北郭南城，或西郊東野，那就該研究一下了。

第三句緊接上文，點明題目，底下即承以『孤蓬萬里征』一句，說明這位朋友是孤身漂泊，遠適異鄉。可見主客雙方，都不以此別爲樂事。蕭士贇注此句云：『孤蓬，草也。無根而隨風飄轉者。自喩客遊也。』（見《分類補注李太白詩》）他說此句是作者自喩客遊，大誤！被他這樣一講，這首詩變成『別友人』而不是『送友人』了。這一聯詩句，從思想內容來講，是一個概念，或說二句一意：我們在此地分別之後，你就像蓬草似的飄零到遠方去了。上句與下句連屬，都不能獨自成爲一個概念。但從句子形式來講，它們是很工穩的一對。詞性結構，毫不參差。它們和王勃的『海內存知己，天涯若比鄰』同樣，也是一副流水對。不過，『一爲』對『萬里』，也有人認爲不夠工整。『爲』是虛字，『里』是實字。凡詞性不同的對仗，例如以狀詞對名詞，像『雲雨』對『長短』之類，又如這一聯的以虛字對實字之類，晚唐以後的詩人都盡量避免。宋人稱爲這是犯了『偏枯』之病。但在初、盛唐詩中，經常可以見到，當時不以爲是詩病。

『浮雲』、『落日』一聯是即景抒情。友人此去，成爲萬里孤蓬，他的心情，豈非宛如眼前的浮雲；送行的老朋友，對此落日斜陽，更有好景不長、分離在即之感。唐汝詢在《唐詩解》中引古詩

『浮雲蔽白日，遊子不顧返』，爲此二句作注釋，很容易迷惑讀者。因爲『浮雲蔽日』與『浮雲落日』這兩個成語，詩人使用時大有分別，決不可混而爲一。此詩『浮雲』與『落日』分開用，便無『浮雲蔽日』之意。『浮雲游子意』也不是『遊子不顧返』的意思，這裏的『落日』，如果要註明來歷，似乎可以引用陳後主的詩『思君如落日，無有暫還時』（《自君之出矣六首》之四）較爲適當。李白有許多送別詩，常用『落日』暗示離別之情。例如《送裴大澤詩》：『好風吹落日，流水引長吟。』又《灞陵行送別》：『古道連綿走西京，紫闕落日浮雲生。』又《送杜秀之入京》詩：『秋山宜落日，秀木出寒煙。』又《送族弟錞》詩：『望極落日盡，秋深暝猿悲。』皆明用『落日』。此外還有《送張舍人》詩：『白日行欲暮，滄波杳難期。』《送吳五之琅琊》詩：『日色促歸人，連歌倒芳樽。』《送裴十八歸嵩山》：『日沒鳥雀喧，舉手指飛鴻。』都是寫到落日的。這是因爲唐人送別必有飲宴，主客分手，必在日落之時。看了以上這些同樣的詩句，可以肯定這是即景抒情的句子。

結尾一聯寫友人既已揮手上路。送行者情緒很憂鬱。但作者不直說出來，而用『蕭蕭班馬鳴』來表達。班馬是離群之馬，送行者的馬與友人的馬，也早就是好朋友。一朝分別，馬也不免悲嘶。馬尙如此，更何況人！淸人顧小謝《唐律消夏錄》在此句下批釋道：『尙聞馬嘶，蕩一句。』他的意思是說：友人旣別，行行漸遠，已望不見，然而還聽到馬嘶之聲。故以此句爲蕩開一筆的寫法。這樣講固然也通，但作者用『班馬』一詞的意義卻透豁不出來。所以我還寧可用我的講法，認爲這是深入一句，而不是蕩開一句。

第二首，我們選取：

夜泊牛渚懷古

牛渚西江夜，青天無片雲。
登舟望秋月，空憶謝將軍。
余亦能高詠，斯人不可聞。
明朝挂帆席，楓葉落紛紛。

牛渚是一座山名，在今安徽省當塗縣。山北突出在長江中，稱爲牛渚磯，是江船停泊的地方。『懷古』是詩的內容類別，在『詠懷』與『詠史』之間。方虛谷云：『懷古者，見古跡，思古人。其事無他，興亡賢愚而已。』（《瀛奎律髓》）講得似乎太簡單，但大致如此。詠史詩是有感於某一歷史事實，懷古詩是有感於某一歷史遺跡。但歷史事實或歷史遺跡如果在詩中不佔主要地位，止是用作比喻，那就是詠懷詩了。懷古詩不知起始於何人，《文選》裏有『詠史』、有『詠懷』，而無『懷古』，大約當時還沒有這個名稱。

李白停船在牛渚磯下，想到了這個地方的一個古事。東晉時代，有一個出身孤貧的青年袁宏，能做詩。他有五首詠史詩，是得意之作。他的職業是爲大地主或公家運送租米。有一天夜裏，他的米船停在牛渚磯下。他閒著就吟誦自己的詠史詩。這時，鎭守牛渚的是鎭西將軍謝尙，當時的大貴族、大詩人。他恰巧帶著部下泛船巡江。聽到袁宏的吟詩聲，便派人查問是誰。知道了是袁宏，便請他上自己的大船，和他投機地談了通宵。此後就請他在自己幕府中擔任參軍。從此袁宏的名氣大了，官至東陽太守。

李白在牛渚停船，想起了袁宏和謝尙的故事，便寫出了這首詩。詩很淺顯，止要知道這個故事，便能懂得。開頭兩句是叙述：地點是在西江上的牛渚。時間是夜裏。風景是『青天無片雲』。這樣就點明了詩題『夜泊牛渚』。南朝的京都是建業（今南京）。從建業到現在的九江，這一段長江，當時稱爲西江。第三、四句說自己在船上賞月，因而想起了謝將軍。這就交代了詩題的『懷古』。爲什麼說是『空憶』呢？因爲光是懷念，也無用處。這個『空』字的意義在下面二句。我也能像袁宏那樣的高聲吟詩，而像謝尙那樣的人卻聽不到。這五、六句是全詩的主題思想。所謂『懷古』，其實是慨嘆當今沒有賞識他的人，沒有提拔他的人。於是，止得待到明天，在紛紛落葉中，掛帆開船而去。

這首詩是李白的著名作品。寫得極自然、清淨。修辭全用白描手法，一點不渲染、誇張，和他的樂府歌行對讀，好像是兩個人的作品。這是因爲他旣採用律詩形式，便無法施展其豪邁奔放的才華。但這首詩和第一首詩不同，他的不受拘束的性格，還是表現在這首詩裏。我曾講過孟浩然的《洛下送奚三還揚州》，那是一首全篇無對句的五言律詩。我提出來作爲五言古詩發展爲五言律詩的軌跡。現在李白此詩也是同一類型。音節、平仄，全是律詩，可是沒有一聯對句。可以設想，李白大概願意接受音節和平仄黏綴的規律，而不願意接受對偶的規律。所以這首詩仍然表現了他的不羈的性格。楊升庵說這種詩是平仄穩貼的古詩，這是依據句法來給它歸類。但是，從來選詩者都沒有把它選入古詩類中，可知大家都承認它是律詩。

李白有《宮中行樂詞》八首，現在我選講其第二首：

柳色黃金嫩，梨花白雪香。
玉樓巢翡翠，金殿鎖鴛鴦。
選妓隨雕輦，徵歌出洞房。
宮中誰第一，飛燕在昭陽。

《宮中行樂詞》是樂府舊題，這一組詩原來也編在『樂府』類中，但它們的形式完全是五言律詩，所以和其他二首律詩放在一處講。

李白以布衣身分被玄宗召見後，就被留下爲『翰林待詔』。翰林是學士辦公的屋子。待詔是職稱，還不是官名，意思是還在等待正式任命。他的職務是撰寫宮中隨時需要的文件，但不是正式的詔令文件。玄宗很欣賞李白的詩才，每當他和楊貴妃賞花飲酒，常常命李白撰作歌詞，使樂工譜爲新曲，現在李白詩集中有《清平調詞》三首和這《宮中行樂詞》八首，都是在宮中奉詔而作。孟棨的《本事詩》中記載了《宮中行樂詞》的故事，今節錄於此：

玄宗嘗因宮人行樂，謂高力士曰：『對此良辰美景，豈可獨以聲伎爲娛。倘得逸才詞人吟詠之，可以誇耀於後。』遂命召白。時寧王邀白飲酒已醉，既至，拜舞頹然。上知其薄聲律，謂非所長，命爲『宮中行樂』五言律詩十首。白頓首曰：『寧王賜臣酒，今已醉。倘陛下賜臣無畏，始可盡臣薄技。』上曰：『可。』即遣二內侍扶掖之。命研墨濡筆以授之。又令二人張朱絲欄於其前。白取筆抒思，略不停綴，十篇立就，更無加點。筆跡遒利，鳳跱龍拏，律度對屬，無不精絕。其首篇曰：柳色黃金嫩，梨花白雪香……。

從這段記載，可知《宮中行樂詞》原有十首，今李白詩集中止有八首。『柳色黃金嫩』原是第一首，今本詩集中卻編在第二首。採用五言律詩形式，乃是玄宗故意考驗李白的。李白總算沒有考個不及格，十首詩還寫得相當可觀。不過，孟棨的《本事詩》止能看作小說家言，未必都是記實。關於這八首詩的故事，也未可盡信。

這是爲封建皇帝遊樂宴會服務的作品，風格還繼承著南朝宮體，使用華麗濃艷的字句，描寫宮中奢侈享樂的生活，最後以頌揚作結束。這裏沒有作者自己的思想感情，也沒有自己的本色文字。止要能配合曲子，使歌妓唱出一支新歌，博得皇帝貴妃高興，就是成功。

這首詩第一聯寫時季：是柳色嫩黃，梨花如雪的時候。第二聯寫地點：是養畜著翡翠和鴛鴦的玉樓金殿。第三聯寫行樂：精選的妓女，隨著皇后的車子。她們都從閨房裏出來獻歌。第四聯用問答句法頌揚貴妃：宮中誰是第一美人呢？是在昭陽宮中的趙飛燕。這首詩對仗極工穩，聲調平仄，字字合律。除了重複一個『金』字之外，可以說是標準的五言律詩。但是內容卻十分空虛，幾乎沒有主題思想。一切爲封建統治階級服務的文學作品，不論是奉詔、應制、應令、應教、省試，以至於明清二代的試帖詩，全都是這樣一種徒有華麗的衣飾而無血肉靈魂的僞文學。蕭士贇解這幾首詩，以爲有諷諫的意義。『玉樓金殿』一聯是諷刺玄宗不延請賢人君子，而使女子小人居住在那裏。這種解釋，豈不可笑？

李白把楊貴妃比之爲趙飛燕，自以爲恭維得很恰當。在《清平調詞》第二首中，也用同樣的比喻：『借問漢宮誰得似，可憐飛燕倚新妝。』趙飛燕得寵於漢成帝，因得立爲皇后。她在宮中做了不少爭寵的壞事，甚至謀殺太子。當時朝野稱之爲『禍水』。李白以趙飛燕比擬楊貴妃，止是比喻其美貌和得寵，卻沒有想到高力士在貴妃面前挑撥離間，說李白賤視貴妃，有誹謗之意。因此貴妃聽信了高力士的話。玄宗幾次要給李白授官，都爲貴妃阻撓，終於止得把李白『賜金放還』。這就是李白爲封建統治者服務的失敗史。

一九七八年八月二十日

35 杜甫：哀江頭

李白和杜甫都是盛唐詩人。他們的詩，數量既多，又有獨特的風格。李白樹立了浪漫主義風格，杜甫樹立了現實主義風格。在文學史上，他們是齊名的大詩人。但是，在當時，杜甫的聲望卻沒有李白高。李白於開元末年到長安，得到賀知章的吹噓，玉真公主的提拔，玄宗皇帝的賞識，很快就供奉翰林，成爲烜赫一時的宮廷詩人，每一篇新詩，都傳誦天下。杜甫比李白小十一歲。他於開元二十三年進士落第後，漫遊伊、洛、齊、趙，至天寶五年才回到長安。這時，李白已失寵於玄宗，被放出宮廷，開始其漫遊生活。杜甫在長安六七年，默默無聞。後來，由於進呈《三大禮賦》、《封西嶽賦》，歌頌了玄宗皇帝的幾次大典禮，才得授官爲右衛率府冑曹參軍。明年就發生安祿山之亂，從此在兵慌馬亂中過了三年狼狽生活，此後便寓居成都。

他的詩篇，主要是記錄安史之亂一段時期的個人生活，同時也反映了當時朝野的現實。在安史之亂以前，他的詩作不多，或者是留存不多。在開元、天寶年間，人們止知道李白，而不知道杜甫。殷璠編選的《河嶽英靈集》，收開元二年（公元七一四年）至天寶十二載（公元七五三年）間二十四位著名詩人的詩二百三十四首，其中有李白的詩十三首，而沒有杜甫的詩。可知在開元、天寶年間，杜甫雖身在長安、洛陽，他的詩還沒有得名。寓居成都以後，詩越寫越好，但是因爲遠離了文藝中心的長安，也還是不很著名。高仲武編選的《中興間氣集》，收至德元載（公元七五六年）至大曆末年（公元七七九年）二十六位著名詩人的詩一百三十二首，也還是沒有杜甫。由此可知杜甫與李白在當時並非齊名。一直到元稹作杜甫的墓誌銘，才極力推崇杜甫，以爲非李白所能及。韓愈作詩，有『李杜文章在，光芒萬丈長』（《調張籍》）之句，從此之後，論詩者才以李、杜並稱。元稹的揚杜抑李，使後代的文學批評家提出了『李、杜優劣論』的問題，對於李、杜二人詩篇的誰優誰劣，歷代以來，有過不少論辯。

李、杜二人都寫了大量詩篇，李有詩一千首，杜甫詩一千四百首。選詩的人，常感到從他們二人的詩集中要選幾首代表作，很不容易。元代的楊士弘編選《唐音》，乾脆不收李白、杜甫和韓愈的詩。他的理由是『李、杜、韓詩，世多全集，故不及錄』。這是掩飾之詞。王維、白居易、李賀等人的全集，並未亡失，爲什麼都有選錄呢？其眞正的理由，首先是宋元時人以李、杜、韓爲唐詩中傑出的三大家。他們地位高了，不可與其他詩人平列。另外一個理由是感到不容易選，故索性不選。

我現在選講唐詩，對李、杜二家，同樣也感到難於選材。不過我不是在編唐詩選集，不一定要選他們最好的詩。止因爲他們的風格表現在各體詩中，爲了全面欣賞，不能不多講幾首，因此作了硬性規定，每人精簡到十首。

講杜甫的詩，從《哀江頭》開始：

少陵野老呑聲哭，春日潛行曲江曲。
江頭宮殿鎖千門，細柳新蒲爲誰綠。
憶昔霓旌下南苑，苑中萬物生顏色。
昭陽殿裏第一人，同輦隨君侍君側。
輦前才人帶弓箭，白馬嚼齧黃金勒。
翻身向天仰射雲，一箭正墮雙飛翼。
明眸皓齒今何在，血污遊魂歸不得。
清渭東流劍閣深，去住彼此無消息。
人生有情淚霑臆，江水江花豈終極。
黃昏胡騎塵滿城，欲往城南望城北。

天寶十五載六月九日，潼關失守，安祿山軍隊逼近長安。十二日，玄宗下詔親征，事實上是倉皇逃難。此時杜甫在鄜州。七月初，太子李亨在靈武即皇帝位，改元至德，歷史上稱爲肅宗。杜甫聽到消息，就奔向靈武。可是在中途被安祿山軍隊截獲，送回長安。在長安住到明年四月，才得脫身，到鳳翔去謁見肅宗。被拘在長安的時候，杜甫看安祿山佔領下的京都，一片荒蕪雜亂的景象。許多貴族子弟，求生無計，困苦萬狀。他寫下了《哀王孫》、《哀江頭》等詩篇。

《哀江頭》是至德二載春天，杜甫經過曲江時有感而作。曲江在長安城東南，是一個大池，故又名曲江池。據說這裏是漢武帝開闢的一個風景區，當時稱爲宜春下苑。池中種滿了荷花，隋文帝改名爲芙蓉苑。唐玄宗也喜歡這裏的景致，開元年間，曾大加修治，周圍造起了離宮別館，種上幾萬株楊柳花木。池中除荷花外，還有菱芡蒲葦。玄宗常和貴妃來此遊覽。長安人民也以爲遊樂之處。每年正月晦日，三月上巳，九月重陽這三大節日，遊人最盛。現在曲江遺址已在西安城外，止剩一塊窪地。

這首詩的結構也像一般的樂府歌行一樣，四句一轉。開頭四句用哭字韻。『少陵野老』是杜甫給自己題的別號。他又自稱『少陵布衣』。因爲他家住在長安城東南的少陵。『呑聲哭』就是古文所謂『飲泣』，不敢出聲的哭。『潛行』是偷偷地走過去，不敢公然在大路上走。『江曲』即『江頭』，是彎曲的岸邊。他獨自一人，偷偷地到曲江去看了一下，止見江邊的宮殿，如紫雲樓、彩霞亭、芙蓉苑、杏園等，千門萬戶，都已鎖上。江頭依舊生長著細柳新蒲，可是它們已失去了主人，不知爲誰而綠了。看了這樣荒涼敗落的景象，回憶過去的繁華熱鬧，這位少陵野老不禁暗暗地哭了。

以下四句轉色字韻。回憶不久以前皇帝還同貴妃一起到南苑來遊覽，使苑中萬物都大有光輝。『昭陽殿裏第一人』是趙飛燕，杜甫也和李白一樣，借來指楊貴妃。她和皇帝同坐在一輛車裏，侍候在皇帝身旁。『霓旌』即彩旗。皇帝出來，前後有彩旗簇擁，故以霓旌代表皇帝的車駕。『南苑』即

『芙蓉苑』，因爲在曲江池的南頭。

以下又是四句，仍用原韻。詩意説：御駕前扈從的才人帶著弓箭，騎著以黃銅爲勒具的白馬。她們回身仰天向雲端裏發射一箭，就射下了一隻雙飛的鳥。這四句詩，向來都解釋爲回憶玄宗與貴妃行樂的事。『憶昔』以下八句，吳昌祺在《刪訂唐詩解》中以爲都是『追憶昔時之盛』。許多選本都採用『一笑』而不用『一箭』，以爲這是指貴妃看到才人射鳥，破顏一笑。這是描寫貴妃得寵的嬌態。

對於這樣講法，我很懷疑。總覺得下文『明眸皓齒』一句接不上。我以爲『憶昔』這二字止管到第四句『同輦隨君侍君側』，這是作者回憶到玄宗與貴妃同遊曲江的盛況。『輦前才人帶弓箭』以下四句，仍用原韻，改用象徵手法，暗指貴妃之死。『輦』字是盛衰生死的轉折點。前一個『輦』字是與君王『同輦』，後一個『輦』字是『輦前才人』。才人是宮中正五品的妃嬪，共有九名，她們是皇后的侍從，不是武官，向來不帶弓箭。而作者卻説她們帶了弓箭。翻身、向天、仰射，接連用三個形容射箭姿態的詞語，有何必要？我以爲是作者暗示『犯上』的意思。尤其明顯的是『雙飛』，豈不是指玄宗與貴妃同輦逃難？一箭射下了其中之一，豈不是象徵了貴妃之死？止有這樣理解，才能與下句鈎連。

以下四句，仍用原韻，寫貴妃死後的情況。明眸皓齒的美人如今在哪裏呢？已經成爲無家可歸的血污遊魂了。這二句也是問答句法。貴妃之死，正史上的記載是縊死的。既不是被殺，也不是中箭。此句用『血污』字樣，不過誇張其死狀之慘，不必根據杜甫此詩，爲貴妃之死造成疑案。但是，以貴妃的身份，當時執行縊殺的人，決不會是軍將，故作者安排了帶弓箭的才人。射箭是虛構，才人可能是實情。以下二句寫貴妃死後，玄宗入蜀的情況。一群人隨渭水而東流，一群人深入劍閣。『去住彼此』這一句，向來有幾種解釋：朱熹以為『去』是指從劍閣入蜀的玄宗，『住』是指杜甫自己。唐汝詢說：『所幸惟清渭之流，能通劍閣，然而去住消息，彼此無聞矣。』（《唐詩解》）這是講錯了上句，而沒有明釋下句。吳昌祺說：『清渭二句，言父子相隔也。』（《刪訂唐詩解》）這是以為『去』指玄宗，『住』指肅宗。楊倫註曰：『清渭，貴妃縊處；劍閣，明皇入蜀所經。「彼此無消息」，即《長恨歌》所謂「一別音容兩渺茫」也。』（《杜詩鏡銓》）這是把『去』指玄宗，『住』指貴妃了。以上四種解釋，朱熹、吳昌祺所釋，幾乎沒有人贊同；楊倫所釋，本於唐汝詢，大概獲得多數讀者的同意，一般都是這樣講法。但我覺得還有些講不通，因為貴妃已死，怎麼還能說『彼此無消息』呢？這和『一別音容兩渺茫』的意義是不同的。『彼此』是兩個人。『兩渺茫』的『兩』字是指『音』和『容』。意思是既不能聽到她的聲音，又不能見到她的容貌，所以說『兩渺茫』，並不是兩個人彼此都感到渺茫。因此，我以為杜甫在此句中用『去住』、『彼此』，必然另外有意義。考《唐書·玄宗紀》說：當時殺死楊國忠、縊死楊貴妃之後，隨從玄宗出奔的將士、官吏、宮女都口出怨言，不願從行。玄宗無可奈何，止得說：『去住任卿。』①於是走散了許多人。玄宗到成都時，止剩軍將官吏一千三百人，宮女

①要走的就走，願意留下的就留下，隨你們的便。

二十四人。這就是杜甫用『去住』二字的根據。因此，我以爲『去』指散伙的人，『住』指留下來護衛玄宗入蜀的人。從此，去者如渭水之東流，住者深入劍閣，彼此都不相干了。

最後四句，仍用原韻。大意說：人因爲有情，所以看到曲江衰敗的情況，不免要下淚；可是江水江花，卻是無情之物，永遠如此，沒有興衰成敗。於是作者在悲愴之中，轉身回家。此時已在黃昏時分，安祿山部下那些騎兵在城裏亂闖，揚起了滿城塵沙，使他提心吊膽，以致迷失了方向。本想到城南去，卻望城北走了。

這最後一句，也有不同文本。句尾三字，有的作『忘南北』，有的作『往城北』，同樣都表現迷路之意。但歷來注釋者有不同的講法。有的說杜甫家住城南，故『欲往城南』。因爲肅宗即位於靈武，而靈武在長安之北。杜甫渴想到靈武去，故『望城北』。近人陳寅恪說：『杜少陵《哀江頭》詩末句「欲往城南望城北」者，子美家居城南，而宮闕在城北也。自宋以來，註杜者多不得其解，乃妄改「望」爲「忘」，或以「北人謂向爲望」爲釋。殊失少陵以雖欲歸家而猶回望宮闕爲言，隱示其眷念遲回，不忘君國之本意矣。』（《元白詩箋證稿》）

這兩種講法，都以『望』爲看望。或者說杜甫要看望靈武，或者說他要看望宮闕。使人不能理解的是：爲什麼要走回家去看望城北，爲什麼不乾脆到城北去看呢？再說，此時的宮闕，已被安祿山所佔有，杜甫既『不忘君國』，似乎也不會戀念這個僞政權所在的宮闕。

把『望』字講作『向』字，是陸游在《老學庵筆記》中提出的。他說：他看到的杜甫詩集，此句作『欲往城南向城北』。但王安石有兩首集句詩，都引用杜甫這一句，都是『望城北』。當時有人以為王安石寫錯了，也有人以為王安石妄改。陸游以為傳抄本偶有不同，其意則原是一樣。北方人以『望』為『向』。『望城北』就是『向城北』。亦就是遑惑避死，不能記南北之意。

這些不同的講法，都由於沒有找出杜甫用字的來歷，把一個比喻句誤認為實寫的叙事句了。朱鶴齡引用曹植《吁嗟篇》的兩句作注：『當南而更北，謂東而反西。』（見《杜詩詳註》）這才掘出了杜甫用『南北』二字的依據。可知它與家住城南沒有關係，與靈武或宮闕也沒有關係。止是說在『胡騎滿城』的情況下，惶恐迷路而已。不過朱鶴齡這個注，還沒有找到根源。徐幹《中論·愼所從篇》云：『譬如迷者，欲南而反北也。』這才是杜甫詩的原始出處。『欲往城南』分明就是『欲南』的演繹。徐幹和曹植同時。徐幹卒時，曹丕還沒有受禪，他的《中論》早已流傳於世。曹植此詩，大約作於黃初年間，可知他是引伸徐幹此句作詩的。此外，杜甫自己也有兩句同樣意義的詩：『過客徑須愁出入，居人不自解東西。』（《將赴成都草堂途中有作先寄嚴鄭公五首》之二）這就可以用曹植的『謂東而反西』來作注了。又，《賢首楞伽經》是六朝人譯的佛經，其中有句云：『譬如迷人，於一聚落，惑南為北。』這是印度哲人與中國學者同樣用迷失方向來比喻一個人在學術上走錯了路。

這首詩並不很艱深，也沒有隱晦的辭句。一千多年來，讀杜詩者都認為是好詩。有人喜歡將此詩和《麗人行》一起讀。《麗人行》寫楊貴妃的黃金時代，這首詩是寫她的悲劇性下場。借貴妃的盛衰來反映玄宗後期政治從腐敗走向崩潰。杜甫的大部分詩篇都是當時政治和社會的一面鏡子。在北宋初期，文藝批評家已肯定他的詩是『詩史』，用詩的形式寫成的歷史。這個稱號，已經寫進《新唐書》的《杜甫傳》，成爲定評了。

但是，我講這首傳誦已久的淺顯的詩，還能提出幾處與前人不同的解釋。這就說明，我們對古代詩歌的了解，並非簡單的事。作者的本意，怎樣才能體會到正確，從而作出正確的解釋。這個問題，幾乎是無法回答的，我順便在這裏講一個孟軻的故事：孟子的學生咸丘蒙，有一天，問老師道：『《詩經》裏有四句詩：「溥天之下，莫非王土；率土之濱，莫非王臣。」這是說全國都是舜統治的土地；全國人民都是舜的臣子。那麼，難道舜的父親瞽叟也是舜的臣民嗎？』孟子回答道：『這幾句詩不能這樣理解。整首詩的主題是有人抱怨勞逸不均。既然人人都是舜的臣民，爲什麼我特別勞苦呢？』接著，孟子說：『講詩的人不能以文害辭，更不能以辭害意。必須以意逆志，才有所得。』這是說：講詩不要死講一個字，以致誤解了一個詞語。不要死講一個詞語，以致誤解了詩意。必須用你的意志去迎合作者的意志。再接下去，孟子又舉了一個例說：『《詩經》裏還有一首詩。描寫周朝時旱災嚴重，人民死了不少。詩人說：「周餘黎民，靡有孑遺。」如果照字句死講，「靡有孑遺」就是沒有一個活下來。那麼，事實難道眞是這樣嗎？』

孟子提出的『以意逆志』，成爲理解或欣賞詩歌的一個方法，也成爲文學批評的術語。對於古人的詩作，不可拘泥於字面，要揣摩作者的本意。不過孟子和咸丘蒙所談的是怎樣對待文學上的誇張手法。我們還可以找一個例子來說明。杜甫寫過一首《古柏行》，描寫一株古柏樹。詩句云：『霜皮溜雨四十圍，黛色參天二千尺。』宋朝一位科學家沈括在他的《夢溪筆談》中就批評這兩句詩不對。他用數學觀念來理解這兩句詩，就說這株古柏太細長了。但杜甫的本意不過形容樹之高大，他不會運用數學的準確性。我們用『以意逆志』的方法讀這兩句詩，知道這是誇張手法，也決不會給這株樹推算體積比例。

對於一首詩的主題思想，我們也止有用『以意逆志』的方法求解。不過，作者的志有時隱而不顯，讀者的意又是各不相同，於是一首詩可以有許多不同的講法。從阮籍的《詠懷》到陳子昂的《感遇》，有過許多人作箋注，都是以各人的意去逆作者的志。到底誰的解釋接觸到作者的本意，這也無法判斷，讀者止能挑選一個比較講得有理的，就此滿足了。

可是，以意逆志也不能完全從主觀出發。必須先盡可能地明確這個作品的寫作時期，作者的思想情況，生活情況，把這個作品納入一個比較近似的環境裏，然後用自己的意去探索作者的志。例如《蜀道難》這首詩，自從蕭士贇說是爲玄宗幸蜀而作，以後幾乎成爲定論。許多箋注家都用這個觀點去分析作品，講得似乎很能闡發作者的主題思想。可是，一看到《河嶽英靈集》中已收入這首詩，證明了李白這首詩是在安祿山叛亂以前所作，才知道蕭士贇的解釋是逆錯了作者的志。由此可知，主觀主義的以意逆志也是很危險的。

一九七八年八月二十五日

36 杜甫：新安吏

安祿山之亂，使唐玄宗李隆基的外強中乾的政權迅速崩潰，暴露出官吏的腐敗，將士的懦怯，軍隊的無組織、無紀律、無鬥志，社會秩序的紊亂，人民的貧困。杜甫在這幾年中，漂泊於長安、洛陽之間，把所見所聞所感，寫下了許多詩篇。其中有許多組詩，如『二哀』（《哀江頭》、《哀王孫》），『二悲』（《悲陳陶》、《悲青坂》），『三吏』（《新安吏》、《潼關吏》、《石壕吏》），『三別』（《新婚別》、《垂老別》、《無家別》），都是著名的作品。現在從『三吏』中選講一首。許多選本都選取《石壕吏》，最近又已選入中學語文教材，我就不選了。改選《新安吏》：

客行新安道，喧呼聞點兵。
借問新安吏，縣小更無丁。
府帖昨夜下，次選中男行。
中男絕短小，何以守王城。

肥男有母送，瘦男獨伶俜。
白水暮東流，青山猶哭聲。
莫自使眼枯，收汝淚縱橫。
眼枯即見骨，天地終無情。
我軍取相州，日夕望其平。
豈意賊難料，歸軍星散營。
就糧近故壘，練卒依舊京。
掘壕不到水，牧馬役亦輕。
況乃王師順，撫養甚分明。
送行勿泣血，僕射如父兄。

這首詩的時代背景是乾元元年（公元七五八年）冬，安慶緒退保相州（今河南安陽），肅宗命郭子儀、李光弼等九個節度使，率步騎二十萬人圍攻相州。自冬至春，未能破城。乾元二年三月，史思明從魏州（今河北大名）引兵來支援安慶緒，與官軍戰於安陽河北。九節度的軍隊大敗南奔，安慶緒、史思明幾乎重又佔領洛陽。幸而郭子儀率領他的朔方軍拆斷河陽橋，才阻止了安史軍隊南下。這一戰之後，官軍散亡，兵員亟待補充。於是朝廷下令徵兵。杜甫從洛陽回華州，路過新安，看到徵兵的情況，寫了這首詩。

第一段八句，二句一意。詩說：有旅客在去新安的路上走過，聽到人聲喧嘩，原來是吏役在村裏點名徵兵。旅客便問那些新安縣裏派來的吏役：新安是個小縣，人口不多，連年戰爭，還會有成丁的青年可以入伍嗎？吏人回答說：昨夜已有兵府文書下達，規定點選中男入伍了。旅客說：啊，中男還是短小的青年，怎麼能讓他們去守衛東都啊？

唐代的兵士，隸屬於折衝府。每一個應服兵役的青年，都應在成丁後入伍，爲本府衛士，到六十歲方能退伍。『府帖』就是折衝府頒發的文書。玄宗天寶二年，規定二十三歲爲成丁，滿十八歲爲中男。新安縣的二十三歲以上男子，都已徵發去從軍，有的死亡，有的傷殘，有的逃散了。所以現在要徵發其次的中男，即滿十八歲的青年。旅客以爲這些青年還沒有成長，不能擔負守衛王城的任務。洛陽是東都，故稱爲王城。『借問』的『借』字是一個禮貌詞，等於『請問』，現在口語中還用『借光』，亦是禮貌詞。

第二段也是八句，描寫旅客所見到的那些應徵的中男。肥胖的青年大概家境還不壞，他們都有母親來送行。瘦弱的青年大多來自貧戶，他們都孤零零的，無人陪送。時候已到黃昏，河水東流而去，青山下還有送行者的哭聲。旅客看到如此景象，覺得止好對那些哭泣的人安慰一番。他說：把你們的眼淚收起吧，不要哭壞了眼睛，徒然傷了身體。天地終是一個無情的東西啊！這裏，白水、青山二句是比喻寫法。前一句指應徵的中男向東出發了，後一句指留在那裏的送行者。我們如果聯繫《哀江頭》中的那句『清渭東流劍閣深』，便可以看出杜甫慣用這樣的比喩，並且還可以引『白水暮東流』一句以證明『清渭東流』確是指那些散伙的百官宮女。

『天地終無情』一句，作《杜臆》的王嗣奭以爲『天地』指朝廷，不便正面怨朝廷役使未成丁的靑年，故以『天地』代替。作《讀杜心解》的浦起龍旣同意王說，又說：『然相州之敗，實亦天地尙未悔禍也。』這兩個講法，我以爲都可討論。試看這首詩的後段，杜甫並沒有譴責朝廷徵用中男的意思，對於這次戰事，他還肯定是『王師順』，那麼，在這裏講作指斥朝廷無情，就顯得不可能了。我以爲這『天地』二字是實用，而且是複詞偏義用法。作者止是說『天道無情』，在無可解釋而又要安慰人民的時候，止得歸之於天意。這是定命論的觀點，在古代作家作品中是常見的。浦起龍雖然也以爲天地是實指，但他說這『無情』是由於『天地尙未悔禍』，卻是迂儒之見了。

接下去十二句爲一段。開頭四句提一提相州之敗的軍事形勢。官軍進攻相州，本來希望一二天之內就能平定，豈知把敵人的形勢估計錯了，以致打了敗仗，兵士一營一營地潰散了。『星散營』，楊倫注曰：『謂軍散各歸其營也。』（《杜詩鏡銓》）這個注解恐怕不對。戰敗的軍隊，一般總是逃散，決不會『各歸其營』。這三個字應理解作『散營』再加一個副詞『星』。如何散法？如星一樣地分散。散的是什麼？是營的編制。一伙一伙的潰散，稱爲散伙。一隊一隊地潰散，稱爲散隊。一營一營地潰散，稱爲散營。『日夕』在此句中應當講作『旦夕』，而不必講作『日日夜夜』。當時郭子儀統率大軍二十萬圍攻相州，滿以爲旦夕之間可以攻下。所以下句說『豈意』。如果講作『日日夜夜』地望其平定，那麼『賊難料』就不是意外之事了。

接下去八句，給被徵入伍的中男說明他們將如何去服兵役，從而予以安慰。伙食就在舊營壘附近供應，訓練也在東都近郊。要他們做的工作是掘城壕，也不會深到見水。牧馬也是比較輕的任務。這是說，不要他們去遠征，而是就在當地保衛東都。糧食不缺，工作不繁重。接著說：況且這一場戰爭是名正言順的正義戰爭，參加的是討伐叛徒的王師。主將對於兵士，顯然是很關心撫養的。你們送行家屬不用哭得很傷心，僕射對兵士仁愛得像父兄一樣。僕射，指郭子儀，當時的官銜是左僕射。

這首詩的主題思想是複雜的。前半篇詩，對於點選中男，作者感到的是同情和憐憫。但這種憐憫的情緒，並沒有發展成爲反對戰爭的思想。因爲他不能反對這場戰爭。於是轉到下半篇，就以頌揚郭子儀、安慰送行的家屬作結束。『天地終無情』說明前半篇的主題思想；『僕射如父兄』說明後半篇的主題思想。這兩個主題思想是矛盾的。但杜甫把它們結合起來，成爲全詩的一個主題，表達了他當時複雜而又矛盾的心理狀態。

浦起龍在《讀杜心解》中分析這首詩云：『此詩分三段：首叙其事，中述其苦，末原其由。先以惻隱動其君上，後以恩誼勸其丁男，義行於仁之中，此豈尋常家數。』他以爲杜甫此詩，前半篇是表現了詩人的仁，他要以這種惻隱之心感動皇帝。後半篇是表現詩人的義，他要以從軍衛國的責任去鼓勵兵士。這就不是平常的創作方法了。

如果用這一講法，這首詩就成爲維護封建統治政權的作品。前半篇對中男的憐憫成爲虛僞的同情，其目的是勸誘他們去爲維護統治階級的政權而賣命。所謂『義行於仁之中』這句話的意味就是用假惺惺的仁來實現陰險的義，這就符合於『溫柔敦厚』的詩教了。

許多人用浦起龍的觀點解釋這首詩，自以爲擡高了杜甫，稱頌這首詩『措詞得體』，繼承了《詩經·國風》的傳統，其實是貶低了杜甫。我們在前半篇中，實在看不出杜甫有把點中男入伍的慘狀去感動皇帝的意思。近來有人說這一段詩是『對封建統治階級的譴責』。我也看不出有什麼譴責的意味。我以爲杜甫當時止是抒述自己愛莫能助的感情，不得已而止好喊出一聲『天地終無情』。我在講高適的《燕歌行》的時候，已經提到過唐代詩人對戰爭的態度，各有不同。對戰爭本身，他們都是反對的；對於每一次戰爭，他們的態度就有區別。擁護正義戰爭，反對不義戰爭。因此，在從軍、出塞的題材中，主題思想常常會出現矛盾。高適的《燕歌行》和杜甫這一首《新安吏》是同樣的例子。

所以，我寧可說這首詩反映了杜甫的矛盾心理，這就是他的現實主義。他並不是爲了『溫柔敦厚』而組織成一首『義行於仁之中』的麻醉人民的詩。

一九七八年九月十六日

37 杜甫：無家別

『三別』與『三吏』都是三篇一組的新樂府詩。它們是姊妹篇，都是記錄乾元二年春杜甫從洛陽回華州時路上的所見所聞。『三別』是記兵災後人民生活困苦之狀。第一篇《新婚別》，寫一個女人，結婚後第二天，便送丈夫應徵入伍的景象。第二篇《垂老別》，寫一個子孫均已戰死的老人，生活無依，止好投杖出門去從軍的景象。第三篇《無家別》寫一個戰敗歸家的農民，正要在荒寂無人的鄉里中，重新種田過活，卻還是被縣吏召去服本地的徭役。情況各各不同，一律反映了唐代府兵制度對人民的迫害。

這裏，我們研讀《無家別》：

寂寞天寶後，園廬但蒿藜。
我里百餘家，世亂各東西。
存者無消息，死者爲塵泥。

賤子因陣敗，歸來尋舊蹊。
久行見空巷，日瘦氣慘淒。
但對狐與貍，豎毛怒我啼。
四鄰何所有，一二老寡妻。
宿鳥戀本枝，安辭且窮棲。
方春獨荷鋤，日暮還灌畦。
縣吏知我至，召令習鼓鞞。
雖從本州役，內顧無所攜。
近行止一身，遠去終轉迷。
家鄉既蕩盡，遠近理亦齊。
永痛長病母，五年委溝谿。
生我不得力，終身兩酸嘶。
人生無家別，何以爲蒸黎。

此詩第一段六句。用一個戰敗歸家的農民的自述，描寫天寶十五載以後，陝、洛一帶人民的田園廬舍已毀滅，止剩一望無際的蓬蒿藜藿。我的鄉里原有一百多家，因爲避亂，各自東西逃難，至今活著的人既無消息，死者已化爲塵泥。

第二段也是八句。接著說：我因爲相州戰敗，脫身歸來，尋找舊時的道路。走了好久，才找到自家的巷子，可是已經空空洞洞，沒有人跡了。這時，太陽也灰白無光，天氣非常淒慘。所見到的止有狐狸，豎起尾巴對我凶惡地嗥叫。再訪問一下四鄰，止見到一二老寡婦。『賤子』是自稱的謙詞，女曰『賤妾』，男曰『賤子』，漢魏樂府民歌中已有了的。

第三段四句。敘述自己回到荒蕪的家鄉之後，好比鳥雀留戀住慣了的樹枝，不願到別處去棲宿，因此，對於這樣窮苦的老家，也不欲辭去。氣候正是春天，就獨自負著鋤頭去墾地，傍晚還得在菜地裏澆水。

以下十四句爲第四段。縣吏知道我回家了，就來命我去參加軍事訓練。雖然這是在本地服役，不比遠征，可是反正家裏已沒有人需要告別了，如果服役就在近地，也止是個光身。如果要我到遠處去，終於也不過流落在異鄉。家鄉既已毀滅精光，無論要我到什麼地方去，從理論上說起來，都是一樣的。『內顧』本意是『向屋裏看』，『攜』字作『分離』解。向屋裏看，也沒有人可以分別。意思是說：我已經是個沒有妻室的鰥夫，隨處都可安身。還有一件悲痛的事，是長病的母親，躺了五年，終於死亡。生了我這個兒子，不能得到我的養生送死，這是我終身辛酸痛哭的事。『兩酸嘶』指妻去母亡兩件事。最後說，人生到了無家可別的境地，還憑什麼來做老百姓呢？這是說：無家之人，止是一個流民而已。『蒸黎』是將『烝民』與『黎民』二詞合用，是『人民』的代詞。『蒸』字誤，應當是

『烝』字。『蒸藜』另有典故。與此不相干。此處是『黎』字，不是『藜』字。

此詩一韻到底，每二句一韻，不轉韻，也不用排句、對句。這是五言古詩的正規格式。這些韻脚，今天也同屬於上平聲八齊韻，可知這些韻脚的讀音從唐代以來沒有改變。

明代詩人李于鱗說：作五言古詩要像說話一樣。杜甫此詩，和他的許多五言古詩，都可爲例證。這些詩都是直接繼承了漢代的《古詩十九首》的傳統，語言文字，全是平鋪直叙，寫景、抒情、叙事，隨著思想感情的過程，一路傾吐出來，使讀者彷彿在聽那個農民的喃喃訴苦，這就容易感動人了。施補華在《峴傭說詩》中說：『五言古詩，以簡質渾厚爲正宗。』又說：『古詩貴渾厚，樂府尙鋪張。凡譬喩多方，形容盡致之作，皆樂府遺派也，混入古詩者謬。』杜甫此詩，從詩題看，應該是樂府詩，但他寫得正是簡質渾厚，不作樂府的鋪張，不作比興，所以在風格上，也是五言古詩的正格。

此詩止有『宿鳥戀本枝』一句是比，此外全不用比，也不用興，甚至也說不上是賦體，因爲一點沒有誇張采飾。這是一種超於賦比興以外的詩體。我以爲唐宋以後，還應當加一個詩創作手法的名目，稱之爲『叙』。像這首詩，從其內容來看，簡直是一篇記叙文，杜甫以後，止有韓愈能作這樣的詩。宋代詩人如梅堯臣、蘇東坡，也有過這一風格的詩，此後便漸漸地成爲一種沒有誠摯感情的道學詩、倫理詩了。

從《哀江頭》到《無家別》，我選講了杜甫的五首樂府詩。它們的題目都是作者依據其題材內容創造的。在古代樂府中，未曾有過。杜甫自己也沒有用同一題目再作一篇。而以三字制題，又遵照著古樂府題的傳統。這是杜甫在樂府詩方面的藝術特徵。李白用樂府古題來寫新事物，杜甫則創造了樂府新題。比較起來，李白還是個保守派。

杜甫的詩，要到中唐以後，才發生影響。他這種樂府詩，要等到白居易和元稹等出來繼承和發揚，才確定爲一種新的詩體。白居易給它們定了一個名稱，叫作『新樂府』。

一九七八年九月十八日

38 杜甫：悲陳陶　悲青坂

天寶十五載（公元七五六年）七月，皇太子李亨即皇帝位於靈武，改元爲至德。九月，左相韋見素，文部尙書房琯，門下侍郎崔渙等奉玄宗遜位詔書、皇帝冊書及傳國璽等自蜀郡至靈武完成禪讓大典。十月，房琯自請爲兵馬大元帥，收復兩京。肅宗同意了，又令兵部尙書王思禮爲副元帥，分兵爲南、北、中三軍。楊希文、劉貴哲、李光進各將一軍，共五萬人。南軍自宜壽進攻，中軍自武功進攻，北軍自奉天進攻。房琯自督中軍爲前鋒。十月辛丑，中軍、北軍與安祿山部將安守忠的部隊在陳陶斜遭遇。房琯是個空有理論的書生，他效法古代戰術，採用車戰，被敵軍放火焚燒，又受騎兵衝突，人馬大亂，不戰而潰。楊希文，劉貴哲投降敵軍。房琯狼狽逃回。本想暫時堅守壁壘，卻被監軍使宦官邢延恩敦促反攻。於是房琯又督率南軍，與安守忠軍戰於青坂，再吃了一次大敗仗。兩次戰役，死傷了四萬餘人，殘餘者不過幾千人。

這時杜甫淪陷在長安城中，聽到這一消息，便寫了《悲陳陶》、《悲青坂》兩首詩。次年四月，杜甫逃出長安，到達鳳翔，朝見肅宗，拜左拾遺。此時房琯正因兵敗待罪。杜甫和房琯是老朋友，便上疏營救房琯。肅宗大怒，詔令三司推問。幸有宰相張鎬救援，才得無事。八月，放杜甫還鄜州省視家屬。十月，隨從肅宗還都。次年，乾元元年六月，改官華州司功參軍。這就是因爲上疏救房琯，而被排擠出京朝了。

兩首詩所叙述的是同一件事實。陳陶、青坂雖是兩個地方，所悲者同樣是房琯被安祿山軍隊打敗。我們且看詩人如何把同一件事分寫爲二篇：

悲陳陶

孟冬十郡良家子，血作陳陶澤中水。
野曠天清無戰聲，四萬義軍同日死。
群胡歸來血洗箭，仍唱胡歌飲都市。
都人回面向北啼，日夜更望官軍至。

此詩說：在十月裏，從十個郡縣中徵發來的兵士，他們的血都流作陳陶池河中的水了。清天曠野中，沒有聽到戰鬥的聲音，而四萬義勇軍在同一天內死亡。這是寫房琯的軍隊不戰而潰。杜甫在長安城內看見安祿山部隊得勝回來，箭頭上都沾滿了人血，他們仍然像出征時一樣，唱著胡歌，在酒店裏酗酒。這兩句寫長安城中安祿山軍隊猖獗的情況。長安城裏的人民呢？他們止有回面向北哭泣，日日夜夜地再盼望官軍到來。這裏『仍唱』和『更望』兩個詞語用得意義非常深刻，是杜甫鍊字精工的例子。『仍唱』表現胡人從佔領長安以來，每天都是歌唱飲酒。『更望』表現人民已經望過一次，官軍雖然來到，卻是不爭氣，沒有能夠解救人民。人民止得日夜地再盼望下去。

『十郡良家子』，注釋者都引用《漢書·趙充國傳》裏的『六郡良家子選給羽林期門』這一句。其實不相干。杜甫所謂『十郡』與漢代的『六郡』不同。它是指長安四周的十個郡：扶風、馮翊、咸寧、華陰、新平等十郡，即所謂畿輔郡，不是漢代郡國的郡。隋代行政區域稱郡、縣，唐高祖建國後，改郡爲州。玄宗天寶元年（公元七四二年）又改州爲郡。肅宗乾元元年（公元七五八年），又改郡爲州，以後相沿不改。唐三百年間，止有玄宗天寶年間才有郡的名稱。杜甫所謂『十郡』正是當時的行政區域名，而不是用漢代『六郡』的典故。『良家子』是漢代徵召禁衛兵的人選標準。止有『良家』子弟，才能入選充當禁衛軍。什麼才是『良家』呢？首先是人民，不是奴隸。人民之中，還要排除巫、醫、百工的子弟。事實上，止有士（文士、武士）和農兩個階級的子弟才算是『良家子』。唐代用府兵制，已不用這個標準。杜甫用這個名詞，止是代替『兵士』而已。

『孟冬』是十月。一年四季，每個季度的第一個月稱爲孟。正月爲孟春，四月爲孟夏，七月爲孟秋。第二個月爲仲，第三個月爲季。杜甫作詩，常常喜歡標明年月，這也是他創造的詩史筆法，以前未曾有過。《早秋苦熱》詩云：『七月六日苦炎熱。』《送李校書》詩云：『乾元二年春，萬姓始安宅。』《北征》詩云：『皇帝二載秋，閏八月初吉。』《上韋左相》詩云：『鳳曆軒轅紀，龍飛四十春。』

此詩作於天寶十三載，時玄宗在位已四十二年。『四十春』是舉其整數。《草堂即事》詩云：『荒村建子月，獨樹老夫家。』此詩作於上元二年（公元七六一年）。是年九月，取消上元年號，並以十一月爲歲首。十一月爲子月，故稱『建子月』。這句詩不用年號，又稱『建子月』，一望而知是上元二年十一月所作。

『群胡歸來血洗箭』此句從來沒有注釋，卻很不易了解。箭已射中官軍，故箭鏃上有血。但這枝箭不會仍在群胡手中。我不了解古代戰爭情況，不知是否在戰鬥結束後，還要收回這些已發射出去的箭。我懷疑這個『箭』字是『劍』字之誤。

悲青坂

我軍青坂在東門，天寒飲馬太白窟。
黃頭奚兒日向西，數騎彎弓敢馳突。
山雪河冰野蕭瑟，青是烽煙白人骨。
安得附書與我軍，忍待明年莫倉猝。

此詩說：我軍駐紮在武功縣東門外的青坂。天氣嚴寒，兵士都在太白山的泉窟中飲馬。這是說官軍佔據了太白山高地堅守著。可是黃頭的奚兵每天向西推進，止有幾個騎兵，居然敢彎弓射箭向我軍衝擊。這時，山上是雪，河中有冰，曠野裏一片蕭瑟氣象。青的是報警的烽煙，白的是戰死兵士的枯骨。杜甫在長安城中，聽到這個消息，心中非常激動，他想：怎麼能托人帶個信給我軍，囑咐他們暫時忍耐一下，等到明年再來反攻，千萬不要急躁。奚是東胡的一種。有一個名爲室韋的部落，以黃布裏頭，故稱爲『黃頭奚』。

此詩中『數騎』和『敢』字都是經過鍛鍊的字眼。止用三個字就表現了安祿山叛軍的強壯和官軍的怯弱。『青是烽煙白人骨』這一句，本來應該說『青是烽煙，白是人骨』。縮成七言句止好省略一個『是』字。《同谷歌》有一句『前飛駕鵝後鶖鶬』，本來是『前飛駕鵝，後飛鶖鶬』。省略了一個『飛』字。又《李潮八分小篆歌》有一句『秦有李斯漢蔡邕』，省略了一個『有』字。這種句法，僅見於七言古詩，五言詩中絕對不可能有。七言律詩中也少見。

『青是烽煙白人骨』止是一個描寫句，『白人骨』還屬於誇張手法，不能死講。陣亡士兵的屍體暴露在荒野裏，至少要幾個月才剩一堆白骨。杜甫此句，止表現『屍橫遍野』的情景。他有一首《釋悶》詩，其中有一聯道：『豺狼塞路人斷絕，烽火照夜屍縱橫。』也是寫戰後的原野，它和『青是烽煙白人骨』是同一意境的兩種寫法。

現在，我們來研究一下，房琯兵敗這一個歷史事件，杜甫怎樣分作兩首詩來叙述。我們先把兩首詩的第二聯和第三聯比較一下。《悲陳陶》的第二聯寫官軍士氣怯弱，無戰鬥力。第三聯是其後果，所以寫『群胡』的飛揚跋扈。《悲青坂》的第二聯寫安祿山部隊的強悍，第三聯是其後果，所以寫官軍死亡之慘。這一對比，可以理解杜甫從兩個不同的角度來描寫同一事件的藝術手法，第四聯都是寫被困在長安城內的人民和作者自己的思想感情。陳陶斜一敗之後，長安城中的人民在痛哭之餘，還希望官軍馬上再來反攻。可是在青坂再敗之後，人民知道敵我兵力相差甚遠，止得放棄『日夜更望官軍至』的念頭，而設想托人帶信給官軍，希望他們好好整頓兵力，待明年再來反攻。這兩首詩的結尾句深刻地表現了人民對一再戰敗的官軍的思想感情的合於邏輯的轉變。

但是，《杜詩鏡銓》引用了邵子湘的評語云：『日夜更望官軍至，人情如此；忍待明年莫倉猝，軍機如此。此杜之所以爲詩史也。』這個評語，反映出邵子湘認爲兩個結句有矛盾，因此他把《悲陳陶》的結句說是人民的感情如此；把《悲青坂》的結句說是軍事形勢有這樣的需要。他以爲這樣講可以解釋矛盾。其實是似是而非。要知道，『軍機如此』，也同樣是長安城中人民聽到青坂之敗以後的認識和感情。杜甫寫的正是人民思想感情的轉變，根本不能以爲兩首詩的結句有矛盾。

一九七八年九月十八日

39 杜甫：七言律詩二首

七言律詩雖然興起於初唐，定型於沈宋，但詩人致力於這種詩體者，還不很多。一般人也不重視七言律詩。高仲武編《中興間氣集》，所選錄的是至德元載（公元七五七年）至大曆末年（公元七七九年）這二十多年間的詩，他的自叙說：『選者二十六人，詩總一百三十二首。分爲兩卷，七言附之。』他所選的主要是五言詩，偶有幾首七言詩，都編排在各人的五言詩之後，作爲附選。這就反映出，直到中唐初期，五言詩仍然是正統，七言詩止是附庸。在律詩中間，五言律的地位也高於七言律。

律詩的『律』是初唐以來逐漸形成的。由於詩人們對聲調、音節、對偶的逐漸深入研究，律也從寬疏發展到細密。杜甫回到四川以後，作了大量的五、七言律詩。他從豐富的實踐中，掌握了律詩的種種條件和變化。他自己說過：『晚節漸於詩律細』，這個『細』字就是細密的意思。他自許晚年的詩，音律極爲細密。他又曾寫一首詩誇獎他的小兒子宗武，有一聯道：『覓句新知律，攤書解滿床。』（《宗武生日》）這是說宗武近來作詩，已經懂得律法。爲了鍛鍊律法細密的詩句，就得攤開滿床的書去找詩料。杜甫給律詩開闢了新的境界。他的律詩裏出現了許多新穎的字法和句法，使唐代的律詩，無論在字句結構和思想感情的表現兩方面，都達到高度的發展。儘管高仲武當時還不很重視七言詩，但在中唐後期，杜甫的七言律詩已起了很大的影響。

現在選兩首杜甫的七言律詩，都是在大曆元、二年旅居夔州（今四川奉節）時所作。同時他還寫了《諸將》五首，《秋興》八首，《詠懷古跡》五首等極有名的七言律詩。但這些都是組詩，最好作爲一個整體來欣賞。如果抽取一二首來講，止是窺豹一斑，不能見到杜甫對同一題目的各種變化處理。現在選講的兩首，從思想內容的角度來評價，未必是杜甫的代表作。我之所以選這兩首，企圖從一些淺顯易懂的作品中找一個『詩律細』的典型。因爲詩的內容淺顯易懂，可以不必多作字句的解釋，而偏重於談談律詩的律。

返照

楚王宮北正黃昏，白帝城西過雨痕。
返照入江翻石壁，歸雲擁樹失山村。
衰年肺病惟高枕，絕塞愁時早閉門。
不可久留豺虎亂，南方實有未招魂。

這首詩第一聯是把一個景色分兩句寫。楚王宮北，正是黃昏時候；白帝城西，還可見下過雨的痕跡。楚王宮和白帝城，都是夔州的古跡，詩人用來代表夔州。兩句詩止是說夔州雨後斜陽的時候。第二聯說斜陽返照到江水上，好像山壁都翻倒在江中，從四面八方聚攏來的雲遮蔽了樹林，使山下的村莊都看不見了。第三聯寫自己年邁病肺，止有高枕而臥，況且身在這遙遠的邊塞，感傷時事的心情，也止好早早閉門，意思是說：沒有觀賞晚景的心情。夔州是川東的門戶，故稱絕塞。『愁時』和『肺病』作對，應講作『哀時』，哀傷時世，不能講作憂愁的時候。最後一聯說：夔州時局不穩，即將有豺虎作亂，這個地方不可久留，一心想回北方去而未能成行。

『豺虎亂』是用王粲的《七哀》詩句『西京亂無象，豺虎方遘患』。杜甫有《夔府書懷四十韻》長詩一首，其中叙述了當時夔州人民的困苦和軍人的跋扈。到大曆三年，果然不出詩人所料，發生了楊子琳殺死夔州別駕張忠，據城奪權的亂事。末句意義比較隱晦，舊注以爲此句『言在此屢遭寇亂，旅魂已將驚散也』（見《杜詩詳注》）。這是臆解，沒有扣上原句字面。『未招魂』不能講作『旅魂驚散』。而且，『南方』二字也沒有著落。『實』字是杜甫的特殊字法，有幾處用得出人意外。《秋興》第二首有一句『聽猿實下三聲淚』，和這裏的『實有未招魂』，從來都是含糊讀過，沒有人講出作者本意。

我以爲，要理解這兩個『實』字，都必須揣摩作者的思想基礎。屈原被放逐在江南，形容憔悴。他的學生宋玉寫了一篇《招魂》以振作他老師的精神。其中有一句『魂兮歸來，南方不可以止些』。

杜甫想到了這一句，用來比喻自己，所以說南方確實還有一個未招歸的旅魂，用以表達自己想回北方去的意志。讀杜甫此句，如果不聯想到宋玉的《招魂》，就無法體會這個『實』字的來歷。杜甫還有一首《歸夢》詩云：『夢魂歸未得，不用楚辭招』，可以作爲此句的箋證。吳昌祺釋此句云：『南方非久居之地，何無人招我魂而去此土也。』（《删訂唐詩解》）沈德潛注云：『己之驚魂，不能招之北歸。』（《唐詩別裁》）這兩個注都是僅僅闡發詩意，而沒有聯繫《楚辭·招魂》，因而沒有接觸到『實有』二字的作用。

《水經注》在描寫長江巫峽風景的一段中記錄了兩句漁民的歌謠：『巴東三峽巫峽長，猿鳴三聲淚沾裳。』杜甫思想上湧現這個歌謠，所以說：聽了巫峽的猿啼，眞要掉下眼淚。『三聲淚』是摘用原句中三個字。其實『三聲』是猿啼三聲，『淚』是行人旅客聽了猿啼而下淚。如果杜甫思想上沒有這兩句歌謠爲依據，『三聲淚』本來不能成爲一個詞語。杜甫詩集中已注明了這首漁民歌謠，故讀者容易了解這個『實』字。但是，除了《唐詩解》以外，都沒有注出《招魂》二句，故『南方』與『實有』都使人不易了解。

登高

風急天高猿嘯哀，渚清沙白鳥飛迴。
無邊落木蕭蕭下，不盡長江滾滾來。

萬里悲秋常作客，百年多病獨登臺。
艱難苦恨繁霜鬢，潦倒新停濁酒杯。

這首詩的結構和《返照》一樣，第一聯也是用兩句來概括眼前風景：渚清沙白，風急天高；猿啼悲哀，飛鳥迴翔。第二聯分別描寫兩種印象最深的事物：無窮的落葉和不盡的長江。這兩句雖然是登高即景，但也是化用了屈原《九歌》的兩句：『嫋嫋兮秋風，洞庭波兮木葉下。』不過把洞庭改爲長江。登高是九月九日重陽節日的民俗，故登高所見都是秋景。第三聯才點明題目：遠離家鄉的人，常常在客中感到悲秋的情緒，一生多病的人今天又獨自登高臺，度佳節。按照思想邏輯來體會，這兩句的次序應當倒過來。因『百年多病獨登臺』而感慨到『萬里悲秋常作客』。這種情況，律詩中常見，因爲要湊平仄與韻腳的方便。『萬里悲秋常作客』這一句的思想邏輯是『萬里作客常悲秋』。杜甫作此聯，肯定是先有下句而後湊配上句的。因爲下句是與散文句法相同的自然句子，上句卻是構思之後琢磨出來的句子。做律詩的對句，藝術手法的過程大概如此。先抓住一個思想概念，定下一個自然平整的句子。然後找一句作對，這就要用功夫了。在覓取對句的過程中，也需要把先得的句子改動幾個字或詞語，使平仄或詞性對得更工穩貼切。『萬里』止是用來代替一個『遠』字。『百年』，杜甫常常用來代替『一生』。此處如果用『一生多病』也可以和『萬里悲秋』作對，但詩人選用『百年』，就比『一生』好得多。因爲他把一個實詞改用虛詞，就是把邏輯思維改爲形象思維。

第四聯以傾吐自己憂鬱的情懷作結束，完成了登高悲秋的主題。『艱難』是指亂離的時世。在這困苦艱難的時世中，愈覺得怨恨自己的滿頭白髮。『潦倒』是指自己的遭遇。在流浪不定的生活中又因病肺而停止了飲酒。

杜甫的晚年生活，眞是窮愁潦倒。這一時期的詩，都是哀音滿紙，使讀者悱惻無歡。但是他從廣德元年（公元七六三年）夏季，離成都東遊，在渝州（重慶）、忠州（忠縣）、夔州住了一個時期，又南下到沅、湘而最後死在耒陽，這六七年間寫的詩卻最多。大概無聊之極，止有天天吟詩，才能稍稍發洩他的憂鬱悲憤的情緒。這時他的詩律愈細，藝術上達到了高度精妙，眞可以說是『窮而後工』了。

現在我們來比較一下這兩首詩的全篇結構，或者說篇法。第一首詩的前三聯都是對句，尾聯不對。第二首則四聯都是對句。律詩的要求，本來止要中間兩聯是對句，首尾兩聯不需要對偶。但是，從初唐以來，有些詩人卻喜歡增加對句。前三聯是對句而尾聯不對的，已見於王維、常建的詩。首聯不對而後三聯全對的，已見於楊炯的《從軍行》。但這一形式的七律，後人作的極少。四聯八句全對的，恐怕創始於杜甫。沈德潛評《登高》云：『八句皆對，起二句對舉之中，仍復用韻，格奇而變。』（《**唐詩別裁**》）這個評語，止有一半沒錯。八句皆對，是杜甫的『奇變』，而首聯起句用韻，並不是始於杜甫。王勃的《送杜少府之任蜀州》詩第一聯『城闕輔三秦，風煙望五津』早已是既對而又用韻了。

不論是律詩或古詩，最後幾句總得點明主題思想。律詩尾聯如果用對句，必須有很高明的藝術手法才能完成這一任務。《登高》的尾聯，好像仍然和第三聯平列，敘述自己的老病情緒，而不像全詩主題思想的結束語。它不如《返照》的尾聯，不作對句，而意旨明白。沈德潛也有一個評語云：『結句意盡語竭，不必曲爲之諱。』（《杜詩偶評》）意思是說：此詩最後二句沒有結束上文，表達新的意旨。勉強湊上一聯，實際是話已說完。這是一個缺點，不必硬要替作者辯護。這個評語，我以爲是正確的。杜甫的五律及七律，八句全對的很多，其尾聯對句，往往迷失了主題思想。七律中止有《宿府》一首的尾聯云：『已忍伶俜十年事，強移棲息一枝安』，可以說是既對偶，又明白，又雄健的結句。

兩首詩的第一句第七字，都用平聲字，都是韻。但兩首詩的聲調不同。『風急天高』句是仄起平收；『楚王宮北』句是平起平收。所謂起，是指第二個字；所謂收，是指末尾一字。一首律詩的第一句第二字，決定了第四、六字的平仄，也決定了全詩各句的平仄。現在把這兩首詩每句第二、四、六字的平仄對照如下：

	登高	返照
（句一）	急（仄）高（平）嘯（仄）	王（平）北（仄）黃（平）
（句二）	清（平）白（仄）飛（平）	帝（仄）西（平）雨（仄）
（句三）	邊（平）木（仄）蕭（平）	照（仄）江（平）石（仄）

（句四）雲（平）樹（仄）山（平）　盡（仄）江（平）滾（仄）
（句五）年（平）病（仄）高（平）　里（仄）秋（平）作（仄）
（句六）塞（仄）時（平）閉（仄）　年（平）病（仄）登（平）
（句七）可（仄）留（平）虎（仄）　難（平）恨（仄）霜（平）
（句八）方（平）有（仄）招（平）　倒（仄）停（平）酒（仄）

這兩首詩的平仄黏綴完全符合規律，沒有一字失黏。每一首詩第二句的平仄與第一句對，第三句的平仄與第二句同。第四句的平仄與第三句對，第五句的平仄與第四句同。第六句的平仄與第五句對。第七句的平仄與第六句同。第八句的平仄與第七句對，與第一句同。這是五、七言律詩調聲的正格。但是這兩首詩由於第一句的平仄彼此不同，故全詩的平仄完全相反。

我們再從句法的觀點來分析這兩首詩。我曾講過，律詩的第一聯和第四聯可以合起成爲一首絕句。這個方法，卻不能用於這兩首詩。因爲這兩首詩都以前二聯寫景，後二聯抒情。前二聯之間沒有起承的關係，後二聯之間也沒有轉合的關係。《登高》的首尾二聯，不能表達一個完整的概念，因而無法截下來合成一首絕句。《返照》的尾聯可以相當於絕句的第三、四句，可是它的首聯卻沒有思想的發展，使尾聯接不上去，因此也不能合成絕句。

一般的律詩，藝術中心在中間二聯，思想中心在首尾二聯。中間二聯要求對偶工穩，一聯寫景，一聯抒情，或一聯虛寫，一聯實寫，切不可四句平行。首尾二聯要通過中間二聯，完成一個思想概念的起訖。杜甫《登高》一首卻以前二聯寫景，後二聯抒情。藝術中心強了，思想中心便削弱了。故吳昌祺評云：『太白過散，少陵過整，故此詩起太實，結亦滯。』他指出了杜甫此詩的缺點在過於求整，以致起結二聯失之呆板。這個『滯』字就是沈德潛所謂『氣竭意盡』。由此詩可見杜甫的過於追求『詩律細』，有時亦會損害思想內容的表現。許多人讀此詩，止覺得它聲調響亮，對仗工整，氣韻雄健，而不注意它思想內容的不明確、不完整。楊倫竭力讚美此詩，評云：『高渾一氣，古今獨步，當爲杜集七言律詩第一。』這樣高的評價，必不爲吳昌祺、沈德潛等深於詩道者所贊同。至於《返照》一首，由前四句的寫景，興起後四句的抒情。尾聯不作對句，仍用散句說明自己衰老厭亂、無家可歸的情懷，使讀者感到辭旨通暢，氣韻蒼老沉鬱，不失爲七律的傑作。

以上講的句法是句與篇的關係。現在再講一講每一句的結構。這也稱爲『句法』，唐人稱爲『句格』。兩首詩共十六句，全是上四下三的句法。但上四與下三結構各不相同。這裏先看每句的上四字，可以分出下列五個類型：

（型一）風急/天高　渚清/沙白
衰年/肺病　絕塞/愁時　}一對詞組

（型二）無邊落木　不盡長江
萬里悲秋　百年多病　}狀詞+名詞組

（型三）艱難苦恨　潦倒新停
南方實有　不可久留 ｝有動詞

（型四）返照入江
歸雲擁樹 ｝主謂語全

（型五）楚王宮——北
白帝城——西 ｝3字＋1字結構，讀作2＋2，

每句下三字的結構止有二種類型：

（型一）猿嘯——哀　飛鳥——迴
蕭蕭——下　滾滾——來
繁霜——鬢　濁酒——杯
豺虎——亂　未招——魂
過雨——痕 ｝音節與詞性結構統一

（型二）常——作客　獨——登台
正——黃昏
翻——石壁　失——山村
惟——高枕　早——閉門 ｝此三字或連讀或讀作2＋1

《返照》首聯的『正黃昏』與『過雨痕』實在不成對偶，故誦讀時必須互相遷就讀成『正黃——昏』或『過——雨痕』。

七言律詩的句法結構，大概不外乎此。上四字必須是2＋2格式。第二字與第三字必須分得開。像『楚王宮北』與『白帝城西』這種結構，讀時也止能是『楚王/宮北』、『白帝/城西』。如果把『鳳凰』、『松柏』、『琵琶』、『蕭條』、『骨肉』等分不開的連綿詞作爲詩句中的第二、三字或第四、五字，這是絕對不可能的。

一九七八年九月二十三日

40 杜甫：吳體七言律詩二首

愁

江草日日喚愁生，巫峽泠泠非世情。
盤渦鷺浴底心性，獨樹花發自分明。
十年戎馬暗南國，異域賓客老孤城。
渭水秦山得見否，人今罷病虎縱橫。

暮歸

霜黃碧梧白鶴棲，城上擊柝復烏啼。
客子入門月皎皎，誰家擣練風淒淒。
南渡桂水闕舟楫，北歸秦川多鼓鞞。
年過半百不稱意，明日看雲還杖藜。

杜甫在夔州的時候，極其講究詩律，寫出了不少調高律細的詩篇，同時又想突破律的束縛，嘗試一種新的詩體。有一天，他寫了一篇非古非律，亦古亦律的七言詩，題目是《愁》，題下自己注道：『強戲爲吳體。』接著，他又陸續寫了十七八首這樣的詩，於是唐詩中開始多了一種『吳體詩』。『強』是勉強，『戲爲』是寫著玩兒。可知是在無聊的時候，勉強做著玩的，它不是正式的律詩。

但是，什麼叫作『吳體』呢？杜甫自己沒有說明，大概當時是人人知道的，而後世卻無人能解釋。宋朝人改稱『拗字詩』或稱『拗體』。淸人桂馥說：『吳體即吳均體。』（見《札樸》）吳均是梁朝詩人，他的五言詩已講究平仄，但還不像唐代律詩那樣講究黏綴，所以他的詩還是古詩。吳均詩文，風格輕麗，當時有許多人摹仿他，稱爲吳均體。這個名詞在文學史上代表的是一種文學創作風格，並不是指詩體。故桂馥的話，不能信從。否則，杜甫爲什麼不注明『吳均體』而要簡稱『吳體』呢？

從兩漢到魏晉，我國的文化中心一向在中州，文化人的語言及吟誦詩文，都用中原音。吳越方言，被視爲鄙野。吳越人到洛陽，被稱爲傖父。東晉以後，文化中心隨政治而移到江南，吳越方言語音，成爲北方來的士大夫爭相學習的時髦語言。江南民間的歌謠也成爲流行的吳聲歌曲。從隋朝到唐初，政治和文化中心回到中州，吳語又恢復了它的鄉土語言的地位。安祿山之亂，江南沒有兵災，中州人士過江避難者很多，吳語吳聲又時髦起來。顏眞卿、韋應物、白居易、元稹，都曾在吳越做官，同時吳越詩人如皎然、顧況、張志和、嚴維、戴叔倫、張籍等又以他們的吳語吳音影響了北方詩人。在中唐詩人的詩中，常常可以看到吳音、吳吟、吳歌、越吟、越調等詞語。可以推測，用吳音吟詩，其音節腔調，一定不同於中州。杜甫大約得風氣之先，首先依照吳吟作詩，成爲這種拗體的七律。按中州音吟誦這些詩，平仄是拗的；但用吳音來吟誦，也許並不拗。因此，杜甫戲作十多首，命名爲吳體，這個名詞從此確定。直到晚唐，皮日休、陸龜蒙都作過吳體詩。

現在先把這兩首詩的大意解釋一下。第一首《愁》是看到眼前景物而抒寫他的愁懷：江邊的叢草每天在生長起來，都在喚起我的愁緒。巫峽中泠泠流水，也毫無人情，惹得我不能開懷。白鷺在盤旋的水渦中洗浴，你們有些什麼愉快的心情呢？一株孤獨的樹正在開花，也止有你自己高興。這四句是描寫一個心緒不好的人，看了一切景物，都煩惱得甚至發出咒詛。『世情』是唐宋人俗語，即『世故人情』。『非世情』或作『不世情』，即不通世故人情。在這句詩裏，可以講作『不討好我』。『底』字也是唐宋俗語，用法同『何』字，是個疑問詞，即現代語的『什麼』。『分明』二字與杜甫在別處的用法有些不同，意義較爲含糊。大約強調的是『自』字。現在釋爲『自己高興』，還是揣測，恐怕似是而非。

下四句從寫景轉到抒情。十年來兵荒馬亂，使南方也成爲黑暗的地區，我這個異鄉來的旅客，衰老在夔州孤城中，很想回長安去，可不知渭水秦山，這一輩子還能再見不。因爲人已老病，而路上仍然是豺虎縱橫。

這首詩意義很明顯，沒有曲折隱晦之處。前四句雖然寫景，但與《登高》、《返照》二詩的前四句不同。作者已在寫景之中表現了自己的『愁』，不是客觀的寫景了。每一句的藝術手法都表現在下三字。『暗』字也是杜甫的獨特用字法。末句『虎縱橫』是指上文的『十年戎馬』。《杜詩鏡銓》引張璁說：『虎縱橫，謂暴斂也。時京兆用第五琦十畝稅一法，民多流亡。』浦江清《杜甫詩選》亦用此說作注，以爲末句是『借喻苛政』。這是從詩外去找解釋。大約腦子裏先有一句『苛政猛於虎』，看到杜甫的『虎縱橫』就附會到苛政上去。於是再從唐史中尋找當時有什麼苛政。於是找到了第五琦的新稅法。不知杜甫詩中屢次以豺虎比兵災。此處的『虎縱橫』顯然是照應上文的『十年戎馬』，杜甫怎麼會忽然丟開上文而無端扯到第五琦的苛政呢？毛大可論讀《西廂記》的方法說：『詞有詞例。不稔詞例，雖引經據史，都無是處。』我說：讀詩也是這樣。詩也有詩例，不從詩中去求解，而向詩外去引經據史，決不能正確地解得這首詩。

第二首《暮歸》，篇法與前一首同。前四句寫暮歸的景色：白鶴都已棲止在被濃霜凍黃的綠梧桐上。城頭已有打更擊柝的聲音，還有烏鴉的啼聲。寄寓在此地的客人回進家門時，月光已亮了，不知誰家婦女還在搗洗白練，風傳來悲悽的砧杵聲。『黃』字是動詞。『柝』，現代稱爲『梆子』。天色晚了，城上守衛兵要打梆子警夜。唐詩中寫夜景，常有搗練、搗衣、砧杵之類的詞語。大約當時民間婦女都在晚上洗衣服，木杵捶打衣服的聲音，表現了民生困難，故詩人聽了有悲哀之感。

下半首四句也同樣轉入抒情。要想渡桂水而南行，可沒有船；要想北歸長安，路上還多兵戎。都是去不得。年紀已經五十多歲，事事不稱心，明天還止得拄著手杖出去看雲。這最後一句是描寫他旅居夔州時生活的寂寞無聊。止好每天拄杖看雲。浦起龍說：『結語見去志。』（《讀杜心解》）此評也不確。應該說第三聯見去志，結句所表現的並不是去志，而是寂寞無聊。

現在，我們且看看吳體七律和正體七律的不同處。宋人稱吳體爲拗體，其實這兩個名詞的意義並不一樣。拗體有兩種：一種是一首詩中止有一、兩句平仄不合律，成爲拗句。這種拗句往往由下面一句或一聯挽救過來，故全詩還是正格律詩。另一種是每句都拗，不合律詩調聲法度，讀起來恰像古詩。所謂吳體，是指這一種拗體。

在該用平聲字的地方，用了仄聲字。反之，在該用仄聲字的地方，卻用了平聲字，使詩句讀起來拗口，這便是拗字的意義。在上一篇裏，我講過，一首律詩的第一句第二字，決定了全詩的平仄黏綴格式，現在即以《愁》這首詩爲例，第一句第二字『草』是仄聲字，那麼第四、六字必須是平、仄聲字。我們依正體律詩的調聲規律列爲甲表。再按杜甫此詩的實際平仄列爲乙表，就可以看出此詩的聲調如何拗法：

	甲	乙
（句一）	仄平仄	仄仄平
（句二）	平仄平	仄平仄
（句三）	平仄平	平仄平
（句四）	仄平仄	仄仄平
（句五）	仄平仄	平仄平

（句六）平仄平　仄仄平
（句七）平仄平　仄平仄
（句八）仄平仄　平仄平

乙表中與甲表不合的字，都是拗處。

一首詩中，偶爾有一、二處平仄不合律，謂之失黏。失黏之病，有時是作者平時讀字音不正，弄錯了平仄。也有些是故意的，這就稱爲拗句。《愁》這首詩全是拗句，這就是吳體。這種拗法，止有在七言詩中出現，它們是律詩的形貌與古詩的聲調的混血兒。

此外，還有種拗句，在五、七言詩中都有。那是每句拗在倒數第三字，即五言詩的第三字，七言詩的第五字。例如，杜甫的《大雲寺》詩句：

夜深殿突兀，風動金琅璫。

仄平仄仄仄　平仄平平平

這一聯上句第三字必須用平聲字，現在用了仄聲的『殿』字。使全句有三個連用的仄聲字，聲調便急促而僵硬。下句第三字本來必須用仄聲字，現在卻用了平聲的『金』字。這是因爲上句既拗了一字，此處不得不再拗一字，使這二句不會影響到下面一聯的聲調，避免一路拗下去。所以這個『金』字的用法是爲了補救上句的『殿』字。這就稱爲『拗救』。

又如杜甫《詠懷古跡》之二：

悵望千秋一灑淚，蕭條異代不同時。

仄仄平平仄仄仄　平平仄仄仄平平

上句第五字必須用平聲字，聲調方能諧和。現在連用三個仄聲字，就成爲拗句。人們也許會問，律詩的平仄既然一、三、五不拘，爲什麼五言詩的第三字和七言詩的第五字還要斤斤較量。對於這個問題的解答，應當先請注意五言句的上二下三結構，七言詩的上四下三結構。上面二字或四字是一個音段，下面三字又是一個音段。前一個音段，五言詩止有二字，可以隨意用平仄。七言詩則有四字，應當使第二字和第四字平仄黏綴。下一個音段，五言和七言都是三個字，止要不連用三個平聲或仄聲字就沒錯了。『一灑淚』三字皆仄聲，此句的音調就顯得僵硬。必須把『一』字改用平聲，使其成爲平仄仄的句格，才可與下句仄平平和諧。如果『一』字不能改，可以把『灑』字改用平聲，成爲仄平仄的句格，也可以補救。不過句子還是嫌硬。

詩有兩個『腰』。在每一句中，五言的第三字，七言的第五字，是一句的腰。腰的平仄失黏，就是犯了『蜂腰』之病。『蜂腰』是調聲八病之一，以蜂腰來比喻一句詩中兩個音段中間的細弱。在整首詩中，絕句的第三句，律詩的第三及第五句，都是腰。這兩處腰的平仄不合聲律，就稱爲『折腰體』。這是詩的一種體式，不算詩病。

《中興間氣集》有一首崔峒的詩，題目是《清江曲內一絕》，題下注曰：『折腰體。』這是這個名詞最早出現的地方。可知在天寶至大曆年間，詩人們已注意到律詩的這一種變化，給它定了名稱。崔峒的詩是：

八月長江去浪平，片帆一道帶風輕。
極目不分天水色，南山南是岳陽城。

此詩第二句第二、四、六字是平仄平句格，第三句的第二、四、六字本來應當重複這一句格。可是現在卻用了仄平仄，這就好比折了腰，使第四句的句格也不合律了。七言律詩的第三句應當和第二句平仄同，第五句應當和第四句平仄同，第七句應當和第六句平仄同。如果不是這樣，也是折腰體了。折腰是律詩的變體，杜甫詩中折腰之例很多。但在七言律詩中，一般止許折腰一次。何義門以爲崔峒此詩之所以稱爲折腰，『似指第四句第三字，非不用黏之謂』。按，此詩第四句第三字『南』，並無問題，不知何氏此言是什麼意思。但他不知折腰是第三句的問題，卻出人意外。

一九七八年九月二十八日

41 杜甫：五言律詩二首

旅夜書懷

細草微風岸，危檣獨夜舟。
星垂平野闊，月湧大江流。
名豈文章著，官應老病休。
飄飄何所似，天地一沙鷗。

登岳陽樓

昔聞洞庭水，今上岳陽樓。
吳楚東南坼，乾坤日夜浮。
親朋無一字，老病有孤舟。
戎馬關山北，憑軒涕泗流。

杜甫詩一千四百餘首，大半是五言詩。五言詩中又大半是律詩。晚年所作五言律詩，氣格高古，律法嚴密；聲調響亮，情感沉鬱。詩中所反映的雖然是窮愁潦倒的個人生活遭遇，但他對政治動亂，民生凋敝的殷憂，也同時有充分的表達。可見他的世界觀還是積極的，不像後來的孟郊、賈島那樣，寫的詩僅是失意文人的哀鳴。

這裏選講他的兩首五言律詩，都是東出夔門時所作。這兩首未必是他最好的作品，但也常常有人提及。不過，對於杜甫的詩，要問那幾首是最好的，恐怕從來沒有一致的挑選。

這兩首詩都是前四句寫景，後四句抒情。首聯都是對句，尾聯都是散句。篇法和以前講過的四首七律相同。兩首詩所用的韻也恰好相同。

第一首《旅夜書懷》，前四句寫『旅夜』，後四句寫『書懷』。在細草微風的江岸邊，孤獨的夜裏，停泊著桅杆很高的江船。天上的星星在四空中閃著光，顯得原野很曠大；月亮照在江面上，好像是從大江流水中湧現出來。『垂』是自上而下，『湧』是自下而上。用這兩個字分別寫天和水，是極費苦心，鍛鍊出來的。宋朝人論詩，把詩句中突出的、不平凡的字，稱爲『詩眼』。好比人的眼，有眼才見精神。這裏的『垂』與『湧』，也就是句中之眼。

下四句轉到寫自己的情懷：我的名望並不是因文章寫得好而爲人們所知道；我的官職應該說是因爲年老多病而罷休的。『名豈文章著』，用的是問句式。『文章』是指詩。唐人把詩和散文一起稱爲文章。一般人以爲杜甫在當時就以詩著名。其實不是。他出名的時候，人家還不很欣賞他的詩。他是以上疏救房琯而著名的。因為當時房琯以兵敗得罪，無人敢替他申辯，杜甫不顧自身危險，毅然決然向肅宗上疏。他這一行動，震驚了滿朝官員，一時朝野傳言，使他出名了。至於罷官，按照制度，年至七十，才算老病，到了退休年齡。但杜甫是因為救房琯得罪，從左拾遺降為華州司功參軍。又因關中饑荒，棄官而去，流浪到蜀中。他的罷官，還沒有到老病退休的年齡。這兩句詩講的是同一件事，而這件事又是他一生的牢騷，一輩子的思想矛盾。現在用兩個反語，很有含蓄地發洩他的牢騷。一個『豈』字，一個『應』字，都是詩眼。最後一聯點明主題思想：我現在像個什麼呢？像一隻在遼闊的天地間飄飄蕩蕩的沙鷗。這就寫出了旅夜的情懷。這一聯也是問答句，上句問，下句答。

第二首《登岳陽樓》的主題也是書懷。前四句也是寫景，但第一聯與前一首的第一聯不同。前一首的第一、二聯是平列的，無起承之別。這一首的第一聯以叙述語氣起始，第二聯是承。過去聽人家講過洞庭湖，今天親自上岳陽樓，看到這個著名的湖泊。在這個大湖之東，是吳國的地域；南方是楚國的地域。在浩瀚的湖面上，天地好像日夜地在浮動。『水』是『湖』的代用詞，因為此處不能用平聲字。『坼』是土地分裂，此處借作『區分』字用。

下四句也和前一首詩同樣，轉到自身。在離亂的時世，親戚朋友的消息，一個字也得不到。既老且病，所有的止有一條漂泊異鄉的船。想回北方去，可是關山以北，還有戰事，無法回去。每天靠著樓窗，止有流淚而已。

這兩首詩的思想內容，並沒有什麼突出。杜甫在這時期所寫的詩，多半表達這種情緒。用藝術觀點來看，這兩首詩可以說是寫得極自然、極工穩，是律詩的典型作品。每一首詩的前三聯，詞語、詞性的對法都是正對。如『細草』對『危檣』，『微風』對『獨夜』，『岸』對『舟』，『星垂』對『月湧』，『平野』對『大江』，『闊』對『流』。這種對偶，是律詩的正格，故稱爲正對。也稱爲『正名對』，又稱爲『的名對』。『闊』是狀詞，『流』是動詞，在今天我們以爲詞性不同，但在古人的觀念中，它們都是虛字，可以成對。

詞性完全對穩的聯語，容易拘束思想的表達，成爲兩個平行的呆板對句。因此有時也可以不必遵守正對的規律。改用詞性不同而結構相同的詞語作對偶。例如杜甫的『兩邊山木合，終日子規啼』（《子規》）。此聯『兩邊』與『終日』，一個是抽象概念，一個是具體概念，不能算是正對。又，『不知雲雨散，虛費短長吟』。『雲雨』是兩個名物詞的結合，『短長』是兩個狀詞的結合，也不是正對。這種形式的對偶，唐人稱爲異類對，宋人稱爲偏對。偏對當然不如正對，但它可以使聯語流利、靈活，故作者很多，不以爲病。

『山木』與『子規』，字面不成對偶，止是以鳥對樹。又如《山寺》詩：『麝香眠石竹，鸚鵡啄金桃』，是以鳥對獸。又《遣愁》詩：『江通神女館，地隔望鄉臺』，是以館名對臺名。這些名詞的字面都不成對。律待中這種對偶也很多。唐人稱爲事對，意思是對事物不對字面。宋人稱爲散對，許多人不屑用，以爲對法太寬。

另外有一種字面對，詞性也對，而意義不對的。如杜甫的『風物悲遊子，登臨憶侍郎』（《和裴迪登新津寺寄王侍郎》)。此聯對偶都不是正格。以『登臨』對『風物』是偏對。以『侍郎』對『遊子』,字面、詞性都對,但『遊子』是旅客,『侍郎』卻是官名,此處用來代表一個官爲侍郎的朋友。又杜牧詩云:『當時物議朱雲小,後代聲華白日懸。』(《商山富水驛》)以『白日』對『朱雲』,字面及詞性都對,但朱雲是人名,意義與『白日』不對。這種對偶,稱爲假對,亦名假借對。

還有一種借同音字作對偶的。例如杜甫的『江漢思歸客,乾坤一腐儒』(《江漢》)。『一』與『思』是不成對偶的,但『思歸客』可以讀成『四歸客』,那就成對了。又孟浩然詩:『廚人具雞黍,稚子摘楊梅。』(《裴司士見訪》)以『楊』字對『雞』字,是取『羊』字的諧音。又杜甫詩:『枸杞因吾有,雞棲奈爾何。』(《惡樹》)是以『枸杞』讀成『狗杞』,就可與『雞棲』成對了。這種對法,唐人名爲聲對。宋人也列入假借對。

此外,還有一種對法。其對偶在一句之中。如杜甫詩:『小院回廊春寂寂,浴鳧飛鷺晚悠悠。』(《涪城縣香積寺官閣》)『小院』與『回廊』成對,『浴鳧』與『飛鷺』成對,而『小院』與『浴鳧』卻不成對。又李嘉祐詩:『孤雲獨鳥川光暮,萬里千山海氣秋。』(《同皇甫冉登重玄閣》)『孤雲獨鳥』與『萬里千山』各自成對,而上下聯卻不成對。這種對法,稱爲當句對,《滄浪詩話》稱爲就句對。李商隱有一首詩,題曰:《當句有對》。每一句都用當句對,而中間兩聯又是上下句對穩的:

密邇平陽接上蘭,秦樓鴛瓦漢宮盤。
池光不定花光亂,日氣初涵露氣乾。

但覺游蜂饒舞蝶，豈知孤鳳憶離鸞。
三星自轉三山遠，紫府程遙碧落寬。

這首詩雖然作者自以爲每句中有對偶，其實止有游蜂、舞蝶、孤鳳、離鸞二組可以成對。此外平陽、上蘭，秦樓、漢宮和紫府、碧落三組平仄都沒有對上。池光，花光，日氣，露氣，三星，三山，這三組有一字相同，都不是對偶。

與當句對相反，還有一種隔句對。它不是上下二句相對，而是以第三句對第一句，第四句對第二句。例如古詩：『始見西南樓，纖纖如玉鉤；來映東北墀，娟娟似蛾眉。』又，『昨夜越溪難，含悲赴上蘭；今朝逾嶺易，巧笑入長安。』又韓愈《送李員外分司東都》：『去年秋露下，羈旅逐東征；今歲春光動，驅馳別上京。』又杜甫《哭鄭廣文、蘇少監》：『得罪台州去，時危棄碩儒；移官蓬閣後，穀貴歿潛夫。』這種對句，大多用於詩的開頭，而且必有雙重意思。如第一例詠月是『始見』和『來映』。第二例是『昨夜』和『今朝』。第三例第一、二句是哭鄭廣文，第三四句是哭蘇少監。第四例是『去年』和『今歲』。宋人把這種對法稱爲扇對，如一柄扇子的左右對稱。

律詩的對偶，還須注意詞語的聲韻。最好是雙聲字對雙聲字，疊韻字對疊韻字，互相對偶也可以。連緜詞必須與連緜詞作對。重字必須用重字爲對。例如杜甫的《湘夫人祠》：『晚泊登汀樹，微馨借渚萍。』此聯『登』、『借』兩個動詞本來可以隨意選用，但杜甫在『汀樹』前用『登』字；在『渚萍』前用『借』字，使『登汀』、『借渚』都獲得雙聲效果，這也是他『詩律細』的一例。

盛唐是五、七言律詩的形式與規律完成的時期。中唐是繼續發展的時期。詩律愈嚴，變化也愈多。當時有一位日本僧人遍照金剛在我國學道、學文①，回國後寫了一部介紹我國詩學理論的書《文鏡祕府論》。其中有《論對》一卷，記錄了二十九種對法。除正對、偏對、聲對等幾種之外，大多流於瑣碎苛細，並不爲詩家所注意。宋人詩話中也常常討論到各種對偶方法，但作者總以正對爲主，其他對法，止可偶一爲之。

一九七八年十月二日

①弘法大師（公元七七四—八三五年），法名空海，遍照金剛是他的灌頂名號。他於貞元二十年（公元八〇四年）來中國，回國後，著書多種，介紹中國佛學及文化。《文鏡祕府論》鈔集了當時我國許多論詩法的著作，其中有些書早已亡佚。《文鏡祕府論》有一九七五年人民文學出版社新印本。

42 盛唐詩餘話

以上講盛唐詩二十九篇，作者十七人，李白、杜甫佔了一半。以後世的觀點來評價盛唐詩，李白、杜甫有特殊的重要性，講盛唐詩以李、杜爲主，是當然的。但如果依據當時詩壇的現實情況，則王維、李白，詩名不相上下，杜甫的聲望，遠不及他們。我們現在評論杜甫詩，都認爲他的《兵車行》、《麗人行》、『三吏』、『三別』、《北征》、《自京赴奉先詠懷》等詩是他的傑作，但宋朝人論詩，大多推崇他入蜀之後，在成都、雲安、夔州這一時期的作品。特別是在夔州所作許多律詩，爲黃庭堅所激賞。這是因爲宋元時代的詩人，論詩、作詩，都以律詩爲主，他們把杜甫奉爲唐律之祖。他們所崇拜的是杜甫的詩律。宋人詩話中討論的，多半是杜甫的句法、字法，對於他在天寶離亂時期所作許多樂府歌行，即使講到，也還是從其藝術手法去評論，而極少注意它們反映社會現實的高度思想性。因此，宋人選杜甫詩，都取他的《秋興》、《詠懷古跡》之類的作品。

但是，在唐代，情況還更不如。《河嶽英靈集》不選杜甫詩，還可以說是他早期的作品尚未知名。《中興間氣集》也不選杜甫的詩，似乎連他晚年的律詩也還沒有引人注意。五六十年之後，元稹竭力讚揚杜甫，以爲非李白所及。韓愈也有『李杜文章在，光芒萬丈長』(《調張籍》)的詩句，這時杜甫的聲望才得與李白並列。但是晚唐初期詩人姚合編選《極玄集》，還是不選杜詩。唐末詩人韋莊編選《又玄集》，雖然選了杜甫七首詩，止是五律五首，七律二首。又過了二三十年，後蜀詩人韋縠編選《才調集》，其序言中明明說：『因閱李、杜集，元、白詩，遂採摭奧妙，並諸賢達章句。』可是他所選的一千首詩中，止有李白詩二十八首，杜甫詩還是一篇都沒有。可知他雖然看過杜甫詩集，竟以爲無『奧妙』可供『採摭』。一個偉大的詩人，其作品在生存時默默無聞，在身後一百多年，雖有文壇鉅子爲他表揚，仍然是無人賞識。這種情況，在中國文學史上，恐怕僅此一例。

盛唐詩在唐詩中的成就，我們可以從其承先與啓後兩個方面來看。承先的收穫有二點值得注意：

㈠律詩的規範確定了。初唐沈、宋的五言律詩，還沒有完全脫離古詩的音調與風格，平仄黏綴或詞句對偶，還不夠細密。王維、孟浩然的五言律詩中，還有許多句格音調，留有古詩痕跡。但在杜甫的五言律詩中，這種痕跡幾乎都不見了。至於七言律詩，盛唐詩人所作還不多。我們如果從岑參、高適的七言律詩讀到杜甫的七言律詩，便可以發現對偶愈來愈工穩，聲調愈來愈嘹亮。不過，絕句的第三句，律詩的第五句，盛唐詩人還不考究其平仄應當與上句重複，因此，盛唐七律仍以折腰體爲多。中唐詩人才注意到這一音律問題，然後才以折腰爲病。

㈡樂府詩有所發展。初唐詩人作樂府詩，還是沿用樂府舊題，題材內容也還受古樂府的拘束。多數作品，止能說是擬古。盛唐詩人大作樂府詩。岑參、高適的邊塞樂府，李白的遊仙、飲酒、抒懷、述志樂府，杜甫的記述天寶離亂的樂府，都用新題目、新題材，爲漢魏以來的樂府詩開拓了一大片新的園地。

啓後的影響可以指出以下幾項：㈠七言詩的地位漸高，中唐以後，不再以五言爲詩的主要形式。㈡初唐詩的面貌是艷麗穠縟，還有齊梁體餘風。盛唐詩開始變爲秀麗清新。初唐詩的貴族性、宮廷體，在盛唐作品中，已逐漸消失。這是由於初唐詩人，大多數是朝廷大臣，或豪貴子弟。盛唐詩人多數是官位不高的進士。還有一些是像孟浩然那樣的潦倒文人。詩人的成份，從封建貴族、官僚地主下降到普通知識分子。這種變化，影響到中唐，詩的面貌風格，愈加清淡樸素。㈢長篇歌行和律詩的出現。李白的長篇歌行和杜甫的一百韻排律，都是前古所未有。中唐以後，這兩種詩體大有發展，使賣弄才學的詩人，多了一種武器。㈣開始了摘句論詩的風氣。古人論詩，都論全篇的思想內容。鍾嶸作《詩品》，開始舉出某一詩人的精警詩句，加以評論。這一風氣，到盛唐而大爲發展。由於律詩興起，中間二聯是精華所在，詩人都用力於這二聯。對偶要工，詩意要新。杜甫在許多詩裏，都表現過他重視句法。《答岑參》詩云：『故人得佳句，獨贈白頭翁。』《寄高適》詩云：『美名人不及，佳句法如何。』《自述》詩云：『爲人性癖耽佳句。』要求句法佳妙，也是他『詩律細』的一個方面，雖然他所謂佳句，未必全指律詩的中二聯。此外，《河嶽英靈集》在介紹每一位詩人的風格時，也常常舉出其一二名句。稱王維的詩是『一字一句，皆出常境。』稱高適則云：『至如《燕歌行》等，甚有奇句。』又舉出薛據的《古興》詩中數句，譽之爲『曠代之佳句』。這一切都反映著當時詩家特別重視句法。

影響到晚唐，成爲一種不好的傾向。許多詩人先刻意苦吟，作得中二聯，然後配上首尾，變成爲止有佳句而不成佳篇的、沒有眞實情感的詩。他們止是爲作詩而作詩了。

以上僅是舉出一些顯著的現象。此外，在題材、風格、氣氛各方面，盛唐詩也都有其特徵，不過不能劃斷年月來講。明代的王世懋在他的《藝圃擷餘》中有過一段論唐詩的話：

唐律由初而盛，由盛而中，由中而晚，時代聲調，故自必不可同。然亦有初而逗盛，盛而逗中，中而逗晚者。何則？逗者，變之漸也。非逗，故無由變。如四詩之有變風、變雅，便是《離騷》遠祖。子美七律之有拗體，其猶變風、變雅乎？唐律之由盛而中，極是盛衰之介。然錢起、王維，實相唱酬，子美全集，半是大曆以後，其間逗漏，實有可言，聊指一二，如右丞『明到衡山』篇，嘉州『函谷磻溪』句，隱隱錢、劉、盧、李間矣。至於大曆十才子，其間豈無盛唐之句？蓋聲氣猶未相隔也。學者固當嚴於格調，然必謂盛唐人無一語落中唐，中唐人無一語入晚唐，則亦固哉其言詩矣。

南宋中朝，有一群所謂江湖詩人，專學做晚唐詩。他們的影響，直到明代初期。於是有李于鱗等人出來提倡初、盛唐詩，以改革詩風。他們的理論犯了機械地劃分初、盛、中、晚的錯誤，硬把某甲的詩說是晚唐，某乙的詩說是盛唐。但又無法一篇一篇地說明其特徵。王世懋這一段議論就是針對這一派理論而說的。我以爲他講得很透徹，故全文抄錄在這裏。

他的意見是：『唐詩固然有初、盛、中、晚的時代區別，一般說來，其聲調、風骨，確有不同。

但在初唐詩中，也會有幾首詩已逗（透）入盛唐的，盛唐也會有些已逗入中唐的，這就是變化的開始。正如《詩經》中有些篇章已經可以看出《離騷》的跡象。杜甫的拗體律詩，已經是中、晚唐硬句的先兆。總的說來，盛唐到中唐是唐詩的分水嶺。大曆以後，唐詩便趨於衰落了。但是從個別詩人的情況來看，又不能截然區分。王維和錢起是朋友，彼此都互有唱和。止因錢起輩分略晚，到大曆間才成為著名詩人，故王維算是盛唐詩人，錢起卻被列為中唐詩人。杜甫雖然列入盛唐，可是他集中的詩，半數以上都作於大曆元年至四年。又如王維的『明到衡山與洞庭』（《送楊少府貶郴州》）這首七律，岑參的『到來函谷愁中月，歸去磻溪夢裏山』（《暮春虢州東亭送李司馬歸扶風別廬》）這一聯詩句，都已經有些大曆詩人的風格了。至於大曆詩人的作品，也可能有些盛唐的風格。總之，時代雖然不妨劃分，當時的文風，並未彼此隔斷。所以，學詩的人，一方面固然應該嚴格區分時代風格，另一方面也不能說：盛唐詩人句句是盛唐，中唐詩人句句是中唐。如果這樣論詩，就未免太固執了。』

王世懋這一段話是為某些人在文學史上機械地劃分時代和流派而言。它不但適用於對唐詩的分期，也適用於講別種文學作品的發展史。所以我既抄錄了他的原文，又做了譯解。不過，王世懋以為唐詩由盛而中，是盛衰之界。這仍然是沿襲了宋元以來對『盛唐』這個名詞的誤解。所謂『盛唐』，應當首先理解為唐代政治經濟的全盛時期。所謂『中唐』，也應當首先理解為唐代史的中期。唐詩的時期是依歷史時期來區分的，但『盛唐詩』並不表示唐詩的全盛時期，『中唐詩』也不是盛唐詩的衰落現象。甚至，我還以為，唐詩的全盛時期反而應當屬於中唐。

現在，我們姑且採用分流派的方法以總結盛唐詩。王、孟、高、岑是第一派。他們是初唐詩的正統繼承者。在初唐詩的基礎上，有提高，有深入，有變化，有發展。李白是獨樹一幟的一派。他的創作過程，無論是在文學形式，創作方法及詩人氣質各個方面，都是從古典主義進入了浪漫主義。第三派是杜甫。他選擇了一條與李白相反的創作道路。他以王、孟、高、岑爲基礎，而排除了他們的纖巧、溫雅和文弱，創造出許多蒼老、雄健、沉鬱、古淡的篇章詞句。盛唐前期是李白詩『飛揚跋扈』的時代①，它們反映著玄宗李隆基統治下的政治、經濟上升的氣象。盛唐後期是杜甫『暮年詩賦動江關』的時代②，他的詩反映著李唐王朝由盛入衰的社會現實。王、孟、高、岑是盛唐詩的主流，中唐詩人是他們的繼承人。李、杜詩是盛唐詩的新變，儘管他們是一代大家，在當時還沒有產生影響。

一九七八年十月十六日

---

①『痛飮狂歌空度日，飛揚跋扈爲誰雄』，是杜甫《贈李白》的詩句。

②『庾信平生最蕭瑟，暮年詩賦動江關』，是杜甫《詠懷古跡》的詩句，也是他自己的比喻。